D0835632

Christina Hopkinson

De troep onder aan de trap

A.W. Bruna Uitgevers B.V., Utrecht

Oorspronkelijke titel
The Pile of Stuff at the Bottom of the Stairs
© Christina Hopkinson 2011
Vertaling
Emilin Lap
Omslagbeeld en -ontwerp
Ingrid Bockting
© 2011 A.W. Bruna Uitgevers B.V., Utrecht

ISBN 978 90 229 9874 8
NUR 302

Voor Alex: je inspireert me mateloos, maar de slonzige echtgenoot van de zeurende vrouw in dit verhaal is niet op jou gebaseerd.

MIX
Papier van
verantwoorde herkomst
FSC
www.fsc.org
FSC® C013683

Dit boek is gedrukt op papier dat het keurmerk van de Forest Stewardship Council (FSC) mag dragen. Bij dit papier is het zeker dat de productie niet tot bosvernietiging heeft geleid. Een flink deel van de grondstof is afkomstig uit bossen en plantages die worden beheerd volgens de regels van FSC. Van het andere deel van de grondstof is vastgesteld dat hiervoor geen houtkap in de laatste resten waardevol bos heeft plaatsgevonden. Daarom mag dit papier het FSC Mixed Sources label dragen. Voor dit boek is het FSC-gecertificeerde Munkenprint gebruikt. Dit papier is 100% chloor- en zwavelvrij gebleekt en wordt geleverd door Arctic Paper Munkedals AB, Zweden.

1

De troep

Het eenzame puzzelstukje ligt me vanuit een hoek van de huiskamer uitdagend aan te staren. We meten onze wilskracht, het stukje en ik. Ik probeer voet bij stuk te houden, maar natuurlijk wint het hoekje van de puzzel van tweeëndertig stukjes met een afbeelding van een hond die een vliegtuig bestuurt.

'Wat doe je?' vraagt Joel, die bezig is onze nieuwste dvd-box klaar te zetten, een klassieke Amerikaanse serie met ijzersterke dialogen. Ik speur de kast af naar de puzzel waar het stukje bij hoort. 'Ik kan niet tv-kijken als ik weet dat er ergens een puzzelstukje ligt. Wat als je de volgende keer dat je deze puzzel maakt er op het laatste moment achter komt dat er een stukje ontbreekt?'

'Chill nou even, Mary.'

'Chill? Hoe oud ben jij? Twaalf? Vind jij vampiers ook zo, je weet wel, vet cool?'

Hij lacht en richt zich weer op het selecteren van de afleveringen.

De wereld is verdeeld in twee soorten mensen: degenen die televisie kunnen kijken terwijl er ergens een eenzaam puzzelstukje ligt en degenen die dat niet kunnen. Omdat ik toch op de grond zit kijk ik onder de bank om me ervan te verzekeren dat er geen collega's van dit ene stukje zijn achtergebleven, maar ik vind iets anders: een beker. Ik kijk erin en begrijp dat hij de afgelopen weken steeds verder onder de bank is geschoven, maar nu door de getijden weer boven water is gekomen. Ik vermoed dat er koffie in heeft gezeten, maar het is moeilijk te zien met de pluizige schimmel die als een soort groen uitgeslagen cappuccinoschuim aan de randen omhoogkruipt. Aangezien ikzelf alleen dure caffè lattes met sojamelk drink, weet ik dat het een beker van mijn echtgenoot is geweest.

'Moet je kijken!' zeg ik en ik hou de beker vlak voor zijn gezicht.

Hij deinst niet terug, maar kijkt geïnteresseerd naar de inhoud van de beker. 'Het lijkt wel een beetje op dat spul waar ze in hippe restaurants het eten mee garneren, vind je niet? Geen idee, ambachtelijk gevulde gekonfijte kwartel met een sausje van slakkenslijm.' Hij kijkt nog een keer. 'We zouden het aan Rufus moeten geven. Hij vindt het vast leuk om te onderzoeken hoe schimmels groeien.'

'Breng je die beker nog naar de keuken?'

'Hoe weet je dat het mijn beker is?'

'Omdat dit de beker is die jij altijd gebruikt omdat hij zo groot is, wat je fijn vindt, omdat je dan altijd een paar slokken overhoudt om te knoeien.' Hij schudt zijn hoofd en drukt op *play*. 'Nou, ga je nu?' Eén, twee, drie, tel ik langzaam, zoals ik geleerd heb uit een artikel over woedebeheersing dat ik laatst gelezen heb.

'Straks.'

'Wanneer straks?'

Hij zet de tv harder. Ik zucht nog iets nadrukkelijker en kijk strak in zijn richting. Ik geef me het eerst gewonnen, zoals altijd, en breng de beker naar de keuken. Ik gooi de inhoud in de gootsteen en probeer met mijn hand alle stukjes door de afvoer te persen. De beker van mijn echtgenoot loopt over van schimmel, de mijne van woede en irritatie.

'Joel!' roep ik als ik terugkom en me niet alleen van de beker heb bevrijd, maar ook van alle remmingen om verschrikkelijk kwaad te worden. 'Ik ben het zat om in dit stinkhol te moeten leven.' Geen antwoord. 'Als je nou eens iets achter je kont op zou ruimen...'

Hij is in dezelfde trance geraakt waarin onze zonen verzinken zodra ze voor de televisie gezet worden. Ik probeer het nog eens; deze keer zet ik mijn woorden kracht bij door te stampvoeten, een beetje als Repelsteeltje. 'Jij doet hier nooit iets. Je bent nog erger dan een kind! Wat zou mijn leven makkelijk zijn als ik maar twee kinderen had om voor te zorgen. Jij, jij,' sputter ik, zoekend naar het juiste voorbeeld om hem te overtuigen van zijn totale blindheid voor de enorme hoeveelheid rommel die ik voor hem wegwerk. 'Je ziet gewoon niet wat ik allemaal doe. En hoe weinig jij doet.'

'Zoals wat?' zegt hij als hij eindelijk zijn mond opendoet.

'Weet ik veel, ik hou geen lijst bij of zo,' zei ik.

'Misschien moet je dat dan maar wel gaan doen.'

'Misschien doe ik dat wel, ja.'

Een lijst, denk ik de volgende dag, misschien moet ik een lijst maken. Een lijst met alle dingen die hij wel en niet doet in en om het huis. Ik zie niet hoe ik hem anders kan overtuigen van onze situatie. Wat zou ik met zo'n lijst kunnen doen? Is een lijst maken niet gewoon het zoveelste klusje op mijn bordje, terwijl op zijn bord alleen grote lappen vlees terechtkomen?

Ik word afgeleid door Gabe, die zich in een hoekje van de keuken heeft teruggetrokken met de peinzende blik van een wiskundige die uit zijn hoofd het grootste priemgetal van de wereld probeert te reproduceren.

'Gabe, wat doe je? Wacht, ho, wacht, wacht, wacht, ik haal je potje. Hier.' Zijn broek is in een enkele beweging van zijn billen getrokken en hij zit net op tijd om de dagelijkse hoop op te vangen waar mijn leven om lijkt te draaien. 'Goed zo,' zeg ik opgewekt, hoewel het in feite meer mijn overwinning is dan de zijne. 'Wat ben je toch een knap kind.' Ik sla mijn armen om hem heen, wat niet zo'n heel slim idee is, aangezien ik zijn billen nog niet goed heb afgeveegd. 'En knappe kinderen krijgen stickers.'

Ik loop naar het schema op de koelkast dat elke succesvolle interactie tussen het potje en mijn tweede zoon aan de wereld kenbaar maakt. Het zijn er niet veel. 'Daar gaan we: voetbal of dinosaurus?'

We zijn vier maanden en een ongelooflijke hoop stront verder, maar het begint ergens op te lijken. Ik geloofde nooit zo in dit soort methodes, maar onze nieuwste troef lijkt te werken. Elke keer dat hij op het potje poept, elke keer dat hij zonder tegenstribbelen meegaat om Rufus naar school te brengen en elke keer dat hij op tijd in bed ligt krijgt hij een sticker. Er zijn geen zwarte kruisen voor ongewenst gedrag, niet omdat Gabe een voorbeeldig kind is – integendeel – maar omdat wij het soort halfbakken ouders zijn die hun kinderen niet stevig toe willen spreken. (En als we ze een portie welverdiende kritiek durven te geven overgieten we dat nog met een sausje van liefde. 'Ik weet niet of iedereen in het restaurant jouw scheten wil horen, schat,' en: 'Liefje, mama vind het niet leuk dat je haar slaat.')

'Superman Gabe, je hebt al bijna een Thomas de Trein Luxe Tankset verdiend.' Was Joel ook maar zo eenvoudig af te richten.

En toen viel het kwartje. Dát zou ik natuurlijk kunnen doen met de lijst van de dingen die hij doet om mij te pesten. Ik zal een schema opstellen voor het huwelijk. Maar, omdat hij achtendertig is en geen tweeënhalf, krijgt hij alleen geen sticker voor elke gewenste activiteit, maar een zwart kruis voor elke ongewenste actie.

Ik zal een lijst maken van alle dingen die hij doet om mij te pesten en dan hou ik bij hoe vaak ze voorkomen. Het zal een uiterst nauwkeurige telling worden van elk verfrommeld papieren zakdoekje op de grond, elk leeg melkpak dat teruggezet wordt in de koelkast, elke stapel was die blijft liggen, elke keer dat ik met mijn hand de gootsteen moet ontdoen van vieze, glibberige etensresten die hem nooit lijken op te vallen. Het zal een spreadsheet worden met al zijn ongewenste gedrag over een periode van, laten we zeggen, zes maanden.

Ik ben in jaren niet zo optogen geweest. Het doet me denken aan hoe ik me voelde als ik op mijn werk een nieuw format ontwikkelde. Alles valt op zijn plek. Het is geweldig. Ik ben een genie.

Mijn schema zal prachtig en efficiënt zijn, een kunstwerk van Excel en observatie. Als het gepubliceerd zou worden zou het bewonderaars trekken, maar ik ga het niet ophangen in de keuken, zoals Gabes exemplaar, tussen de uitnodigingen voor verjaardagspartijtjes, schoolafspraken en boodschappenlijstjes. Joel is geen peuter die zindelijk moet worden maar een volwassen man die langer dan veertien dagen nodig zal hebben om zich te bewijzen. En aan het eind van de rit zal er geen Thomas de Trein-set voor hem klaarstaan als beloning – o nee.

Als mijn lijst, zijn schema, uitwijst dat hij een aanwinst is voor dit huishouden, mag hij blijven. Als de uitslag anders is, dan moet ik wel concluderen dat hij dat niet is en zullen we alles wat we ooit dachten dat dit huwelijk was eens grondig moeten herzien.

Het is als volgt, Joel: het enige wat je hoeft te doen is mij niet boos maken.

Het probleem is dat ik bijna altijd boos ben. Ik ben over het algemeen zo pissig dat mijn leven zich continu in HOOFDLETTERS lijkt af te spelen.

Ik weet dat ik niet boos zou moeten zijn. Ik word geacht deze emoties te kunnen 'beheersen', net zoals ik op mijn werk doe met processen en budgetten. Boosheid is allang niet meer hip of nobel; we gaan niet meer trots de barricades op. Het is een 'ongewenste' emotie.

Ik ben natuurlijk niet helemaal eendimensionaal, want er zit wel verschil in mijn buien. Ik schommel tussen milde irritatie en blinde razernij, maar de overkoepelende emotie waaronder deze door verschillende incidenten veroorzaakte gradaties vallen is boosheid.

Dingen die mij boos maken zijn bijvoorbeeld: zinnen als 'te chic om te persen' (als je een keizersnede verkiest boven een natuurlijke bevalling), 'Ik vind dat ze veel te veel belooft' (uit: *Hamlet* door William Shakespeare, akte III, scène 2), 'Lezer, ik ben met hem getrouwd' en 'Het is algemeen bekend'; meisjesbaby's met ordinaire namen als Lola, Delilah, Lulu en Scarlett; het gebruik van het woord 'mama' op elke andere wijze dan van een kind tegen zijn moeder (Jammie mammie, mammie pammie, mammie boterhammie); mensen die het hebben over maat nul of vragen hoe jong je bent.

Ik ben boos dat ik werk; ik zou nog bozer zijn als ik het niet deed.

Ik ben vooral boos op jou, Joel. En als ik die boosheid tot de pure essentie zou kunnen terugbrengen, zou die eruitzien als een teil smerig afwaswater met ronddrijvende stukjes vet van lamsvlees als symbool voor jouw totaal afwezige bijdrage aan het huishouden. Niet bepaald puur trouwens, sterker nog: geen essentiële olie, maar een vervuilde olievlek op mijn huis en hart.

Het is niet mijn schuld dat ik boos ben. Ik ben er altijd toe voorbestemd geweest om boos te zijn. Mijn ouders zeiden dat ik werd geboren tijdens de Winter van Ontevredenheid, wat ik geloofde en zij ook, denk ik. Ik groeide op met de verhalen van mijn ouders die zich door straten moesten worstelen met aan weerskanten bergen stinkend huisvuil dat niet opgehaald werd, op weg naar een ziekenhuis dat zonder stroom zat en waar geen personeel was vanwege stakende kraamzusters. Toen las ik dat de Winter van Ontevredenheid een paar jaar later was geweest en dat ik gewoon in een extreem koude periode was geboren, en dat het om sneeuwhopen ging in plaats van huisvuil. Maar de mythe bleef bestaan dat ik tijdens een nationale crisis, een collectieve slechte bui was geboren. 'Je bent precies een vakbondsleider,' zeiden mijn ouders vaak. 'Altijd wat te zeuren.' Ze beten me toe dat 'het leven dat nu eenmaal niet was', als ik jammerde 'Dat is niet eerlijk'.

Mijn familie kon er geen genoeg van krijgen zich af te vragen hoe anders (lees: opgewekt) ik zou zijn geweest als ik tijdens de 'Summer of Love' zou zijn geboren.

En als klap op de vuurpijl noemden mijn ouders me Mary. Ik was vanaf het prille begin precies het tegenovergestelde, beweert mijn moeder. In de baarmoeder reageerde ik al uitermate heftig op alles behalve witbrood en water, waardoor mijn moeder misselijk was in de ochtenden, de middagen en de nachten, en dat negen maanden lang. Na mijn geboorte weigerde ik de goedkope poedermelk. Ik weigerde op mijn buik te liggen, zoals indertijd nog voorgeschreven werd, en schreeuwde net zolang tot ik weer omgedraaid werd. Ik fronste tot ik er rimpels van kreeg, en tot ik bijna drie maanden was kon er geen lachje vanaf. Ik krabde mezelf, zodat ik permanent nauwsluitende wantjes moest dragen. Mijn huiluurtje wegens buikkrampjes beperkte zich niet tot de vroege avonduren maar hield de hele dag aan en het grootste deel van de nacht. Mijn billetjes, weet ik van mijn moeder, waren vuurrood – ik had luieruitslag tot bloedens toe. (Terugkijkend lijkt het me duidelijk dat ik een ernstige lactoseallergie had, die gemakkelijk verholpen had kunnen worden als ik borstvoeding had gekregen van een moeder die bereid was geweest zelf geen koemelk te drinken, en ja, daar ben ik nog steeds matig boos over.)

Deze zaken alleen al waren voldoende om mijn narrige gemoed te voeden, maar toen bleek het kleurloze donsdekje op het hoofd van mijn pasgeboren zoon uit te groeien tot een niet mis te verstane felrode haardos. Niet kastanje, niet rossig, niet gewoon 'warm', maar echt rood. Ook wel beschreven als 'Mooi rood is niet lelijk', zo'n kleur waarvan ze zeggen: 'Nou ja, voor een meisje kan het wel.' (Dit laatste is herhaaldelijk hardop gezegd binnen gehoorafstand van mijn eerste al net zo roodbehaarde eerstgeborene.) Rood haar is, net als grote borsten en kaarsrechte borders, iets wat mensen kunstmatig proberen te verkrijgen maar verwerpen als het in natuurlijke vorm optreedt. Denk aan de miljoenen die besteed worden aan henna en haarverf, maar als je van nature rood haar hebt, moet je het doen met 'Mooi rood is niet lelijk'. En als het kind met het rode haar als eerste een volkomen normale driftbui krijgt die ze uiteindelijk allemaal zullen krijgen, zegt iedereen: 'Och, wat een felle donder', in plaats van: 'Kijk nou eens naar die peuter die hetzelfde gedrag vertoont als alle andere peuters op een bepaald moment in hun ontwikkeling.' Tot op de dag van vandaag kan ik geen spoortje chagrijn vertonen zonder dat iemand een toespeling op mijn haarkleur maakt. Mensen die me mogen noemen me een 'pittige rooie' en de rest heeft het liever over een 'rode duivel'.

Dus je begrijpt vast wel dat het echt niet mijn schuld is dat ik zo boos ben. Ik ben zo geboren.

Ik ben vijfendertig, maar niet lang meer. Vijfendertig: de leeftijd waarop vruchtbaarheid onherroepelijk in het ravijn stort, zo blijkt, en dus als een dreigende wolk boven de hoofden van dertigplussers hangt. Het is de leeftijd waarop wij vrouwen weloverwogen rond moeten dartelen. Vijfendertig, midden dertig: het decennium waarin je wordt geacht kinderen te baren én carrière te maken. Het cruciale decennium, waarin advocaten partners worden, journalisten uitgevers, artsen consultants en onderwijzers schoolhoofden en conrectors. Eén klein decennium, tien jaar, net als alle andere jaren. Wat een pech voor vrouwen dat deze biologische en professionele uitdagingen toevallig moesten samenvallen. Dit toeval zorgt ervoor dat het glazen plafond uit stevig geïsoleerd dubbel glas bestaat.

De dertigerjaren zijn ook de jaren waarin vrouwen het vaakst omkomen onder mysterieuze omstandigheden. Sylvia Plath, prinses Diana, Marilyn Monroe, Paula Yates, Jill Dando, Anna Nicole Smith. Het is een klein wonder dat sommigen van ons het overleven.

Aan het geval-Sylvia Plath is trouwens weinig mysterieus te ontdekken. Zij was helemaal niet van plan geweest om zichzelf om te brengen, ze was gewoon de binnenkant van de oven aan het bekijken om te zien of hij vies was, toen ze ontdekte dat die droop van het vet van de worstjes van Ted Hughes die hij had gebraden vlak voor hij haar verliet voor een andere vrouw, en toen besloot ze de oven aan te zetten en haar hoofd erin te houden.

Ik zou nooit zelfmoord plegen. Wel zou ik Joel kunnen vermoorden. De lijst is een poging te voorkomen dat mijn zoons straks opgescheept zitten met een dode vader en een moeder in de gevangenis wegens doodslag van de vader.

Gelukkig is kerst achter de rug. Ik snap niet waarom ze beweerden dat de Eerste Wereldoorlog met kerst voorbij zou zijn, terwijl er geen andere tijd van het jaar zozeer garant staat voor wrok en vetes. Dagelijks een dozijn onenigheden tijdens de feestdagen: ik zorg voor alle cadeaus voor jouw uitgebreide verzameling petekinderen; het feit dat jij niet 'gelooft' in kerstkaarten, zodat ik ze allemaal mag schrijven, terwijl ik Rufus assisteer, die met pijn en moeite voor elk van zijn klasgenootjes een kaart in elkaar knutselt; jouw moeder die op haar dikke gat mij zit te vertellen hoe fijn het voor mij is dat door haar opvoeding haar zoon zo'n geweldige vader en hemelse kok is geworden. 'Ja,' spuug ik, 'hij is gewéldig. Ik bóf maar.'

Een kalkoen zou niet beter gevuld kunnen zijn dan ons huis gevuld was met achteloos neergegooid cadeaupapier en allerlei soorten speelgoed bestaande uit ontelbare piepkleine onderdeeltjes. Elke keer dat er een cadeau werd uitgepakt, wat ongeveer eens per drie seconden was, wanhoopte ik bij het idee dat al die plastic ondingen ergens opgeborgen moesten worden, en huiverde ik bij de aanblik van al die kleine, losse en snel verloren onderdeeltjes die tevoorschijn kwamen. Ik probeerde blij te worden door me te concentreren op het gejuich van de kinderen, maar in plaats daarvan kreeg ik koude rillingen. Elke keer dat we een nieuw spel speelden hoorde ik mezelf overal bovenuit: 'Niet die dobbelsteen kwijtraken, liefje, anders kunnen we niet verder spelen', 'Nee, je mag pas een hotel als je drie straten vol hebt', 'Gabe, als dat ding in je keel schiet ga ik niet met je naar het ziekenhuis'.

Nog drie weken te gaan tot mijn verjaardag op 31 januari. Snap je nu waarom ik voorbestemd ben om een klagend bestaan te leiden? Hoe fijn is het om jarig te zijn op die ene dag van het jaar dat iedereen zich depri voelt? Een dag waarop de helft van de mensen op jouw zogenaamde verjaarspartijtje de drank heeft afgezworen of een ontslakkingskuur volgt.

Voor mijn verjaardag wil ik graag een afspraak om mijn tanden te laten bleken, een week vrij van billen afvegen, letterlijk en figuurlijk, en een abonnement op een interieurblad. Voor mijn verjaardag krijg ik een zelfgemaakte kaart, een croissant op bed en een 'kus die niet te koop is'. Mijn eerste woorden als zessendertigjarige zullen zijn: 'Geen kruimels in bed.'

Deze drie weken zal ik besteden aan het verzinnen van alle vervelende dingen die Joel allemaal doet en er een lijst van maken. Ik zal ongewenst gedrag in logische categorieën onderverdelen in een duidelijk schema. Na mijn verjaardag, vanaf februari, zal de proefperiode van zes maanden ingaan en zal ik zijn gedrag aan de hand van de items op de lijst beoordelen en registreren. Het systeem is keihard en waterdicht, mocht Joel er ooit naar vragen bij wijze van bewijsmateriaal. Zo onvolmaakt als ons huis en ons huwelijk, zo volmaakt zal de lijst worden. Hij zal een meesterwerk worden in Excel, met trefzekere punten en komma's. Hij zal definitief zijn. Hij zal genadeloos eerlijk zijn, ook al heb ik altijd geleerd dat het leven dat niet is.

En de tijd gaat NU in.

Ik droom van een perfecte zaterdag. De jongens slapen zo lang uit dat ik ze om negen uur wakker moet maken, zodat ze een bord havermout soldaat kunnen maken en daarna aan hun educatieve en weinig troep veroorzakende knutselprojecten kunnen werken. Een haast onzichtbare hulp met natte doekjes aan haar polsen in plaats van handen is op de achtergrond in de weer, driftig poetsend, zodat ik me volledig op Rufus en Gabe kan richten, die al mijn suggesties enthousiast opvolgen en niet boos worden als ik hun vormloze hoopjes 'bijwerk tot iets herkenbaars'. We spreken met onze knappe vrienden en hun knappe nageslacht af voor een vrolijke lunch, waarna de kinderen discreet meegenomen worden door de energieke en lieve oppas annex huishoudelijke hulp om precies zo lang weg te blijven dat ik van mijn vrijheid kan genieten, maar niet zo lang dat ik ze ga missen. Eventueel een uurtje shoppen om een jurkje te scoren voor het avondprogramma. Een bioscoopbezoek. Naar de kapper om de coupe wat 'op te fluffen'. Een uurtje om mijn toilet te maken: moisturiser, poeder, foundation, highlights en blush; drie soorten oogschaduw; lipliner, lipstick en gloss. Het feest: sprankelende lach, champagne, cocktails, aangeschoten maar niet dronken. Thuis om middernacht, met het veilige gevoel dat de jongens op zondag niet vroeg wakker zullen worden, waarna we met ons vieren in ons ruime, speciaal voor ons ontworpen bed zullen liggen, waar we een gemoedelijk kussengevecht zullen houden met onze kussens met hoezen van honderd procent Egyptisch katoen.

Of: welkom op mijn zaterdag.

Nadat we ons gebruikelijke nachtspel bedjeverwisselen hebben gedaan eindigt Joel op de vloer in de kinderkamer en heeft Gabe zijn positie in het grote bed ingenomen. Hij heeft alleen wel zijn iele tweeënhalfjarige lichaampje zodanig weten op te rekken dat ik met minstens twee lichaamsdelen over de rand van het bed hang. Ik kijk naar de klok en zie dat de kleine wijzer in elk geval de zes is gepasseerd, al scheelt het weinig. Het licht van de lantaarnpalen op straat schijnt fel naar binnen door de spleet tussen de gordijnen en laat meer van de kamer zien dan ik zou willen.

Onze slaapkamer ziet eruit alsof er een terroristische aanslag in de H&M is gepleegd.

1) *Laat zijn kleren overal rondslingeren behalve in de wasmand. Sterker nog: in geen van de twee wasmanden die ik heb geïntroduceerd in het kader van mijn nieuwe systeem om de witte en de bonte was te scheiden. Toen ik het nieuwe systeem uitlegde zei hij dat hij niet*

van plan was vieze-was-apartheid in te voeren en verliet vervolgens grinnikend om zijn eigen grapje de kamer. Hij zei iets soortgelijks over de repatriëring van sokken en de wonderbaarlijke overdracht van zijn laatste schone onderbroek die ik gegijzeld had in een poging hem ertoe te dwingen zijn aandeel van de was te doen en er tenminste zijn kleren bij te betrekken. Hij blijft vrijstelling eisen voor het totalitaire regime van mijn onvolmaakte wassysteem.

Aan de andere kant mag ik waarschijnlijk blij zijn dat hij zijn kleren consequent als een verfrommeld hoopje aan zijn voeten achterlaat. De man van mijn vriendin Jill gooit op de dagen dat ze allebei werken zijn kleren in de wasmand, maar op de dagen dat zij vrij is en in de weekends laat hij ze gewoon uit zijn handen vallen alsof het haar 'taak' is ze op te rapen.

Het is symbolisch dat Gabe Joels plek in bed heeft overgenomen, omdat hij op meerdere manieren ook dat plekje in mijn hart heeft overgenomen waar zich mijn allerlaatste restjes geduld, ruimhartigheid en inschikkelijkheid bevinden. Gabe en ik hebben veel kneuterige afspraakjes samen: een cafeïnevrije koffie verkeerd delen in de kroeg en het melkschuim aan elkaars neus vegen, over de boerenmarkt slenteren en verstoppertje spelen in musea, waarna we 's avonds samen in bed duiken. Nu ligt hij languit boven op me, en de enige sensuele drift die ik nog zou kunnen hebben om fysiek contact te zoeken met Joel wordt door Gabe bevredigd. Joel heeft weleens gezegd dat het voelde alsof hij ingehaald was door een jongere, leukere versie van hemzelf.

Een bepaalde geur vult mijn neus. Deze jongere en leukere versie van Joel is bovendien incontinent. Ik heb het bed gedeeld met een man die bezig was een complete, wat zal ik zeggen, lekkende en volgescheten luier nog voller te plassen. 'Liefje, waarom zeg je het niet even als je gepoept hebt? Dan krijg je een schone luier, of ik zet je op het potje. Dan krijg je een sticker, dat weet je toch?' Hij kijkt me tevreden aan, een beetje als een tienjarige die net een 'stille maar dodelijke' wind heeft gelaten in het gezicht van zijn zusje. Hij zou officieel al zindelijk moeten zijn, overdag en 's nachts. De kinderen van Mitzi hebben op deze leeftijd 's nachts nooit meer een luier nodig. 'En heeft niemand je verteld dat het weekend is?' mompel ik. Hij blijft op het bed springen, waardoor de bomvolle luier vervaarlijk op en neer deint. 'Dat doet pijn. Mama heeft liever niet dat je op haar springt, oké, schat?'

'Ontbijt, ontbijt, ontbijt!' zingt hij op de wijs van een ondefinieerbaar kinderliedje. Ze lijken ook allemaal op elkaar, net als psalmen.

Ik trek vandaag aan het kortste eind wat deze jongen betreft, aangezien hij een uur eerder wakker wordt dan Joels papaochtend begint.

'Goedemiddag,' zeg ik als Rufus en hij uiteindelijk beneden komen.

'Ik weet het: hoe decadent, kwart over zeven.'

'Dat is een uur extra.'

'Op het onderste bed slapen van een stapelbed voor dwergen. Elke keer dat ik ga zitten blijft mijn haar in de springveren van het bovenbed vastzitten.'

Ik kijk hoe hij ontbijt klaarmaakt voor Rufus. Hij scheurt het pak open alsof hij timmermanshandschoenen en een blinddoek draagt.

2) *Strooit overal in de keuken cornflakes om zich heen alsof hij een bladblazer heeft aangezet naast een open doos Kellogg's Special K.*

3) *Gooit gebruikte theezakjes in de gootsteen. Waarom doen mensen dat? Soms hebben ze er kleine kommetjes voor, maar dat is maar een fractie minder erg. Waarom niet meteen in de afvalbak, of als je extreem milieubewust bent (wat je natuurlijk moet zijn, daar niet van, maar soms heb ik gewoon totaal geen zin om naar de gft-bak te lopen, en ik hou van mijn droger, echt waar, die ga ik sowieso meenemen na de scheiding) in de groene bak?*

4) *Gooit gebruikte theezakjes in de gootsteen nadat hij een kop thee voor zichzelf heeft gemaakt zonder te vragen of ik ook wil.*

5) *Onthoudt nooit hoe ik mijn thee drink. Sojamelk, geen suiker. Hoe ingewikkeld kan het zijn?*

6) *Noemt kruidenthee 'gekookte planten'; omdat die daar volgens hem naar smaakt. Beter dan die ene gozer met wie ik ooit iets had en die het maar bleef hebben over 'lesbische thee'.*

'Ik hou niet van deze kleine stukjes,' zegt Rufus.

Gabe deelt zijn mening, maar uit dit door de stukjes op te hoesten en op tafel te spugen.

'Dat is smerig,' zegt Rufus en hij heeft gelijk.

'Groter maken,' zegt Gabe met zijn vinger op mij gericht. 'Jij groot maken. Groot maken. Ik wil grote stukjes.'

'Wat moet je dan zeggen, Gabe? "Mag ik grote stukjes..."'

'NU!' schreeuwt hij.

'Nee, dat bedoel ik niet. Ik wil grote stukjes...'

'HIER!'

'Nee, "alsjeblieft" – "alsjeblieft" was het woord dat ik zocht. Je hebt al twee boterhammen op, weet je zeker dat je nog cornflakes wilt?'

'De cornflakes zijn bijna op,' zegt Joel.

7) *Zegt op beschuldigende toon dat iets bijna op is. Als het bovendien al helemáál op is. Neemt niet de moeite het op het stuk keuken-muur te schrijven dat ik met schoolbordverf heb beschilderd omdat ik dat in een van de interieurbladen had gezien die ik nooit kan laten liggen als ik boodschappen doe. Behalve dat er in die bladen altijd iemand 'Ik ♥ van jou' op heeft gekrabbeld naast een bood-schappenlijstje waar goji-bessen en champagne op staan.*

'Ik loop wel even naar de winkel voor nieuwe,' zeg ik.

'Nee, ik ga wel.'

'Nee, dat hoeft niet, ik ga.'

'Nee, echt, ik ga wel.'

We kijken elkaar aan. 'Wie het eerst bij de deur is!' roept hij, en aangezien hij een man is heeft hij zijn portemonnee al in zijn zak, klaar om te gaan, en hij wint.

Ik blijf achter en mag me bekommeren om onze onvermoeid doorrazende laatstgeborene, de kroonprins, om wie onze levens draaien. Als ik zijn woede over de gebroken cornflakes heb weten te sussen en zijn aandacht heb afgeleid met iets anders eetbaars, eist hij dat ik de yoghurt uit zijn maag haal en terug in het pak stop. Daarna krijg ik op mijn kop omdat ik een lepel uit de la heb gehaald om die aan hem te geven. Ik leg hem terug en nodig hem uit de lepel zelf te pakken. Te laat natuurlijk, ik heb alles al verpest. Hij maakt een soort Ridder van de Ronde Tafel van me die een serie onuitvoerbare opdrachten krijgt opgelegd om zijn hand te winnen. Ik moet de bruine stukjes van de worstjes halen, stukjes fruit afdrogen, afge-knipte vingernagels terugplakken, regenachtige dagen zonnig ma-ken en de kleren van de kinderen in zijn prentenboek een andere kleur geven. In ons huis draagt de duivel een legerbroek van C&A in maatje 86-92 en een tweedehands gestreept T-shirt van Baby Gap.

Als Joel terugkomt met een nieuw pak ongebroken cornflakes is de rust weergekeerd.

'Wat staat er vandaag op het programma?' vraagt hij, omdat ik natuurlijk zijn persoonlijke assistente ben.

'Rufus moet zwemmen. Zoals elke week.'

'O ja. Waar zijn zijn spullen?'

'In de tas in de kast bij de deur.' Zoals altijd.

'En vanmiddag hebben we het feestje van Mahalia. Heb je een cadeautje gekocht?'

Hij kijkt verward op. 'Mahalia? Help me even.'

'Mitzi's tweede, iets jonger dan Rufus.'

'Ik hou het allemaal niet meer bij.'

'Marlowe, die is zes of zeven, Mahalia, dan de tweeling, Merle en het jongetje. Hoe heet hij ook alweer? Het begint met een M.'

'Logisch.'

'Dat van dat cadeautje was een grapje; laat maar zitten, er zit nog wel iets in de cadeau-la.' Cadeau-la. Ik heb een cadeau-la. Sinds wanneer ben ik iemand die een cadeau-la heeft?

'Milburn, zo heet het jongetje van de tweeling, Milburn.'

8) *Zet lege melkpakken en flessen terug in de koelkast. Het is niet eerlijk. Meestal laat hij er een paar druppels in zitten, zodat ze niet helemaal leeg zijn. Vreemd genoeg laat hij pakken die nog halfvol zijn wel op het aanrecht staan, net zolang tot de melk bederft.*

9) *Haalt de stickers van de bananen en appels en plakt ze op de keukentafel.*

Ik doe een rondje keuken: dingen oprapen, afnemen, weggooien en afwassen. Ik zet de zwemspullen, jas en schoenen klaar bij de deur en bel ondertussen Mitzi om te vragen hoe laat het feestje begint.

'Heb jij de autosleutels gezien?' vraagt Joel. De meeste zinnen die wij tegen elkaar zeggen beginnen met het woord 'waar' of een variant daarop.

10) *Stelt vragen terwijl ik met iemand aan de telefoon ben.*

'Sorry, Mitzi, ik word ontboden. Hangen ze niet aan het haakje in de keuken waar ze horen?'

'Nee, daarom vraag ik het ook.'

'Nou, ik hang ze altijd daar op. Jij hebt ze waarschijnlijk zelf ergens anders gelegd.'

'Ik ben al tijden niet met de auto weggeweest.'

Dat is waar. Ik loop door de keuken en hoop dat ze aan het haakje hangen waar ze horen. Wat ook zo is, al hangen ze half achter een beker.

11) *Vraagt me waar iets is en als ik het vertel kijkt hij niet goed, waardoor ik het alsnog voor hem moet pakken. Als ik zeg dat iets in de koelkast staat vindt hij het alleen als het voorin staat, alsof het zo moeilijk is de mayonaise te verplaatsen die vastgekit zit op zijn eigen plekje.*

'O, kijk nou, aan het haakje waar ik zei dat ze waren.' Ik geef ze aan en trek een sprintje naar de woonkamer in een poging iets te doen wat hem doorgaans een stuk beter afgaat: de kinderen alleen laten in de veronderstelling dat iemand anders (ik) zich wel over ze zal ontfermen. Ik achterhaal hoe laat het feestje van Mahalia begint en kijk gejaagd om me heen.

'Joel!' Geen antwoord. 'Joe-WELL! Welke f*king kabel is van de laptop?'

'De zwarte,' roept hij uiteindelijk terug. Ik kijk naar het nest zwarte slangen op de grond, een kolkende massa gemarkeerde en ongemarkeerde voornamelijk zwarte kabels. De telefoon-, camera- en computeroplader zijn net als oude sleutels zaken geworden die we niet weg kunnen gooien uit angst dat we vlak daarna opeens ontdekken waar ze eigenlijk bij hoorden en dat we ze dringend nodig hebben.

'Ik vroeg toch of je alle nieuwe snoeren wilde markeren en ze in de doos wilde bewaren bij de spullen waar ze horen?'

'Ach ja,' zegt hij. 'Het is blijkbaar op een scheiding uitgedraaid.'

Lach er maar om, denk ik, met een vreemde bevredigende rilling als ik hem het woord hardop hoor uitspreken. 'Het klinkt misschien dom, maar op deze manier kan ik de oplader van de laptop niet vinden, en die ziet er precies zo uit als die voor de videocamera. En we hebben vijf verschillende telefoonladers en ik weet bij god niet welke voor de oude telefoon is. En wat is dit?' Ik pak een eenzaam wit snoer op.

'Voor jouw oude tandenborstel?'

Ik stamp de kamer uit, maar hij merkt het niet, want hij is inmiddels een vakantiefilmpje aan het bekijken op de videocamera. 'Shit!' hoor ik hem vloeken. 'De batterij is leeg. Waar heb je de oplader?'

12) Hij laat alle mogelijke telefoonladers en snoeren slingeren, zodat ik nooit weet wat bij welk apparaat hoort.

Als ik bij hem vandaan loop, wordt de doorgang belemmerd door een barrière schoenen, buggy's, steps, fietsen, helmen, de oudpapierdoos en de uitgespuugde inhoud van een pakje rozijnen, die ik vakkundig nog iets verder in onze neutraal gekleurde en achteraf gezien veel te lichte sisal-vloerbedekking weet te trappen.

De trap vormt de volgende hindernis. Onder aan de trap op elke verdieping en op elke overloop in ons huis liggen kleine tot middelgrote heuvels puin: sloffen, boeken en schone kleren die onderweg naar boven zijn; oude kranten, gebruikte glazen met opgedroogde restjes wijn op de bodem en vuile kleren op weg naar beneden. Ze zeggen dat de top van de Mount Everest bezaaid ligt met zwerfvuil. Ik vermoed dat die er ongeveer zo uitziet als onze overloop.

13) Hij weet de troep onder aan de trap systematisch te negeren.

Als een chauffeur die zijn fourwheeldrive achteruitsteekt heeft Joel een gevaarlijke dode hoek als het de trap betreft, waardoor hij dit station achteloos kan passeren zonder ooit te overwegen iets op te rapen van de spullen die er liggen, volkomen onbewust van het feit dat de mens de levende lopende band is die deze zaken naar hun bestemming brengt. Een keer besloot ik niets meer op te ruimen om hem te laten voelen hoe hard ik moest werken om het huis enigszins op orde te houden. Langzaamaan groeide de trap dicht met spullen en er was bijna geen doorkomen meer aan. Maar het lukte hem nog steeds de spullen die lagen te wachten tot ze naar hun plek werden gebracht te negeren, terwijl hij steeds verder moest springen om zijn bestemming te bereiken. Toen kwam de dag dat Rufus uitgleed over een lege chipszak en hardhandig met de trapleuning in aanraking kwam, waarna we ons naar de EHBO moesten begeven. Natuurlijk voelde ik me schuldig, maar het was Joels schuld.

Ik sluit me op in de badkamer, buig me over de laptop waarvan de batterij nog net niet leeg is en klik op een document dat ik 'privéadmin' genoemd heb (ik hoef me geen enkele zorgen te maken dat Joel dit ooit zal openen). Ik typ driftig, in alle betekenissen van het woord, en eindig met een triomfantelijke punt.

14) *Hangt de natte zwemspullen nooit uit, maar laat ze in de tas zitten tot de schimmel erop staat.*

Ik maak obsessief schoon, maar dat zou je niet zeggen als je mijn huis ziet. Als je hoort dat iemand een obsessie voor poetsen heeft zou je verwachten dat haar huis smetteloos schoon was met gereinigd meubilair en keukenkastjes vol op alfabet gesorteerde Tupperware-bakjes met een uitgebreide selectie exotische rijstsoorten. Nee, ik maak obsessief schoon en woon desondanks in een smerig huis. Dat is zuur, ongeveer net zo zuur als het voor mijn vriendin Daisy is dat ze naar eigen zeggen geboren is met het lijf van een welgevormde operazangeres, maar een stem heeft die zo slecht is dat ze genoodzaakt is op verjaardagsfeestjes *Lang zal ze leven* te playbacken om niemand tot last te zijn.

Niemand heeft het over schoonmaken. Waarom zouden ze? Het is oersaai om te doen en nog veel saaier om erover te praten, maar het is er wel. Het is een stinkend geheim dat niemand wil toegeven. Nou, ik ga open kaart spelen. Ik ben meer tijd kwijt aan vegen, opruimen, de administratie en poetsen dan aan wat ook. Het is mijn gehate hobby, mijn dagbesteding. Nu ik parttime ben gaan werken zou ik niet raar opkijken als ik meer tijd besteed aan poetsen dan aan mijn werk. Als je mij hoort praten of naar me kijkt, geloof je nooit hoeveel er van mij verwacht wordt op opruim- en schoonmaakgebied, en al helemaal niet als je bij mij binnen een kijkje neemt. Niemand praat ooit over schoonmaken of laat ooit doorschemeren dat hij er veel aan doet, en toch woont iedereen in een net, proper huis. Het lijkt wel of die huizen schoongemaakt worden door de osmose, of door elfjes in de nacht, of door doofstomme Brazilianen voor vijf euro per uur.

Iedereen heeft het almaar over seks, maar ik ben veel meer tijd kwijt met poetsen, wassen, opruimen en rekeningen betalen dan ik ooit aan seks zal besteden. Waarschijnlijk besteed ik zelfs meer tijd aan het eraan denken.

Niemand praat ooit over schoonmaken behalve mijn moeder, en god weet hoe wij haar daarom haatten. Jemima en ik deden namelijk niet aan schoonmaken; wij zijn feministen. Het grappige van het feminisme is dat het gek genoeg niet minder was oplevert, of minder oppervlakte om schoon te houden, en evenmin lijkt het ervoor te hebben gezorgd dat mannen er meer tijd aan besteden.

Waar leggen andere mensen hun telefoonopladers? Waar houden ze zich verborgen? Ik begrijp huizen van andere mensen niet. Waar zijn de solitaire sokken en stapels bedelbrieven en reclamefolders? Waar verstoppen ze het kapotte speelgoed, de incomplete puzzels en extra jassen? Huizen van andere mensen zien er altijd uit alsof er elk moment een makelaar of geïnteresseerde koper voor de deur kan staan, ook al staat het niet te koop. Als wij ooit gaan verkopen, moeten we een ander huis huren om al onze troep te verbergen.

Misschien is dat het geheim. Dat de eigenaars van al die onwaarschijnlijk volmaakte huizen verderop in de straat nóg een huis hebben, waar het een smeulende puinhoop is van te klein geworden babykleertjes, kapot speelgoed, ongeopende post, halfuitgepakte tassen en vieze schoenen. Het is de Dorian Gray van de woningmarkt: de eigenaren pronken met hun perfecte leventje, terwijl in hun parallelle leven de verloedering onvermijdelijk toeslaat.

Als ik het heb over volmaakte huizen bedoel ik natuurlijk dat van Mitzi. In Mitzi's huis heeft alles een eigen plekje, alles behalve lelijke deurknoppen. In plaats daarvan glijden de keukendeuren bij de minste aanraking met een zacht gezoem open om uitzicht te bieden op een speciaal ontworpen afvalscheidingstation met aparte containers voor blik, papier en glas. Sinds ze een rijke man trouwde gelooft Mitzi dat ramen de vensters van de ziel zijn, maar dan wel als ze behangen zijn met gordijnen gemaakt van de spreien van de bedden uit authentieke Zuid-Engelse boerderijen.

Mitzi's huis heeft gangen die op gangen uitkomen en een aangebouwde bijkeuken met genoeg ruimte om de was op te hangen, zodat je geen wasdroger nodig hebt, wat dan weer mooi de CO_2-uitstoot compenseert van de jaarlijkse ski- en snoepreisjes.

Rijke mensen gaan in het vliegtuig linksaf naar de eerste klas. Als je in een huis als dat van Mitzi komt, loop je niet gewoon de keuken in, maar word je als vanzelf omhooggeleid om de complete rondleiding door het huis te krijgen en de laatste incarnatie te bewonderen, waarvoor meestal, afhankelijk van het jaar, originele ornamenten zijn verwijderd of hersteld. Geen enkele modetrend op het gebied van inrichting is aan Mitzi's aandacht ontsnapt. Een muur behangen met exclusief behang van Timorous Beasties à honderd pond de rol, check; dubbel verstevigd glazen balkon, check; zwart-witfoto's van de kinderen in de meest bizarre formaten aan de muur in het trapgat, check. Tel daar de smaakvolle persoonlijke toevoegingen bij op waar wij gewone mensen bijna van beginnen te kwijlen en die meestal de vorm hebben van het zoveelste bewijsstuk van haar volmaakte leven en relatie. De bijzettafel die bekleed is met de antieke kaart waarop de route van de huwelijksreis van Mitzi en Michael is aangegeven. De subtiele decoratie op de muur in de hal die bestaat uit een serie in elkaar gevlochten M's. Het behang in het kleinste kamertje beneden is een honderdmaal uitvergrote versie van de uitnodiging voor hun bruiloft. De industriële betonnen vloer van datzelfde kamertje met de voetafdruk van elk gezinslid erin vereeuwigd, inclusief de allerkleinste van de nazaat die als laatste zijn of haar intrede in het gezin heeft gedaan (de make-overs leken toevallig allemaal samen te vallen met de komst van een nieuwe baby, maar aangezien Mitzi er vier kreeg, waar ze drie keer zwanger van was, vielen er wel meer dingen mee samen).

Mitzi's project van dit moment is de vergroening van haar huis met een inhoud van 350 kuub door middel van windmolens en zonnepanelen, in plaats van de hopeloos ouderwetse en lelijke isolatiematerialen waar de rest van de mensen het mee doet. Haar nieuwe passie voor milieubehoud stuurt haar vele nieuwe paden op, die ze enthousiast verkent in haar gloednieuwe Lexus Hybride.

Als ik bij Mitzi thuis kom, glip ik graag even naar boven als de andere dames in de keuken zelfgemaakte biologische stroopkoeken eten om in alle slaapkamers naar binnen te gluren in de hoop ze in elk geval één keer in volstrekte wanorde aan te treffen. Ik bied altijd aan om te helpen met koken, zodat ik legaal in haar keukenkasten kan snuffelen en me eraan kan vergapen dat alles een eigen plek heeft in de voorraadkamer (een voorraadkamer, stel je voor!), met meel in een ouderwetse meelzak en weckpotten met exotische gedroogde bonen.

Later op de zaterdag maak ik lunch. Of lunches, aangezien elk gezinslid zo zijn of haar eigen maaltijdwensen heeft. Rufus heeft op zijn belachelijk jonge leeftijd besloten dat hij niets wil eten met een gezicht (hoera voor zijn emotionele intelligentie, maar wat een gedoe, zeg); Joel eet niets wat geen vier poten heeft. Gabe eet zo goed als niets; hij heeft de eetgewoontes van een Hollywood-sterretje: alleen ongekookte diepvrieserwten en rijstwafels. Ik eet wat er over-blijft. Tenzij het een melkproduct is, want daar ben ik officieel aller-gisch voor, in tegenstelling tot al die zogenaamde allergieën waaraan de mannen in mijn huishouden zeggen te lijden.

'Joel, zou je de tafel leeg kunnen maken, zodat we kunnen eten?'

15) *Legt natte theedoeken terug bij de schone theedoeken. Als er iets op de vloer wordt gemorst gebruikt hij een theedoek om het op te vegen in plaats van de dweil.*

16) *Blijft maar opscheppen dat hij altijd kookt, wat helemaal niet waar is. Hij doet de leuke, uitzonderlijke dingen, terwijl ik de da-gelijkse beslommeringen op me neem: het opwarmen, in elkaar flansen, pureren. Als hij wel kookt, verwacht hij dat ik zijn koks-maatje speel: dingen aangeven, vasthouden, snijden en zijn pan-nen afwassen terwijl hij kookt. Als ik kook, kook ik alleen.*

17) *Noemt potten en pannen 'gevaarlijke zaken' en raakt ze niet aan als het zijn beurt is om af te wassen.*

'Hoe was de zwemles?'

'Goed, dankjewel,' zegt Rufus. Ik vermoed dat Gabe voor de rest van zijn leven de driftige peuter van twee die in hem schuilt zal vast-houden, terwijl Rufus soms meer klinkt alsof hij de geest van een bedachtzame oude van dagen heeft. Hij is een soort lievelingsopa voor iedereen die hem kent en daarom hou ik zoveel van hem (hoe-wel het prettig zou zijn als hij ook eens iets over zijn dag op school zou vertellen).

'Wie waren er allemaal?'

'Niemand.'

'Ook de meester niet?'

Rufus rolt met zijn ogen. 'De meester was er wel, dommerd.'

'En nog zes of zeven kinderen,' vult Joel aan. 'De moeder in een stringbikini.'

'En die slippers met hakken?' voeg ik eraan toe. 'En die waanzin-nig platte buik?'

'Die ja. En die moddervette vrouw met het gebleekte haar.'

'En die ongelooflijk lekkere zwarte vriend? Daar begrijp ik hele-maal niets van.'

'Mag ik alsjeblieft iets zeggen?' vraagt Rufus. 'Het is ongepast' – hij spreekt het woord uit alsof het met een 'b' geschreven wordt – 'om te praten over hoe mensen eruitzien. Zelfs al zijn het vette varkens. Waarom knijp je me, mama?'

'Omdat je zo lief en serieus bent.'

Hij worstelt zich los uit mijn omhelzing. 'Ik meen het. Wij mogen geen slechte woorden zeggen.'

'Zoals wat?'

'O mijn god,' fluistert hij.

'Leer je dat op school?' vraagt Joel.

'Natuurlijk, en dat is maar goed ook.' Ik kijk Joel veelbetekenend aan en we onderdrukken allebei een grijns als ik alweer afgeleid word door een stapel onafgeschraapte, vuile borden die plompverloren op het aanrecht zijn gekwakt.

'Kun je die niet in de afwasmachine zetten?'

'Nee, die is vol.'

18) *Afwasmachine: die maakt hij nooit leeg, hoewel hij het wel presteert om de schone spullen die hij nodig heeft eruit te pakken. Of soms haalt hij er gewoon een paar spullen uit om wat vuile borden terug te kunnen zetten, tussen de schone spullen. Of hij laat de vuile vaat op het aanrecht staan met de opmerking: 'De afwasmachine is vol.' Of als hij op een onbewaakt ogenblik toch een keer de machine uitruimt, zet hij de spullen gewoon op het aanrecht, zodat ik ze op de juiste plek kan opbergen. En als hij zich dan verlaagt tot ons niveau en de machine inruimt, begint hij aan de voorkant, zodat ik alsnog alles over moet doen.*

Het laatste flintertje genegenheid voor Joel verdwijnt en ik voel de vermoeidheid op me neerdalen. 'Als ik met de jongens naar Mahalia's verjaardag ga, zodat jij straks je gang kunt gaan, kan ik dan nu even gaan liggen?' Uit dit soort ruilhandel bestaan de weekends van jonge ouders.

'Goed hoor.'

'Ik slapen met mama,' zegt Gabe. 'Blieft, mama. Ikke moe.' O, wat gemeen, denk ik... Ten eerste dat zijn beide kinderdiensten vandaag bestaan uit het vermaken van de superbrave Rufus, en ten tweede dat ik zelfs tijdens mijn dutje niet aan de eisen van onze laatstgeborene zal kunnen ontsnappen. Wat ik mis aan slaap zal ik echter terugkrijgen in de gloeiende menselijke warmte die mijn knuffelige kereltje uitstraalt.

19) *Zegt dat het slecht is om de jongens te veel televisie te laten kijken (zijn moeder Ursula had natuurlijk helemaal geen tv, en hij stond als kind uren voor de tv-verhuurwinkel om naar de magische bewegende beelden te kijken. Wat waarschijnlijk de reden is dat hij nu programmamaker bij de televisie is geworden), terwijl de buis als hij dienst heeft de hele tijd afgestemd staat op de* Teletubbies.

'Dat mag, maar als je met mama meegaat moet je wel echt slapen, oké? Geen gedonder. Ik meen het.'

Een paar uur later, en zonder dat ik een oog dicht heb gedaan, sjok ik naar Mitzi. Als je achter een buggy loopt sjok je per definitie. Het is geografisch gezien een klein stukje, maar sociaal gezien mijlenver verwijderd.

Gezien de imposante dubbele deuren van het huis verwacht ik half dat ik door de dienstmeid binnen word gelaten, maar dit type rijke mensen houdt hun bedienend personeel vaak verborgen achter de schermen. Dat wil niet zeggen dat ze dat niet hebben. Mitzi heeft zo'n groot gevolg dat haar huishouden meer weg heeft van een klein bedrijf. Af en toe klaagt ze op gedempte toon over iemand uit haar gelederen – de oppas, de au pair, de masseur, de schoonmaker, de acupuncturist, het mannetje voor het gazon – en dan probeer ik met haar mee te voelen, maar het is heel moeilijk om aardig over te komen als je het hebt over de problemen met modern personeel.

Michael doet open. Ik wou dat ik kon zeggen dat hij klein, kaal en dik is, maar hij combineert zijn fortuin met lengte en donker haar dat grijs wordt bij de slapen op de manier waarop grimeurs in Hollywood het kunstmatig aanbrengen om wijsheid en distinctie te suggereren. Hij is, zoals ze dat zeggen, de gedistingeerde charme zelve.

'Goed je te zien,' zegt hij. Ik weet nooit of hij dat echt meent. Sommige van de echtgenoten van mijn vriendinnen zijn nooit in de categorie vrienden terechtgekomen. Hij blijft van hetzelfde enge afstandelijke kaliber als de vaders van onze klasgenootjes toen we nog kind waren. In één oogopslag weet je dat dit een man is met een eigen keukenstoel met leuningen waar niemand in mag zitten en die weleens zou kunnen uitvallen als de krant gekreukeld is voordat hij hem gelezen heeft.

Mitzi hoeft voor de verjaarspartijtjes van haar kinderen niet uit te wijken naar het plaatselijke buurthuis, aangezien haar keuken/eet-kamer/salon/enzovoort meer dan genoeg ruimte biedt. Als Mitzi je uitnodigt voor een dinertje zegt ze altijd dat het een 'gewoon etentje in de keuken' zal worden, wat betekent dat ze haar keuken 'gewoon een keuken' noemt, terwijl het in de praktijk een zes bij twaalf me-ter grote glazen tempel is van hemels voedsel, familiegeluk en het goede leven. Er staan dezelfde spullen als in onze keuken, die ze in de warenhuizen verkopen als witgoed, behalve dat ze bij Mitzi na-tuurlijk niet wit zijn, maar van roestvrij staal en twee keer zo groot als bij een ander: een dubbele oven, een koelkast met dubbele deu-ren, een authentieke middeleeuwse kloostertafel waar met gemak twintig mensen aan kunnen zitten, een aparte bijkeuken. Thuis eten is helemaal hip, maar we vullen onze huizen met industriële keu-kenapparatuur.

Mensen lijken steeds meer ruimte nodig te hebben in hun huis. Kinderen delen geen kamer meer. Hun kamers moeten twee keer zo groot zijn om als een soort junior-kantoor annex ontspannings-ruimte te fungeren met een bureau en een computer, een televisie en een dvd-speler. We willen enorme kamers om alles samen te kunnen doen met het gezin, alleen om erachter te komen hoe ver-moeiend het is om alles als gezin te doen, waardoor we verlangen naar al die extra kamers: de thuisbioscoop, de bibliotheek, de fit-nesskamer. Alleen Mitzi verlangt niet, die heeft.

20) ~~Verdient geen bakken met geld in de stad, waardoor ik heel veel kamers zou kunnen hebben heb die iemand anders voor me schoonmaakt.~~

Ik zet deze gedachte van me af en bezweer mezelf met een blos van schaamte dat dit punt niet op de lijst terecht zal komen. Ik zou nooit zo'n poenerig banktype als echtgenoot willen hebben. Niet alles is voor geld te koop. Je kunt er trouwens wel een heleboel handgestikte sierkussens voor krijgen, zag ik.

Michael leidt me naar het keukenpaleis, waar vrouwen die te ma-ger lijken om te menstrueren, laat staan een kind te baren, aan gla-zen champagne zitten te nippen (champagne! Niet gewoon prosecco of cava), terwijl kinderen in prachtige, handgenaaide kleertjes om hen heen dartelen. Ik herken een paar gezichten van de boekenclub waar ik lid van ben en van alle verjaarspartijtjes, doopfeesten en andere vieringen die de afgelopen jaren zijn voortgekomen uit Mitzi's en Michaels vruchtbaarheid. Wij vriendinnen van Mitzi zijn als de lezers van een glossy die regelmatig bij de ster thuis worden uitgenodigd om een nieuwe telg of andere uitbreiding te bewonderen.

Mitzi komt op me af draven. 'Mary! Wat heerlijk om je te zien.' Het lukt haar om te klinken alsof ze het echt, oprecht meent. Dat is nou juist het punt: ik wil Mitzi best belachelijk maken, maar dan doet ze zo, zo oprecht ontwapenend. Ze is voor casual gegaan, opgepimpt met de felrode lipstick die ze altijd draagt. Alles is opvallend aan Mitzi. Ze koopt ook geen dingen, ze 'ontdekt' ze.

'En jou ook. Heb je een nieuwe auto gekocht?' Tot mijn ongenoegen heb ik moeten constateren dat er een pittig stadsautootje naast de Lexus Hybride geparkeerd staat. Ik haat het dat ik me iets aantrek van de auto die ze op hun eigen oprit hebben staan. Ik haat het dat ik me iets aantrek van het feit dat ze een eigen oprit hébben.

'Lief is ie, hè? Hij is zo klein, de kinderen zijn er dol op. En enorm milieuvriendelijk. Ik hoef geen wegenbelasting te betalen en mag praktisch overal parkeren. Nu hebben we de Lexus Hybride en deze, en hebben we echt een stuk minder uitstoot.'

'Tjonge, twee milieuvriendelijke auto's. Dan ben je zeker ook twee keer zo schoon als wij met onze oude rammelbak op benzine?'

'Nou, aangezien jullie niet eens één milieuvriendelijke auto hebben, zijn wij oneindig veel groener dan jullie, denk je ook niet?' Ze grijnst en ik denk dat het ironisch bedoeld is. Ik probeer me te herinneren waarom Joel ook weer zei dat het beter is om in een oude auto te rijden, hoe slecht de motor ook is. Iets over de kosten van het productieproces, maar Mitzi zit nu op haar stokpaardje. 'Eigenlijk proberen we op het moment zowel geld als het milieu te sparen, dus het komt extra goed uit dat er geen wegenbelasting geheven wordt.'

'Ik zie jullie niet echt als types die de eindjes aan elkaar hoeven te knopen.'

'Alle beetjes helpen,' zegt ze. 'Bezuinigingen, je weet wel.'

'En ik maar denken dat jij dacht dat "bezuinigen" een modewoord was voor dure zelfgekweekte groenten en van die leuke lamparmaturen uit de Tweede Wereldoorlog.'

'Inderdaad, vooral kalm blijven en doorgaan.'

'Blijven kopen,' zeg ik. 'Dat schijnt de economie te bevorderen.'

'Ik doe mijn best,' zegt ze lachend.

Gabe klampt zich vast aan mijn been als een soort loopse terriër en Rufus lijkt ook wel als door een onzichtbare navelstreng met me verbonden. Ik probeer ze af te schudden, wat Gabe betreft letterlijk, maar ze blijven om me heen hangen.

Ik kijk rond naar de pakweg twaalf of dertien kinderen. 'Wat heerlijk dat je niet Mahalia's hele klas hoeft uit te nodigen.'

'Maar dat heb ik wel gedaan,' zegt Mitzi opgewekt.

'Verdraaid, die privéscholen hebben dan echt veel kleinere klassen. Het is die tienduizend per jaar wel waard als dat betekent dat je niet voor elke verjaardag dertig kinderen hoeft te vermaken.'

'Nee, mallerd,' zegt ze. 'Mahalia viert haar verjaardag twee keer.'

'Zoals de koningin?' Nou ja, het is ook wel een prinsesje.

'Zoiets.' Mitzi's gezicht lijkt iets te vertrekken, maar er valt geen rimpel op haar voorhoofd te bespeuren. Op mijn gezicht staat tegenwoordig voortdurend een frons. 'Ik geef een apart feestje voor Mahalia's klasgenoten. Het leek me zo hectisch om al haar vriendjes van thuis en van school tegelijk te ontvangen. Zit Rufus echt in een klas met dertig kinderen? In Mahalia's klas zitten er vijftien. En er zijn twee klassenhulpen. En het kost meer dan tienduizend, trouwens; met alles wat erbij komt zeker meer dan twaalf.'

Twaalfmaal vier kinderen uit een belastbaar inkomen. Mijn bijzonder pientere en wiskundig aangelegde oudste zoon zou deze som binnen drie tellen gemaakt hebben, maar ik neem genoegen met het globale antwoord Heel Veel Geld. Heel veel geld dat alle aanwezigen op het feestje blijkbaar graag betalen. Ik vraag me meer dan ooit af wat andere ouders wel weten en ik niet waardoor Rufus veroordeeld is tot een leven als drugsverslaafde en een carrière als gewapende overvaller louter en alleen omdat hij naar een normale openbare school gaat. Ik maak me er zorgen om dat hij zijn verjaardagskaart niet in het perfecte handschrift van de middeleeuwse monniken van Lindisfarne kan schrijven, wat Mahalia's vriendjes van de privéschool wel hebben gedaan ('Dat je maar een enige verjaardag mag hebben,' stond er op eentje. Enig?).

21) *Maakt zich niet genoeg zorgen. Ik ben de enige die zich bekommert om de toekomst van onze kinderen, terwijl Joel beweert dat het allemaal wel goed zal komen en dat we er nu toch niet veel aan kunnen doen.*

Had ik nu maar niet gewenst dat Gabe mijn been losliet, want nu racet hij met een angstaanjagende doelgerichtheid richting de op maat gemaakte designkast.

'Hij is nogal onbesuisd, hè?' zegt Jenny, wier kind aan de mogadon lijkt te zijn.

'Heb je weleens overwogen hem te laten testen?'

'Waarvoor? Hij zal nog genoeg testen moeten ondergaan als hij straks naar school gaat.'

'ADHD,' zegt ze. 'Ik ken een geweldige kinderpsycholoog.'

'Wij hadden er ook een voor Oliver – je weet wel, voor zijn gave en talent en zo,' zegt Alison.

'Nou, die hyperactiviteit heeft hij in elk geval niet van zijn vader,' zegt Mitzi. 'Die is zo relaxed dat ie bijna omvalt.' Iedereen lacht. Wacht even, denk ik, het is niet aan jullie om mijn echtgenoot belachelijk te maken. Of mijn zoon, die helemaal niet hyperactief is, maar enthousiast. 'Kennen jullie Joel?' gaat ze door. 'Dat is echt een aandoenlijke slons.'

'Slons' is niet het goede woord. En 'aandoenlijk' al helemaal niet, als je het mij vraagt. 'Eerlijk gezegd,' zeg ik, iets wat ik van Rufus heb overgenomen, 'is Joel een behoorlijk succesvolle televisieproducent en regisseur.'

'Dat weet ik toch, schat. En je weet dat ik gek op hem ben.' Ze richt zich weer op haar publiek om het uit te leggen, 'Joel en ik hebben een bijzondere band.'

Dat is iets waar ik de vinger niet op kan leggen: of het gekibbel tussen Mitzi en Joel voortkomt uit antipathie of uit een bepaalde spanning tussen die twee, als tegenspelers in een *screwball comedy* uit 1930. Joel kon tussen ons kiezen toen wij elkaar jaren geleden leerden kennen. Heeft hij weleens spijt van zijn keus? Als ik het aantal hectare van haar perceel en het huis bekijk, weet ik wel zeker dat Mitzi geen spijt heeft.

Eindelijk is het tijd om naar huis te gaan. Rufus en Gabe krijgen een goodiebag van prachtige stof mee naar huis, en ik verlaat het pand met de gebruikelijke gevoelens van onvermogen en vernedering. Deze cocktail van emoties wordt nog iets versterkt door de ontdekking dat in de rijk gevulde goodiebag onder andere het boek zit dat wij Mahalia cadeau hebben gedaan. Alleen was dat van ons ingepakt in een krant omdat we geen inpakpapier meer hadden en is dit keurig verpakt in prachtig handgeschept en hergebruikt papier met perfecte vouwen en een lint. 'Verschrikkelijk materialisme,' zeg ik later tegen Joel.

'Verschrikkelijk materiaal,' zegt hij, wijzend naar de repen chiffon waar de feesttas van gemaakt is.

Met Mitzi's voorraadkamer in mijn achterhoofd blader ik 's avonds in bed door de nieuwste *Keukengids*. De vele opbergmogelijkheden beloven me een hypergeorganiseerd huishouden en ik bekijk pagina na pagina met op kleur gesorteerde Tupperware-dozen die een revolutie teweeg zullen brengen in mijn keukenkastjes. Het gezinsleven is een constante strijd tegen ruimtegebrek en een ultieme zoektocht naar een oplossing.

22) *Heeft een immer groeiende verzameling glazen naast zijn bed. Allemaal met een laagje water erin, alsof hij wacht tot hij er genoeg verzameld heeft om in de plaatselijke concertzaal op te treden met zijn zingende glazen.*

Ik staar naar Joel. Zelfs in bed is hij slordig. Zijn ledematen slingeren alle kanten op, hij rolt zich op in zijn dekbed en gooit kussens van het bed. Zijn gezicht is bedekt met stoppels. Zijn gezicht is vertrokken in een frons.

23) *Kijkt in bed op zijn BlackBerry. Is op zijn werk belangrijk genoeg om een BlackBerry te krijgen, terwijl ik sinds ik parttime werk niet eens meer een standaardmobieltje van mijn baas krijg.*

Hij voelt dat ik naar hem kijk. Hij ziet mijn afschuw aan voor lust en buigt zich naar me toe.

24) *Kijkt in bed op zijn BlackBerry en verwacht seks als hij hem neerlegt.*

25) *Kijkt op zijn BlackBerry terwijl we seks hebben... soms.*

'Rot op, J.' Hij kijkt beledigd. 'Ik ben moe en je kunt mij niet zomaar aan- en uitzetten als een BlackBerry.'

'Het is werk.'

'Het is zaterdagavond.'

'Precies.'

'Het is gewoon niet zo opwindend om in bed op je BlackBerry te kijken.'

'Maar lezen over Tupperware is het toppunt van erotiek, begrijp ik,' zegt hij, met een gebaar naar mijn catalogus.

'Dat is ook werk. Het verschil is dat het werk is dat ik moet doen als ik thuiskom van mijn werk.' Ik rol van hem vandaan, zo boos dat mijn huid ervan tintelt. Ik weet niet precies waarom ik me zo voel of waar mijn woede vandaan komt.

Mijn leven zit in een neerwaartse spiraal en onderweg word ik van alle kanten belaagd door zompige cornflakes, gestolde vetklonten en uitgedroogde stukken boetseerklei.

2

Hij zet de vuilnis buiten

Op weg naar mijn werk doe ik net of ik een ongebonden, moderne vrouw ben, soja latte in de ene hand, dure design-beugelhandtas in de andere (slechts één aspect van dit plaatje is echt waar en dat is datgene wat bijna twee pond kost in het café).

Mijn kantoor is een gehuurde ruimte in een groot industrieel pakhuis. We delen onze afdeling met een aantal andere worstelende televisiemaatschappijtjes met vier man personeel die verdrinken in de grote boze mediawereld en veel weg hebben van een bedrijfstentenkamp: slechte locatie, zwevend, chaotisch. De andere ruimtes in het gebouw worden gebruikt door een superhip reclamebureau en een paar vage 'media-adviseurs'. De ontvangstruimte kon niet onpersoonlijker zijn: niets dan geverfd beton en afwijkend retromeubilair en een achtergebleven zwarte kerstboom met witte nepijsblokjes erin die alleen maar bijdraagt aan de ironie van het geheel.

Ik stap de lift in met een van de reclamemeisjes, dat een outfit draagt die in de modewereld onder de categorie 'toonaangevend' zou vallen. 'Welke verdieping?' snerpt ze. Ik wil net antwoord geven als ze me van top tot teen bekijkt en dan op 3 drukt, wat klopt, voor mij en op de knop voor het penthouse met het adembenemende uitzicht voor haarzelf.

'Dank je,' mompel ik. Waarvoor? Voor de veronderstelling dat mijn mama-look met gesmokt topje en niet zo strakke spijkerbroek alleen maar bij iemand van de treurige derde zou kunnen horen?

Ik arriveer in het heiligdom van de derde verdieping en laat me enigszins opgelucht naast Lily op een stoel zakken, ook al is zij verreweg de jongste en meest modebewuste medewerker van deze afdeling. Ze heeft zelfs de naam van een jong, fris supermodel (of van een peuter; een bloemist heeft nog minder Lily's, Irissen en Daisy's

32

dan er bij Rufus in de klas zitten). Die reclametrut zou nooit geraden hebben dat Lily op deze afdeling werkt. Zij draagt kleren die zo trendy zijn dat ze soms de plank volledig misslaan en veel weg hebben van het soort outfit dat mijn seniele oudtante zou dragen op de dag van haar ontsnapping uit het verpleegtehuis. Geen trend zo lelijk of zij loopt ermee weg. Ze is zelfs door een automutilatiefase gegaan omdat iemand haar had verteld dat iedereen eraan deed, hoewel ze eerlijk toegaf dat ze nooit echt door haar huid heen had geprikt met de balpen, waardoor het net leek alsof ze had geprobeerd zelf een tatoeage te zetten.

'Raad eens wat?' zei ik tegen haar. 'Zo'n stomme koe van het reclamebureau ging er zomaar van uit dat ik op deze verdieping werk.'

'Dat is toch ook zo?' zegt Lily, terwijl ze me net als de vrouw in de lift van top tot teen op neemt, maar dan goedbedoeld.

'Dat is waar. Heb je goede kerstdagen gehad?' vraag ik.

'Dodelijk vermoeiend,' antwoordt ze met een theatrale zucht. Ik bedwing de neiging om te zeggen dat je pas weet wat dodelijk vermoeiend is als je kinderen hebt. Veel van mijn gesprekken met Lily bestaan eruit dat ik probeer haar niet de hele tijd uit te leggen dat het niet vanzelfsprekend zal zijn dat ze een 'tweeling, een jongen en een meisje' krijgt op een door haar gekozen moment door middel van ivf, nadat ze een Oscar heeft gewonnen, een bestseller heeft geschreven of rond haar dertigste 'verhuisd naar een groot huis op het platteland en daar een succesvol internetbedrijfje opzet met een al even fantastische als knappe man'. Ze vraagt zich regelmatig af waarom ik parttime werk ('Waarom neem je dan geen oppas, of zo?'), wat ook haar antwoord is als ik vertel dat ik de laatste tijd maar weinig ruimte heb om eropuit te gaan.

Toen ik Joel leerde kennen was ik assistent-producent en hij was researcher nadat hij het grootste deel van zijn jaren als twintiger wat met zijn bandje had aangeklooid, of 'de band', zoals er altijd over gepraat wordt, waarmee hij een paar veelbelovende platen maakte. Ik had keihard gewerkt voor mijn positie door het hele, tijdrovende – voor vrouwen in elk geval – proces te doorlopen door, nadat ik mijn cv naar elke productiemaatschappij in Londen had gestuurd, als secretaresse met een minimumloontje onderaan te beginnen. Zijn eerste baantje bij de televisie kreeg hij via een telefoontje van zijn moeder met een oude vriend met wie ze in de jaren zeventig een documentaire had gemaakt. Binnen zes maanden was hij ook producent, maar ik troostte me met de gedachte dat ik nog steeds zijn meerdere was en hoe dan ook betere cijfers op mijn eindlijst had. Al snel werd het een wedstrijd wie er het eerst producent-regisseur zou worden, die mooie mix tussen het zakelijke en het creatieve. Overdag maakten we realityshows en 's avonds filosofeerden we over de fantastische, baanbrekende documentaires die we samen zouden gaan maken.

En nu is hij uitvoerend producent en ik – ja, wat eigenlijk? Een soort manager van productiemanagers? Ontwikkeling schuine streep coördinatie schuine streep personeelszaken? Als we aan een programma werken, wat momenteel niet het geval is – vandaar het achterafhoekje als kantoorruimte – ben ik de laatste in de productieketen der klaagzangen: de klaagspons, zo u wilt. Productiemanagers zijn een soort moeders; ze ruimen op, beheren het budget en lopen voortdurend achter creatieve, stennisschoppende types aan om ze bij te sturen. Ik ben degene naar wie de productiemanagers toe komen als ze iets te zeuren hebben of om te eisen dat ik orde schep in hun chaos. Zakelijk bekeken ben ik de moeder der moeders.

Vroeger was ik een creatieveling, had ik ideeën. Nu ben ik het meisje achter de schermen. Ik ben zo'n vrouw uit een film over de Tweede Wereldoorlog die vliegtuigjes heen en weer schuift op een kaart terwijl de piloten in hun kisten door het luchtruim scheren. En banen voor parttimers, moeders en vijfendertigplussers zijn dun gezaaid in de televisiewereld.

'Is er verder niemand vandaag?' vraag ik Lily.

'Nope. Wil je mijn nieuwe Facebook-pagina zien?'

'Ik dacht dat jij op MySpace zat?'

'Duh. Ik zit op allebei.' Ze kijkt naar me zoals ik naar mijn moeder kijk, zoals mijn kinderen naar mij kijken.

'Misschien neem ik binnenkort ook wel zo'n Facebook-dinges,' zeg ik.

'Ja, moet je doen. Er zitten heel veel senioren op tegenwoordig.'

'Ja, ik geloof dat Saga zelfs speciaal voor ons een digitaal sociaal netwerk heeft gebouwd.'

Ze kijkt me even meewarig aan en we gaan aan het werk. Over een paar weken zal er een nieuwe productie van start gaan en ik leg me toe op een serie kleurrijke schema's en draaiboeken, om goed voorbereid te zijn en de verwachte hordes en de troepen te kunnen aansturen – een beetje wat ik thuis doe voor de drie mannen. De tijd vliegt, zoals dat niet het geval was toen ik omringd werd door de liefde van mijn gezin tijdens de eeuwigdurende kerstvakantie, en voor ik het weet is het lunchtijd.

De meeste mensen hebben een hekel aan de maandag. Ik kijk ernaar uit. Vooral eens in de twee weken, als ik mijn vaste lunchafspraak heb met mijn vriendin Becky. Eén ding dat minder werd toen ik parttime ging werken was buiten de deur lunchen (naast status, salaris en doorgroeimogelijkheden). De hoeveelheid werk bleef gek genoeg gelijk.

De gelegenheid waar we onze lunch gebruiken is niet bepaald het Hilton; we wiebelen op ongemakkelijke barkrukken in een sandwichbar en hebben door een beslagen raam uitzicht op de straat. We hebben het over de afgelopen kerstdagen, die van haar jaloersmakend bestaande uit 'struinen' door Londen en af en toe even langswippen bij familie. Kinderlozen kunnen naar wens bij familie binnenvallen en ook weer weggaan.

'Ik zie je deze week twee keer,' zegt Becky. 'Een zeldzaam genoegen.'

'O ja. Vrijdag,' zeg ik, alsof ik me zojuist de uitnodiging voor Cara's feestje herinner, waarvan de datum in mijn agenda en in mijn hoofd gegrift staat. Alsof ik dat zou vergeten, alsof ik aan de lopende band word uitgenodigd voor chique feestjes in appartementen die eruitzien als het decor van een film over diva's en filmsterren. 'Waarvoor is het?'

'Het is niet voor het goede doel,' zegt ze.

'Nee, ik bedoel, is het iemands verjaardag? Jullie jubileum? O, gaan jullie iets aankondigen? Voel ik een geregistreerd partnerschap aankomen?'

'Tjongejonge, waarom zeurt iedereen daar toch zo over? Dat achterlijke geregistreerd partnerschap. Weet je wat niemand daarover lijkt te begrijpen? Als het aankomt op lelijke scheidingen en de financiële gevolgen is er geen verschil met een huwelijk. Ik snap niet waarom iedereen er zo vol van is. De enigen die iets te vieren hebben zijn wij advocaten. Hiep hoi.' Ze heft een denkbeeldig glas. Becky is familieadvocaat, wat beter bekendstaat onder de minder eufemistische benaming echtscheidingsadvocaat. Het woord familie wordt vaak eufemistisch gebruikt, vind ik: familiepret, familiefilm, familie-uitje. Niets anders dan een toevoeging die meestal staat voor 'bijzonder slecht', hoewel dat in het geval van Becky volkomen onwaar is, aangezien zij naar verluidt uitzonderlijk goed is in haar werk.

'Nou, voor mij is het anders heerlijk,' zeg ik. 'Nu worden jullie tenminste net zo belaagd door irritante vragen als Joel en ik voordat we bezweken onder de druk en trouwden. Ik vraag me af of jij onder het onderwerp kinderen uit komt, inclusief impertinente opmerkingen over je eileiders.'

Becky's blik verstrakt en ik vraag me af of ik iets verkeerds heb gezegd. 'Het is maar een feestje, Mary. Het is hoogstens een mogelijkheid om te netwerken voor Cara's cliënten, om werk binnen te halen. Het is geen gunstige tijd voor mensen in de financiële pr.'

'Het is waarschijnlijk makkelijker om sneeuw aan Eskimo's te verkopen dan om als een goede bankier te boek te staan. Maar als iemand het kan is het Cara wel. Volgens mij kan zij iedereen alles verkopen.' Ik gebruik de korte stilte die hierop volgt om het onderwerp te introduceren dat me al een tijdje bezighoudt. 'Mag ik je een werkvraag stellen?' begin ik.

Ze zucht. 'Ik krijg die vraag de laatste tijd wel meer van vrienden. Dat zal wel iets met de naderende veertig te maken hebben.'

'Sorry,' ga ik door. 'Wat is, volgens jou, de meest genoemde reden waarom mensen gaan scheiden?'

'Je hebt natuurlijk de voor de hand liggende redenen: ontrouw, geldproblemen, huiselijk en verbaal geweld. Vaak is het niet zozeer wat iemand gedaan heeft, maar juist wat hij niet gedaan heeft. Verwaarlozing, geen respect tonen, niets gemeenschappelijks. Er valt eigenlijk niets algemeens over te zeggen.'

'En het huishouden?' vraag ik, terwijl ik me erop concentreer een stapel vierkantjes te tekenen op het beslagen raam.

'Wat is daarmee?'

'Scheiden mensen weleens omdat het thuis een zootje is?'

Becky lacht. 'Nee, over het algemeen niet. Het kan natuurlijk wel een symptoom zijn van iets anders wat er speelt. Hoezo?'

'Een programma dat we misschien gaan maken, een beetje *Jouw vrouw, mijn vrouw*-achtig,' zeg ik.

'Ik dacht al niet dat je het over jou en Joel had. Jullie huis is altijd tiptop in orde.'

'Dat zeg jij,' zeg ik. 'Het is een rampgebied.' Maar ik voel een golf van vrouwelijke trots dat iemand in onze supersnelle opruimacties getrapt is die we altijd houden vlak voordat er mensen op bezoek komen. 'Dat zeg je alleen maar omdat je net als mijn schoonmoeder gelooft dat hygiëne gelijkstaat aan onwetendheid.'

'Ursula is een geweldige vrouw,' zegt Becky fronsend. 'Ik wou dat ik met haar samenwoonde in plaats van met Cara.'

'Hoe bevalt het?'

'Goed. Geloof ik. Ze is zo precies. Alles is zo ontzettend smaakvol en perfect. Alles moet "buitengewoon" zijn, snap je? Ze heeft een kruimeldief – je weet wel, zo'n ministofzuiger, en daarmee zuigt ze rondom mijn stoel nog voordat ik klaar ben met eten.'

'Dat doe ik ook weleens, bij de kinderen.'

'Precies. Bij. De. Kinderen. Maar er is meer. Het is een kruimeldief van Philippe Starck. Strak en glimmend. Zelfs die stomme kruimeldief is het mooiste designexemplaar dat er te vinden is. Ik mag mijn spullen – al mijn vazen, spulletjes, cadeautjes die ik gekregen heb, spullen die belangrijk voor me zijn – alleen in de logeerkamer zetten. Ze heeft een computerprogramma om uit te rekenen welke kunst ze aan welke muur moet hangen. Ze is een homoseksueel in het lichaam van een lesbienne.' Ze fronst en corrigeert zichzelf. 'Behalve dat ze geen lesbisch lichaam heeft, want het is veel te afgetraind en haarloos. Het is het lichaam van een man die op mannen valt.'

'Juist ja, een homo in het lichaam van een homo?'

'Die op vrouwen valt,' vult Becky aan.

'Een hetero dus,' zeg ik. 'Behalve dat ze op lesbische vrouwen valt.'

'Dat is niet helemaal waar,' zegt Becky. 'Cara was altijd al bezig met heterovrouwen lesbisch maken. Vooral als ze getrouwd waren.'

'Echt?' Ik voel een onverwachte spannende rilling door mijn lijf gaan.

'Ja. Is het je niet opgevallen dat ik veel vrouwelijker ben geworden in het afgelopen jaar?'

Een beetje wel, vind ik; Becky was iets minder de Weimar Republiek-lesbo en vertoonde zich sinds kort heel af en toe voorzichtig en ongemakkelijk in een jurk.

'Dus Cara is een homoseksuele man in het lichaam van een homoman, maar dan met borsten en zo, die zich gedraagt als een heteroman omdat ze op heterovrouwen valt...'

'Daar gaat de vergelijking mank,' zegt Becky afgemeten.

'Inderdaad. We hadden het over scheiden en het huishouden. Is er een verband?'

'Alleen als het een symptoom is van een ander probleem. Een

diepgewortelde ongelijkheid tussen de partners, denk ik. Komt er echt een programma over het huishouden?'

'Nee,' zeg ik bedrukt. 'Het gaat om Joel. Ik word gek van hem.'

'En dus wil je scheiden?' lacht Becky.

'Ik meen het.'

Ze kijkt me aan. 'Nee toch, overdrijf je niet een beetje?'

Ik schud mijn hoofd. 'Nee, een moord begaan, dát zou overdreven zijn, maar ik heb er wel aan gedacht.'

'Kom op, Mary. Hij slaat je toch niet, of zo?'

'Weet je, elke keer als hij die verdomde melk buiten de koelkast laat staan, of zijn stinksokken op de vloer laat liggen, of zijn jas gewoon laat vallen als ie binnenkomt, of een theezakje in de gootsteen laat slingeren, dan voelt dat als een klap in mijn gezicht. Een snelle, goedgemikte stoot in mijn maag.'

'Tja, echt iets om voor te scheiden, lijkt me. Misschien moeten jij en ik een vrouwenruil doen: jij in ons steriele paleis en ik lekker relaxen met Joel in jullie warme, zweterige hol. Joel is fantastisch. Je hebt het ontzettend getroffen met hem.'

Ik kijk naar de hoek van het café waar drie vrouwen, de een nog zwangerder dan de ander, van hun ongetwijfeld cafeïnevrije koffie en elkaars gezelschap genieten. Alles aan hen schreeuwt 'eerste kindje op komst'. Ze dragen mooie nieuwe zwangerschapsoutfits en bruisen van hoop en opwinding. Kinderen zijn nog een hip accessoire en bevallen doe je volgens een plan dat je zelf geschreven hebt. Ze wonen nu nog in deze hippe stadswijk, maar binnenkort zullen ze verhuizen, snap je, onder het mom van: de scholen in de stad... zoveel kinderen met Engels als tweede taal... en we wilden al heel lang een tuin en een goed bereikbaar winkelcentrum.

Ik ben nog nooit zo optimistisch geweest als toen ik zwanger was van Rufus. Joel aaide altijd over mijn buik, praatte ertegen, vertelde grappige verhaaltjes en zong zijn favoriete liedjes. We wisten dat wij niet het enige stel waren met een kindje op komst – die droom werd na een bezoekje aan de babyafdeling van een willekeurig warenhuis meedogenloos verstoord –, maar desondanks voelde het zo. We smulden van elk cliché, in de vaste overtuiging dat wij de eerste mensen in de geschiedenis waren die dit mee mochten maken.

Ik bereidde me voor door blogs te lezen over massage van het perineum en door veelvuldig te puffen, terwijl Joel zwoegde op de ideale playlist voor tijdens de zwangerschap en bevalling.

'Wil je liedjes over kinderen of ligt dat er te dik bovenop?' vroeg hij toen ik acht maanden zwanger van Rufus op de bank lag. De energie waarmee hij zijn cd-collectie doorzocht had ik al lang niet meer in hem gezien. Hij had bedacht dat hij veel muziek zou draaien voor mijn buik, een beetje zoals mensen die denken dat de baby slimmer wordt als je veel Mozart draait.

'Geen idee. Maakt het uit?'

'Dit zal de eerste kennismaking van onze nazaat met muziek worden – dus ja, het maakt uit. Bob Dylans *Forever Young* om mee te beginnen – ja, perfect. Dan een paar liedjes over de liefde, *At Last* van Etta James, en Primal Scream, maar welke dan? Ik weet het al: *I'll Be There for You. Kooks* van Bowie gaat over kinderen, maar dat is niet eens zo'n mooi nummer, toch? Welke liedjes gaan er nog meer over kinderen?'

'*Thank Heaven for Little Girls*,' opperde ik. Zijn ernst vertederde me.

'Een nummer met wat humor is altijd goed, of moet ik *soupçon* zeggen, of pedofilie? Zal ik dat fijne duet van Serge Gainsbourg met zijn dochter, *Lemon Incest*, er anders ook op zetten nu ik toch bezig ben?'

'Ik kan geen andere liedjes over kinderen bedenken, sorry.'

'Ik ook niet. Behalve *Save all Your Kisses* van de Brotherhood of Man.'

'Nooit te jong om kennis te maken met de geneugten van het Eurovisie-songfestival.' Zes jaar geleden wist ik minstens zoveel van popmuziek als hij.

'Zeker weten.' Joels liefde voor muziek was net zo breed als diep. Hij hield van ongewone genres, Broadway-musicals, folk uit de jaren dertig en jarentachtigpopmuziek. 'Weet je wat? Ik ga beginnen met vrolijke, maar niet kinderachtige nummers. *Hallelujah, Beautiful Blues* van Mr. E...'

'Van wie?' Oké, misschien had hij altijd al meer van muziek geweten dan ik.

'The Eels. *Perfect Day*, natuurlijk; iedereen zou een beetje gelukkiger zijn als hij wat meer naar Lou Reed zou luisteren.'

'Gaat dat niet over heroïne?'

'Dat weet de baby toch niet?'

'De baby weet sowieso niet zoveel. Neem ik aan.'

'Onze baby wordt geniaal geboren.' Hij kuste me. 'Met jouw hersens. En mijn – nee, jouw uiterlijk.'

'Nee, jouw charme. En jouw uiterlijk.' Op dat moment dacht ik nog dat hij te knap voor mij was, dat vreemden ons zouden zien en zich zouden afvragen wat deze god met zo'n doorsneemeisje moest.

'Nee, alsjeblieft niet mijn postuur.' Hij pakte het toen nog bescheiden overhangende randje boven zijn broekriem beet.

'Ik ben anders dol op jouw postuur,' giechelde ik dubbelzinnig, en op een of andere manier wisten we ons met onze uitpuilende buiken samen op de bank te manoeuvreren, waar we onze liefde en hoop vierden op de muziek van Rufus' bevallings-cd (die uiteindelijk nooit gedraaid werd wegens paniek over zijn hartslag, de tangverlossing en al die ernstig kijkende doktoren).

'Mary,' onderbreekt Becky mijn gedachten. 'Joel is geweldig. Dat weet je toch wel?'

'Ja, natuurlijk,' zeg ik. 'Hij is geweldig. Ik ben heel blij met hem.'

Ik hoor de liedjes bijna hardop in mijn hoofd als we de zwangere vrouwen passeren om het café te verlaten. Ze zijn met z'n drieën. Statistisch gezien zal er één scheiden van de vader van haar kind, en een tweede zal net zo ontevreden zijn over haar man als ik over Joel. Ik doe snel iene miene mutte en wijs de vrouw met de designbril aan als de enige die over vijf jaar nog gelukkig zal zijn.

Ik ben eerder thuis dan Joel, hoewel ik onderweg een paar boodschappen heb gedaan. Op mijn werkdagen ben ik een soort moderne Assepoester die op tijd bij de oppas moet zijn om de kinderen op te halen. Terwijl ik naar het station ren voelt het alsof Deena om klokslag 18.30 uur spontaan uit elkaar zal spatten, met achterlating van slechts twee verlaten kinderen en een paar belachelijke pumps met belachelijk hoge hakken. Oppascentrales hanteren strikte werktijden: ik betaal precies wat nodig is voor de uren die ik afneem, opdat ik maar geen fractie te veel betaal.

26) *Het feit dat ik de kinderopvang betaal. Alsof de kinderopvang ervoor zorgt dat ik kan werken, terwijl die er feitelijk voor zorgt dat wij allebei kunnen werken, of niet soms? Dat houdt in dat ik minder geld heb dan Joel. Het is natuurlijk ons geld, of beter gezegd: onze schuld, maar ik kan nooit kleren voor mezelf kopen zonder daarover te overleggen met Joel omdat er nooit geld op mijn rekening staat, terwijl Joel aan de lopende band muziek downloadt waar hij nooit naar luistert. Als hij een vrouw was en al die num-*

mers schoenen waren zou hij ze in een kast verstoppen met de
woorden: 'Die oude dingen, die heb ik al jaren.'

27) *Dat als ik klaag over te weinig tijd om de kinderen op te halen zijn*
    antwoord is: 'Dan betaal je Deena toch voor een paar uur extra?'

28) *Hetzelfde gebeurt als ik klaag dat het huis een zootje is. Dan zegt*
    hij: 'Neem dan een werkster.' Dan zeg ik dat we al iemand hebben
    voor een paar uur per week, waarop hij weer zegt: 'Betaal haar
    dan wat meer.' Wij hebben iemand nodig die fulltime achter hem
    aan loopt om het spoor van kleren, kruimels en halflege glazen op
    te ruimen dat hij achter zich laat. Is de werkster er ook als hij aan
    het eind van de avond zijn kleren in een hoop op de grond laat
    liggen? Zal ze er bij elke maaltijd en elk tussendoortje zijn? Gaat
    zij de wc voor hem doortrekken? Ik wil niet betalen voor een
    werkster. Ik wil dat hij schoner wordt.

Mijn vaakst terugkerende nachtmerrie was altijd de droom waarin
je ontdekt dat je je middelbareschoolexamen nog niet gehaald hebt
en nog één toets moet doen waarvoor je niet geleerd hebt. Tegenwoordig is mijn vaakst terugkerende nachtmerrie dat ik het huis uit
ben gegaan en er plotseling achter kom dat ik ben vergeten oppas te
regelen voor de kinderen, die alleen thuis zitten. Ik probeer zo snel
mogelijk weer thuis te komen, terwijl ik tegelijk de buren probeer te
bellen, maar allerlei dingen houden me tegen.

'Hallo, Deena, sorry dat ik een beetje later ben,' zeg ik buiten adem.
Ik ren niet alleen omdat ik niet te laat wil komen, maar ook omdat
ik niet kan wachten om de jongens weer te zien, als een jong meisje
op weg naar een afspraakje.

'Geeft niets. We hebben het heerlijk gehad, hè?' jubelt Deena met
haar jongste kleinkind op de arm. Ik kijk de kamer in en zie Rufus
en Gabe met besmeurde ketchupwangen en glazige ogen van het
televisiekijken, en snap wat ze bedoelt. Deena ziet er zoals gewoonlijk uit alsof ze aan een prestigieuze schoonheidswedstrijd voor
grootouders meedoet, met hoge hakken, perfect aangebrachte
make-up en een enorme voorgevel. Na een serie van rampzalige
kinderopvanginstellingen door de jaren heen ben ik diep dankbaar
dat zij er is. Ik wil wel iets zeggen over de televisie, de kipnuggets en
het feit dat de drankjes die ze mijn kinderen geeft niet biologisch

zijn, maar vol zitten met allerhande E-nummers, maar ik ben bang voor de onzichtbare ondertoon die een dergelijke opmerking met zich mee zou kunnen brengen die zegt: 'Zou je niet eens van standing – je weet wel, zoals wij – kunnen zijn?' Wat eigenlijk niet eens eerlijk is als je ziet hoeveel ze hun voorleest en echt met hen speelt, en als je naar haar eigen kinderen kijkt, die zoveel beter zijn terechtgekomen dan de nakomelingen van sommige van mijn vrienden.

Gabe zit op schoot bij Rufus en ze lezen samen een boek. Rufus negeert de tekst en verzint zelf een verhaal waar het meisje op het plaatje in figureert, maar in plaats van bang te zijn voor de schaduwen valt ze in zijn verhaal de schaduwen aan met een onzichtbaar zwaard dat uit gedachten bestaat. Ze kijken op en zien mij.

'Mama,' zegt Rufus. 'Weet je dat ik je gemist heb?'

'En ik heb jullie allebei verschrikkelijk gemist.' Dit ene korte ogenblik is alles precies zoals het moet zijn.

'Wil niet in buggy. Wil lopen,' begint Gabe.

'Hier heb ik geen tijd voor,' antwoord ik terwijl ik hem met een gedecideerde karateklap in de wagen duw.

'Dat zeg je altijd,' zegt Rufus. 'Dat zeg je wel tien miljoen keer per dag.'

'Dat zeg ik omdat het waar is, en kom nu maar mee. Hoe was het op school?'

'Dat zeg je ook altijd,' zegt Rufus.

'Ongeveer tien miljoen keer per dag?'

'Nee, niet zo vaak.'

'En, hoe was het?'

'Goed.'

'Met wie heb je gepraat?'

'Met niemand.'

'Heb je iets gegeten?'

Hij schudt zijn hoofd. Ik geef het op. Ik koester heel even mijn stille fantasie over mijn ongeboren dochter – Willa of Aphra of Eudora heet ze – die zou giechelen en geheimpjes met mij of haar beste vriendin zou delen, terwijl we op het bed liggen te lezen in boeken die ze eigenlijk pas over vijf jaar zou moeten kunnen begrijpen. Moeders van dochters vertellen altijd hoe fantastisch het handschrift en leesniveau van hun dochter is, terwijl ik zwakjes inbreng dat Gabe weet wat het verschil is tussen voertuigen met en zonder rupsbanden. Als je moeder bent van meisjes, zeggen deze vrouwen trots en met nauwelijks ingehouden medelijden, kun je er samen op uit gaan om een prinsessendekbed uit te zoeken, en mag je fantasiepanty's aanschaffen en haar optutten in een wijduitstaande roze tutu. Wij arme moeders van jongens leren slechts een aantal vette, nieuwe vaardigheden, zoals een stunt op de fiets terwijl we calorieën verbranden tijdens onze inspannende en opwindende potjes voetbal in het park. We vervangen onze alleenstaandevrouwenkennis over sterrenbeelden met harde feiten over het zonnestelsel en de afmetingen van de planeten. Wij genieten van hun wonderbaarlijke eigenheid en smelten bij de aanblik van hun piepkleine, ongevaarlijke piemeltjes.

Ik verjaag elke gedachte aan Eudora/Aphra/Willa. Ik vind het heerlijk om moeder te zijn van jongens, hoe moeilijk moeders van meisjes dat ook kunnen geloven. Als ik aan Rufus of Gabe denk, kan ik toch onmogelijk wensen dat ze iets anders waren dan dat ze zijn?

Een uur na mij komt Joel thuis.

29) *Komt precies op tijd thuis om het bad- en bedritueel te missen, maar wel zo vroeg dat ik niet de kans krijg mijn simpele broodmaaltijd te nuttigen tijdens een televisieprogramma dat ik zelf gekozen heb, meestal iets over huizen.*

30) *Heeft commentaar op huizenprogramma's en beweert dat ze deel uitmaken van een chauvinistische samenzwering die ons een obsessie voor huizenprijzen wil opdringen. Begint dan meestal ook te klagen over 'Thatch' en de jaren tachtig van de vorige eeuw. Over het algemeen hebben we de standaard man-vrouwstrijd over de afstandsbediening. Ik geef toe dat hij een van de zeldzame mannen is die niet geïnteresseerd zijn in voetbal (ik heb mijn eigen minimale en behoorlijk doorzichtige interesse laten varen op het moment dat we een stel werden), maar hij begint net als zoveel middelbare mannen geboeid te raken door militaire geschiedenis en kijkt eindeloos naar documentaires over nazi's. Alle mannen doen dat, toch? Op een bepaalde leeftijd bezeten raken door militaire geschiedenis. Anthony Beevors Stalingrad is het opwarmertje en, boem, voor je het weet lezen ze boeken vol met kaarten met frontlinies en manoeuvres. Dat en uit het niets aankondigen dat flessen wijn van vijf pond niet meer goed genoeg zijn voor hem; dat zijn de mannelijke aanwijzingen dat je over je top*

bent. Voor vrouwen is dat het punt dat ze zich beginnen te verdie-
pen in binnenhuisarchitectuur. Mea culpa. Mannen beginnen op
zondag de economische bijlage te lezen, vrouwen de reisbijlage en
tuinsupplementen.

Als hij binnenkomt, zie ik dat hij niet alleen is.

'Ursula, wat een verrassing,' zeg ik bij de aanblik van mijn schoonmoeder in haar veelkleurige enkellange fluwelen rok, gebloemde
tulband en lange papegaaienoorhangers. Ursula is een vleesgeworden Posy Simmonds-cartoon uit de jaren tachtig, maar lijkt zich er
niet van bewust dat ze zich kleedt als een feministe in een toneelstuk. Ik kus haar op de wangen, die ruiken naar Vaseline Intensive
Care en ook zo voelen, en draai me om naar Joel. 'Je had niet verteld
dat je moeder vanavond langs zou komen.'

'O nee? Ik dacht van wel.'

31) Schrijft nooit iets op op de grote kalender die ik zelf heb gemaakt
en geprint op mijn werk en die op een prominente plek in de keu-
ken hangt.

'Sorry, Ursula.' Ik maak een gebaar richting haar lelijke-maar-niet-
zo-dat-het-hip-is laarzen, maar haar voeten blijven staan waar ze
staan.

Ze kijkt me vragend aan, dus ik knik naar mijn schoenen, die ik uit
heb gedaan, en naar mijn kousenvoeten.

'O ja, bij jou moeten mensen altijd hun schoenen uitdoen voordat
ze naar binnen mogen. Dat vergeet ik altijd. Weet je wat Geoffrey
Manley zegt?' vraagt ze Joel. 'Hij zegt dat je bij een huis waar je je
schoenen voor de deur uit moet doen tegelijk ook je intelligentie
aflegt. Hoe waar is dat?'

'Eigenlijk,' zeg ik, 'vind ik het juist een teken van intelligentie als je
je schoenen uitdoet voordat je ergens naar binnen gaat, omdat je
dan de vloer schoonhoudt en er niet gezogen hoeft te worden na
afloop. Vind jij Japanners dom?'

'Alsjeblieft, Urs,' zegt Joel, zwaaiend met mijn nieuwe sloffen van
schapenwol en rollend met zijn ogen om aan te geven dat hij niets te
maken heeft met de 'schoenen uit in huis'-regel.

'Blijf je eten, Ursula?' vraag ik. 'Ik ben bang dat ik niet genoeg heb
voor drie personen.'

'Chill,' zegt Joel. 'Dan halen we wel wat.'

32) Als het zijn beurt is om iets minder uitgebreid dan de complete Escoffier te koken halen we iets en denkt hij dat dat telt.

Ursula klapt in haar handen van plezier. 'Wat een verwennerij!' Voor Ursula zijn taxiritjes en eten in een restaurant decadente uitspattingen, terwijl in je eentje in een huis met vijf kamers wonen in een van Londens duurdere buurten het toppunt van soberheid is, ook al is het huis nodig aan onderhoud toe.

'Dat weet je pas als je het geproefd hebt,' zeg ik. 'Als ik het geweten had, had ik iets voedzamers klaargemaakt.'

'Lieverd, doe geen moeite. Ik heb veel liever iets kant-en-klaars.'

Ze klapt net iets minder enthousiast in haar handen en zegt: 'En waar zijn mijn knappe kleinzonen?'

'In bed. Sorry, als ik geweten had...'

'Het is nog niet eens acht uur,' zegt ze. 'Ik zie kinderen zo graag tot twaalf uur rondrennen, zoals in Italië en Spanje. Zo leuk. Waarom eten jullie nooit samen? Soms vraag ik me af of je ze wel echt leuk vindt.'

'Ik hou zielsveel van ze.' Terwijl ik dit zeg ben ik heel even geneigd om ze wakker te maken, om ze als bewijs te overladen met kusjes. Hoe graag ik ook wil dat ze naar bed gaan, ik verlang naar ze als ze niet bij me zijn en ben soms blij als er 's nachts een wakker wordt en getroost moet worden. Maar ik maak ze niet wakker, want in dit huis gelden laatste verhaaltjes en vaste bedtijden. 'Kinderen hebben hun slaap nodig. Die arme Rufus is doodmoe van de schooldag en kan zeker geen verstoorde nachtrust gebruiken. Onderzoek heeft uitgewezen dat kinderen ziek worden en een hersenbeschadiging kunnen oplopen en te dik worden als ze geen twaalf uur per nacht slapen.'

'Onzin. Joel bleef als kind gewoon op om met ons te praten. Ik weet niet hoe vaak hij in slaap is gevallen op een stapel Afghanen. Jassen, bedoel ik, geen mensen uit Afghanistan natuurlijk, hoewel we daar ook een flink aantal van hadden. Mijn schat is naar meer awarenessbijeenkomsten geweest dan welke man ook. Natuurlijk waren er altijd zusters die riepen: "Niemand met een penis", maar dan zei ik dat ze zich niet zo moesten aanstellen; je dacht toch niet dat er iets te vrezen was van mijn nazaat? Integendeel! En bovendien is zijn penis zo klein dat je hem nauwelijks ziet. Ik ben ervan overtuigd dat hij door dat soort geweldige ideeën te absorberen de verlichte man is geworden die hij nu is. Leef je eens in in de vrouwen met wie Rufus en Gabe straks zullen thuiskomen. Ik weet zeker dat zij de vruchten zouden plukken van onze gesprekken van vanavond.'

'Laten we ze wakker maken om erachter te komen, oké?' zeg ik.

'Dat kunnen we doen,' zegt Joel. 'Ik heb ze niet eens gezien vanavond. Jij hanteert ook wel een bijna Duitse *Pünktlichkeit* als het om bedtijden gaat.'

33) Kiest altijd partij voor zijn moeder, nooit voor mij.

'Nee, dat kan niet. Niemand maakt ze wakker. Ze hebben hun slaap hard nodig en er is niemand bij gebaat.' Ik schenk mijn wijnglas bij om mijn woorden kracht bij te zetten.

'Misschien de volgende keer, moeder,' zegt Joel.

Ursula kijkt me aan met een blik die zegt: wat zonde dat je zo'n hekel aan je kinderen hebt. Het is dezelfde blik die ze me altijd schenkt als we met vakantie naar een vakantieoord met een kinderclub gaan.

'Ik meen het,' zeg ik, 'kunnen we ze alsjeblieft met rust laten? Ze hebben een drukke dag gehad. En om het nog expliciter te maken: ik heb ook een drukke dag gehad.'

Ze snuift.

'Sorry, Ursula, ik verstond je niet.'

'Je bent toch niet aan het werk geweest in de mijnen? Of voed je in je eentje vier kinderen op, zoals mijn vriendinnen? Eerlijk waar, jullie weten niet hoe makkelijk jullie het hebben.'

Joel loopt weg uit de keuken.

'Jonge vrouwen van tegenwoordig zijn zo ontevreden.'

O nee, daar gaan we weer. De 'jonge vrouwen hebben het nog nooit zo goed gehad'-toespraak en 'je mag mij wel eeuwig dankbaar zijn'. 'Nog wijn, Ursula?'

Maar zo makkelijk is ze niet afgeleid. 'Altijd boos, terwijl er eigenlijk niets is om boos over te zijn, of wel soms?'

Behalve dan dat je me elke keer dat je komt de les leest en een paar glazen pinot noir achteroverslaat?

'Nou...' begin ik, maar ze is al begonnen.

'Jullie hebben alles: het recht op een leuke, flexibele baan naast tijd met de kinderen; het recht om te dragen wat je wilt, zelfs al zie je eruit als een halve hoer, alles onder het mom van *empowerment*; fantastische echtgenoten die keihard werken en daarnaast het hele huishouden doen, wat tegenwoordig ook al niets meer voorstelt, met al die afwasmachines en magnetrons. Jullie hebben al het geluk van de wereld. Misschien ben je wel boos omdat er niets ís om boos over te zijn.' Ze gniffelt – een bijzonder irritante gniffel, die Joel van haar geërfd heeft.

'Ik weet niet waar ik moet beginnen,' zeg ik, en ik meen het. 'Je hebt gelijk dat het feminisme ons veel voordeel heeft gebracht...'

'Dank je,' zegt ze, alsof zij persoonlijk en eigenhandig de revolutie was begonnen.

'Het is fantastisch dat wij kunnen werken, echt fantastisch. Maar het is alsof de buitenwereld zich in een ander tempo heeft ontwikkeld dan het leven hier in huis,' – ik steek mijn vinger in de lucht – 'waar alles een stuk langzamer lijkt te gaan. Er is een soort discongruentie...'

'Discongruentie? Wat een verschrikkelijke marketingtaal.'

'De zorg voor het huis en de kinderen, die is niet veranderd,' ga ik door, zoekend naar woorden om haar geen kans te geven me te onderbreken. 'Nee, dat bedoel ik niet. Het lijkt wel of de ontwikkeling van vrouwen op een ander spoor zit dan die van mannen. We hebben de vrouwenrevolutie gehad zonder te beseffen dat die alleen maar kan slagen als mannen ook een revolutie doormaken.'

'Sommige mannen hebben die wel gehad, toch? Kijk maar naar Joel,' zegt Ursula. Ik probeer het daadwerkelijk te doen, maar Joel is nergens te bekennen, zoals meestal als Ursula en ik het aan de stok krijgen.

'Joel is geweldig. Je mag je handjes dichtknijpen,' gaat ze door.

'Ja, natuurlijk mag ik mijn handjes dichtknijpen, maar zelfs met een geweldige vent als hij, is de verdeling niet fifty-fifty als het aankomt op de was en de zorgen en de nieuwe schoenen en de bedankbriefjes en speeldates...'

'Speeldates?' roept ze uit.

'Als je afspreekt met een andere ouder om...'

'Ja, ik weet wat het is. Maar lieverd, wat een verschrikkelijk amerikanisme. Net als die mensen die "hi" zeggen in plaats van "hallo". Vind jij dat ook niet vreselijk Joel, het woord "speeldate"?' Hij komt precies op zijn cue binnen, wat hij bij mij nooit doet.

'Ja,' is hij het natuurlijk met haar eens. 'Het klinkt als iets wat je

47

met een Playmate in de Playboy-villa kunt doen. Iets waarbij er twee rondlopen in iets wolligs en roze, en waarbij ze elkaar betasten in een broeierige speelkamer.'

Ursula en ik zijn het voor één keer met elkaar eens en kijken hem meewarig aan. Soms heeft hij de neiging om een vreemd soort haantjesgedrag te gaan vertonen als zijn moeder in de buurt is. Hij verdwijnt om onduidelijke redenen naar de achtertuin. Ik denk terug aan de eerste keer dat Ursula me op deze manier de les las. Ik was het eens met alles wat ze zei en voelde me aangenaam gevleid dat ze mij op deze manier serieus nam.

'Even serieus, Ursula...' Ik overweeg om het argument in te brengen dat parttime werken in feite niet bestaat. Dat gedeeld ouderschap een fabeltje is. Dat het feminisme me een baan buitenshuis heeft opgeleverd, maar mij niet van het huishouden heeft ontslagen. Dat haar zoon een verschrikkelijke slons is, die opgevoed is met een hygiënisch besef van likmevestje. Door haar. 'De strijd is niet gewonnen. Mannen doen echt niet zoveel meer in huis.'

'Volgens mij is het statistisch bewezen dat mannen veel meer tijd met de kinderen doorbrengen.'

'Met de kinderen wel, misschien. De leuke onderdelen, zeker: bezoekjes aan de dierentuin en de bioscoop, en de clubjes. Maar niet de saaie dingen, de dagelijkse beslommeringen...' Op dat moment besluit Joel voorbij te lopen met een overvolle vuilniszak.

'Ik doe het nu maar even,' zegt hij tegen niemand in het bijzonder. 'Voordat we het straks vergeten.'

Ursula kijkt naar hem zoals ik naar Gabe kijk als hij in zijn potje heeft gepoept: zwellend van moederlijke trots.

34) *Hij zet de vuilnis buiten. Dat lijkt positief. Maar dat is het niet als het gezien wordt als het equivalent van de was doen. De dagelijkse vuile kleren van vier mensen: het wassen, de sokken bij elkaar zoeken, de broeken opvouwen versus één keer per week de vuilniszakken buitenzetten. Hmm, eerlijke deal. Als ik erover nadenk zijn al zijn huishoudelijke klusjes de eenmalige kwesties, de één-keer-per-weekdingen zoals de vuilniszakken, of de jaarlijkse handelingen zoals de keuring van de auto, de verzekeringen. Terwijl de mijne geen begin en geen eind hebben, niet afgestreept kunnen worden. Het schoonmaken van het ene object terwijl een ander weer wordt vuilgemaakt. De ene stapel kleren in de la leg-*

48

*gen, terwijl de wasmand weer gevuld wordt. Ik mag alle moderne
herculesklussen uitvoeren.*

Hoewel ik op dit moment maar één herculesklus kan bedenken: die
van die stal die hij moet uitmesten terwijl de stront zich blijft opsta-
pelen (er loopt een rivier door de stal die een doorlopende stroom
puin meevoert). Zo'n rivier hebben we hier ook.

'Shit!' hoor ik hem uitroepen, gevolgd door het geluid van spullen
die met overdreven gesteun en geluiden van walging opgeraapt worden.

*35) Staat erop dat we maar één vuilniszak per week gebruiken. Ik doe
echt mijn best, met compost en afvalscheiding en zelfs – heel even –
katoenen luiers, maar Joel zal moeten accepteren dat we nu eenmaal schaamteloze grootverbruikers zijn en dat daar even niets
aan te doen is.*

'Ja, het is fijn dat Joel de vuilnis buitenzet.' Ik word afgeleid door het
kleine spoor van een ondefinieerbaar goedje uit de vuilniszak dat
over de keukenvloer loopt en nu zonder twijfel onze crèmekleurige
vloerbedekking in de gang van een interessant patroon voorziet.
'Maar wat dacht je van de dagelijkse, eindeloze, nooit afstreepbare'
– Ursula trekt een wenkbrauw op over mijn gebrekkige taalgebruik –
'ditjes en datjes die alleen vrouwen lijken te doen? Vraag het iedereen,
elke willekeurige vrouw.'

'Ik hoop dat we het niet alleen gaan hebben over wie de afwas
doet,' zegt ze. 'Vroeger zeiden we tijdens brainstormsessies over het
genderconflict voor de grap dat het niet zou gaan over "wie er de
afwas doet". Helaas kwam het daar vaak wel op neer. Denk je niet dat
je je te druk maakt over domme huishoudelijke taken terwijl er veel
belangrijkere zaken zijn, zoals vrouwelijke besnijdenis of de ongelijke beloning in het bedrijfsleven?'

Ik zit op mijn knieën, letterlijk en figuurlijk, terwijl ik met een
doekje het druppelspoor wegpoets. 'Maar snap je niet dat er nooit
gelijkwaardigheid zal zijn als dat binnenshuis niet het geval is?'

'Gelijkwaardigheid begint thuis?' giechelt ze.

'Precies,' zeg ik.

'Lieverd toch, je maakt je veel te druk over hoe je huis eruitziet.' Ze
kijkt naar mij en naar het vloerreinigingspistool waarmee ik de

vloerbedekking te lijf wil gaan. 'Dat doen jullie allemaal. Geobsedeerd door glimmende nieuwe keukens en badkamers die eruitzien alsof je in een hotel woont. Weet je dat wij er niet aan dachten om onze keukens te vervangen voordat ze volkomen ingestort waren, net zomin als we lichaamsdelen zouden willen laten vervangen door stukken plastic? Hoewel dat voor jullie aan de orde van de dag is.'

'Ik zie niet in wat er mis is met een beetje hygiëne in huis...'

'Denk maar niet dat wij het daar nooit over hadden. We hielden "lonen voor vrouwen"-campagnes en weigerden het huishouden te doen, en waren bloedserieus. Maar inmiddels zijn we wel een paar stappen verder, denk je ook niet?'

Zij is absoluut een paar stappen verder – van mij vandaan richting de woonkamer, om enthousiaste kreten te slaken bij de aanblik van de afhaalmenukaart die Joel haar heeft gegeven, terwijl ze het gemorste sap nog iets verder in de vloerbedekking trapt. Ze streelt op een misselijkmakende manier over zijn wang.

'Kunnen we ook Thais eten in plaats van Indiaas? Je weet dat ik niet goed tegen die boter kan die ze overal in gebruiken,' vraag ik bij het horen van hun opgewonden menukeuze.

'Ja, vergeet niet dat Mary een intolerantie heeft,' zegt Joel, met een perfect voorbeeld van de eerder genoemde gniffel.

'Lactose-intolerantie,' corrigeer ik.

'Ja, intolerantie,' zegt hij.

'Ik snap het niet,' zegt Ursula. 'Vroeger was niemand allergisch hiervoor en intolerant daarvoor. Volgens mij hadden wij het er drukker mee om te vechten voor een gelijke vergoeding dan met onze voeding.' Ik zie voor me hoe ze van deze uitspraak in gedachten een aantekening maakt voor haar volgende boek.

'Ik ga ervan snotteren,' werp ik tegen. 'Mijn neus blijft wekenlang lopen als ik per ongeluk een niet-sojamelk latte drink. Dat weet jij toch ook, Joel?'

Hij haalt zijn schouders op, waardoor Ursula de kans grijpt haar nieuwste theorie ten beste te geven.

'Het valt me op dat veel jonge vrouwen vegetariër zijn zonder dat ze daadwerkelijk van dieren houden, en intolerant zijn voor – hoe toevallig – alles waar je dik van wordt.'

'Joel is degene die vegetariër was. Dat kun je je nu niet meer voorstellen...'

'Ja, maar hij was vegetariër vanwege ethische bezwaren, en geen esthetische. Is het niet gewoon een sociaal geaccepteerde manier om je eetpatroon aan te passen? Door hele voedselgroepen uit te sluiten ga je vanzelf minder eten, toch? Het is in feite een eetstoornis.'

'Ik heb geen eetstoornis,' zeg ik.

'Nou, als tiener heb je toch die fase gehad, met je zus?' zegt Joel.

Overtreding 33, daar gaan we weer.

'Jemima en ik sloegen een beetje door in de afvalrace, verder niets. Dat is heel normaal.' Uiteindelijk won Jemima in dit verhaal door verregaande anorexia te ontwikkelen, compleet met uitstekende ribben, een korte ziekenhuisopname en de bijbehorende schuldvraag bij onze getraumatiseerde ouders.

'Voor jullie generatie wel, ja,' zegt Ursula. Ze draait zich om naar Joel. 'Wat een generatie van controlfreaks, vind je ook niet?'

'Wat je zegt.'

Noemde ze mij nu net een controlefreak? Terwijl ik daarnet nog werd uitgemaakt voor een lui, met siliconen gevuld, ondankbaar loeder met smetvrees. Ik moet hier weg. 'Sorry, volgens mij hoor ik Gabe.' Ik haast me naar boven.

Ik zit op ons bed. Ook wel het huwelijksbed genoemd. Ik vraag me af hoe het na de scheiding genoemd wordt. Ex-huwelijksbed waarschijnlijk. Eén ding weet ik wel: bij de boedelscheiding is het voor mij, voor al die keren dat je het ten koste van mij met je moeder eens was. Ik kijk naar mijn borsten en vraag me af of ik ook niet meteen een borstvergroting zal laten doen, aangezien volgens Ursula iedereen van mijn generatie dat doet.

Toen Ursula de moeder van mijn vriendje was, was er niemand die ik leuker vond of tegen wie ik meer opkeek. Ik was misschien wel net zo verliefd op haar als op Joel. Een beroemde feministe als moeder hebben leek mij het mooiste wat je kon overkomen, waar nog bij kwam dat ze niet alleen wist waar ze voor stond, maar ook nog uit een rijke, aristocratische familie kwam. Dat ze daarnaast ook nog alleenstaande moeder was maakte haar onmetelijk exotisch. En haar huis! Tot de nok toe gevuld met boeken en aftandse, antieke meubels met kringen van de gin-tonicglazen van Isaiah Berlin erop, een ouderwets rijdend drankbuffet met flessen likeur die ze kreeg als ze sprak op bijeenkomsten op verre, vreemde plekken. Precies het soort leven waar ik van droomde als tiener, waarover ik las in de boeken van Margaret Drabble en Iris Murdoch. Ik las zelfs de inleiding en hoofdstuk 1 van een van haar eerste boeken, *Cleopatra's naald werd niet gebruikt om te naaien* (gevolgd door de intellectueel en financieel minder succesvolle titels *Ophelia had moeten leren zwemmen, De brandwerende cape van Jeanne d'Arc*, enzovoort, enzovoort) en zwoer mijn leven volgens deze overtuigingen te leven.

De moeder van mijn vriendje bewonderde ik meer dan wie ook, maar mijn schoonmoeder haat ik het meest van allemaal. Er treedt een soort van omgekeerde alchemie in werking als je trouwt en kinderen krijgt. Alle dingen die ik het leukst vond in Joel zijn nu de dingen die ik het meest verafschuw.

Door net te doen of ik Gabe hoorde heb ik hem blijkbaar echt wakker gemaakt, want ik hoor hem huilen in zijn bed. Joel en Ursula gaan naar hem toe en lezen hem voor.

'Thomas zit helemaal onder de modder,' hoor ik Joel zeggen. 'Een hardwerkende trein moet schoon zijn. Hij moet in bad.' Korte 'a'.

36) *Zet een irritant Noord-Engels accent op voor de Dikke Conducteur uit de Thomas de Trein-serie. Ik vermoed dat hij het personage op mijn vader baseert. Ik haat Thomas de Trein en zijn ontelbare vrienden; ik weet zeker dat mijn ongeboren dochter Eudora/Willa/Aphra daar niets aan zou vinden. Zij zou op haar derde waarschijnlijk aan C.S. Lewis toe zijn.*

Ik voeg dit item toe aan de lijst en voel me meteen een stuk beter.

Wanneer veranderde alles wat ik leuk vond aan Joel in alles wat maakt dat ik zijn borstkas wil harsen, niet omdat ik van gladde bovenlijven hou, maar om hem pijn te doen? De manier waarop wij elkaar leerden kennen en verliefd werden is pure chicklit, maar dan met de rollen omgekeerd: Joel als de excentrieke antiheld, altijd chaotisch en te laat voor afspraken, en ik als het hooghartige Mr. Darcy-personage. Onze romance werd verankerd na het complete scala aan misverstanden en verkeerde indrukken, de overwinning van de heldin over haar knappere vriendin, en de uiteindelijke samensmelting in een feest van liefde en seks dat een paar jaar aanhield. Tijdenlang kon ik mijn geluk niet op. Ik dacht altijd: ik verdien jou niet. Nu denk ik: ik verdien dit niet.

De klad komt erin als de placenta eruit komt, toen we ons eerste kind kregen. Terugkijkend denk ik dat er waarschijnlijk wel aanwijzingen waren geweest over hoe ons leven zou worden toen we samen gingen wonen, en wellicht nog een paar toen we trouwden, maar ik negeerde ze. Tijdens mijn zwangerschapsverlof namen onze rollen pas echt vaste vorm aan. Toen werd ik de boze vrouw die je ook wel op televisie ziet (geniepig, zeurend, klagend dat alles witter dan wit moet zijn) en hij werd de doorsneeman, de Vrouw vermijdend door zich terug te trekken met een biertje, en later zijn afwezigheid goedmakend door altijd als hij er wel was 'de leuke ouder' te zijn met de kinderen.

Het is ironisch dat we de Man en de Vrouw zijn geworden, omdat ik in het begin stapelverliefd was op Joels vrouwelijke kanten. Ik kan huilen van frustratie en verdriet, maar zelden van geluk of melancholie. Joel kan al volschieten als alleen de naam van Joe Strummer maar valt of als Leonard Cohen *So Long, Marianne* zingt. Hij kijkt naar zonsondergangen en noemt paars ook wel 'lila', 'indigo' of 'mauve'. Hij was, en is, een geweldige kok en vraagt zich af of er dille of lente-uitjes zitten in de salade die we tijdens een vakantie besteld hebben in een restaurant aan het strand. Hij besteedde zijn tienerjaren aan experimenteren met eyeliner en heeft zelfs gezoend met één of twee even behaarde mannen als hij. Hij heeft iets met sokken van topkwaliteit en ruikt graag lekker. Ik zag dit als een bewijs dat Ursula haar werk goed had gedaan en dat hier een werkelijk geëmancipeerde man stond, eentje die zijn vrouwelijke kant erkende. Kortom, volkomen het tegenovergestelde van mijn vader, die voor de hele week maaltijden in de vriezer moet hebben als mijn moeder een paar dagen ontsnapt om op zakenreis te gaan.

En Joel was gek op alles wat er mannelijk aan mij was. Ik kon kaartlezen en planken ophangen. Hij smeekte me altijd alles uit te trekken behalve mijn gereedschapsriem, zei dat er niets zo sexy was als ik met een drilboor, en handig tegelijk omdat ik alle klusjes deed in huis. Ik wist meer over voetbal en was beter in tafeltennis. Dat vond hij geweldig, en ik vond het geweldig dat hij dat vond, dat hij zich niet zoals andere vriendjes bedreigd voelde door mijn competitiedrang en blijdschap na het winnen.

Toen kwam Rufus. Ik mocht op zwangerschapsverlof en Joel benijdde me erom. Hij zei dat hij jaloers was en dat hij het jammer vond dat hij nooit zou weten hoe het voelde om een levend wezen in zijn buik te voelen groeien, hoewel het niet in hem opkwam om solidair te zijn en ook te stoppen met het nuttigen van alcohol en Franse kaas. Hij zei dat hij ook graag de hechte band van een borstvoeding gevende moeder met haar kind zou willen voelen, maar nam nooit de moeite mij te helpen met het arrangeren van de enorme verzameling kussens die nodig waren om deze weinig romantische handeling uit te voeren, of me een glas water te brengen als Rufus eindelijk – en behoorlijk pijnlijk – op de juiste wijze aangekoppeld was.

Hij had veertien dagen zwangerschapsverlof, die hij voortdurend vakantiedagen noemde en ook zo behandelde. 'Wat gaan we vandaag doen?' vroeg hij elke ochtend. 'Wie komen er op bezoek?' Ik kon alleen zitten met behulp van een lelijke opblaasbare zwemband door het slagveld dat er daar beneden aangericht was, terwijl Rufus ondertussen doorlopend wilde drinken en toch niet op het voorgeschreven gewicht leek te willen komen. Ik hoorde Joel aan de rest van de wereld vertellen dat hij nooit geweten had dat zo'n klein wezentje zoveel liefde kon uitstralen, terwijl ik alleen maar kon denken dat ik nooit had geweten dat zo'n klein wezentje zoveel wasgoed kon produceren. Als Joel verklaarde dat hij zo blij was dat hij vader was geworden, dacht ik: ja, vader, ik zou het ook geweldig vinden om vader te zijn. Hij had nog nooit zoveel liefde gevoeld en ook ik ademde niets dan liefde. Het verschil was dat ik erdoor werd overmand. Joels liefde voor Rufus leek vrij en blij, als een vakantieliefde, halfdronken en euforisch. De mijne was angstig en dodelijk vermoeiend, voortdurend malend over voedingsschema's en verschrikkelijke visioenen over alles wat mijn kleine kwetsbare lieveling zou kunnen overkomen. Joel lachte altijd als ik hem probeerde te vertellen hoe bang ik soms was als ik Rufus de trap op of af droeg. 'Wat nou als ik struikel en val?' Of erger nog – maar dat zei ik niet: als een duistere kwaadaardige geest ervoor zorgde dat ik hem naar beneden gooide. 'Wat als iemand hem uit de buggy steelt als ik me omdraai om iets uit het schap in de supermarkt te pakken?' vroeg ik. Ik kon niet begrijpen dat Joel niet zag dat een baby die zo exceptioneel mooi en intelligent was als Rufus een onweerstaanbare prooi was voor babydieven.

Toen we eenmaal een baby hadden, begon ik me af te vragen waar ik me voorheen zorgen over had gemaakt of wat de reden was voor ruzie. Een kind krijgen was het startsein voor een eindeloze stroom modder en meningsverschillen. Alle liefde die ik ooit voor Joel had gevoeld leek op dit kleine wezentje met het nog dunne, maar overduidelijk rode toefje haar te zijn overgegaan. Hoe liever ik Rufus vond, hoe irritanter Joel in mijn ogen was. Hem die ik zo oneindig lief had gehad, verafschuwde ik. Ik verafschuwde de manier waarop hij een luier verschoonde, dat hij niet alle knoopjes van de rompertjes dichtdeed, dat hij Rufus onmiddellijk aan mij gaf als hij ging huilen met de woorden: 'Volgens mij heeft hij honger.'

Het vaderschapsverlof was erg, maar toen hij weer aan het werk ging, werd het alleen maar erger. Hij was op zijn werk, ik was thuis en zonder dat het op enige manier werd uitgesproken was ik ook degene die verantwoordelijk was voor alles wat er in huis moest gebeuren. Hij kon opeens zijn eigen overhemden niet meer wassen of de weg naar de supermarkt vinden; wat moest ik anders de hele dag thuis? Ik mocht blij zijn dat ik zo'n lange vakantie had, een uitgerekte huwelijksreis van moeder-babybonding, dus ik mocht niet klagen over een paar extra klusjes.

Ik was jaloers dat hij naar zijn werk ging, maar toen ik bijna aan de beurt was moest ik er niet aan denken. Een combinatie van Mary Poppins en Brechts Mutter Courage was het enige aan wie ik mijn waardevolste bezit zou overlaten. Aangezien zij niet bestond schreef ik Rufus in op een crèche, wat net zo goed een Roemeens weeshuis had kunnen zijn, als je bedenkt hoe hardvochtig ik mijzelf vond. Ik ging parttime werken omdat ik daar recht op had. Mitzi had eens gezegd dat ze niet begreep waarom mensen kinderen kregen als ze niet van plan waren tijd met ze door te brengen, hoewel zij haar kinderen net zo vaak naar de opvang bracht als ik, terwijl ze niet eens een baan had. Twintig procent minder loon voor een dag extra met Rufus leek een gunstige ruil, maar ik had me niet gerealiseerd dat dat overeenkwam met honderd procent van mijn salaris dat niet opging aan de hypotheek en boodschappen. Tegelijkertijd leek het vijfde deel van het werk dat ik had opgegeven precies dat gedeelte te zijn waar ik mijn plezier uit haalde en niets van de saaie dagelijkse klusjes die ik met liefde had opgegeven.

Parttime werken had de ideale oplossing geleken en iedereen zei dat ik ontzettend geboft had. Maar de patronen die er tijdens mijn verlof in waren geslopen werden alleen maar versterkt. Ik ben thuis, hij is aan het werk. Op een of andere manier betekende parttime voor mij niet parttime voor hem, en mijn zo begeerde vrije dag met Rufus werd al snel ingevuld met het repareren van de wasmachine en in de rij staan bij het postkantoor met de aanvraagformulieren voor paspoorten voor ons gezinnetje. De wettelijke bepalingen

rondom parttime werken voor moeders worden gezien als een belangrijke overwinning voor vrouwen, maar ik voelde me een buiten-
beentje op kantoor, en een buitenstaander tussen de moeders die
niet werkten. Ik moest amfibisch zijn, maar ik voelde me als een vis
op het droge. Ik piekerde erover weer fulltime te gaan werken of alles op te geven. Ik wist niet of het iets zou uitmaken als ik weer fulltime ging werken, aangezien Joels bijdrage aan het huishouden
waarschijnlijk minder hard zou toenemen dan mijn ergernis; terwijl
ik als ik mijn werk opgaf ongetwijfeld onder nog meer wasgoed be-
dolven zou worden, om nog maar te zwijgen over het dramatische
effect op onze financiën.

Dit is het dus. Ik weet niet precies hoe het zover heeft kunnen komen, maar ik ga ervan uit dat mijn aandeel niet gering is geweest.

De volgende dag aan het ontbijt vraag ik Joel: 'Weet jij nog wat de
werken van Hercules zijn?'

'Hmm,' antwoordt hij, in het geheel niet verbaasd dat ik hem deze
vreemde vraag stel en naarstig zoekend naar het antwoord. 'We hadden de leeuw, toch? Zijn huid was ondoordringbaar voor pijlen en
messen. Ursula had een fantastisch boek over Romeinse en Griekse
mythes. Hoe heette het ook alweer?'

Ik haal mijn schouders op en hij gaat door: 'De beste was die waarin hij Cerberus, de driekoppige hond, gevangen moet nemen. Was
Medusa daar ook bij? Misschien kan ik mijn boek van vroeger nog
vinden. We zouden voor Rufus eens een boek met Griekse mythes
moeten aanschaffen.'

'Ja, dat dacht ik nou ook,' zei ik. 'Net wat ik dacht.'

3

Natte handdoeken op het bed

Het is vrijdag en ik gooi het juk van het huishouden van me af om voorbereidingen te treffen voor het feest. Het feest in een chic appartement met architectonische hoogstandjes en glazen plafonds, een industriële betonnen vloer en kindonvriendelijke beeldhouwwerken. Cara's feestje.

Cara en haar appartement verdienen het dat ik extra veel zorg besteed aan mijn uiterlijk.

Ik draag een nieuwe jurk, een bordeauxrood geval van zijde, strakgespannen over mijn corrigerende ondergoed (met het dubbele doel van enerzijds mijn uitpuilende zwangerschapsbuikje indammen en anderzijds mij seksueel volkomen onaantrekkelijk maken voor Joel; bingo). De jurk vestigt verder de nodige aandacht op de buste, die met een extra stevige push-upbeha in luttele seconden van *National Geographic* naar *Sports Illustrated* kan worden opgewaardeerd. Ik ben net de laatste achtergebleven zwangerschapskilo's kwijt en als ik door de spleetjes van mijn ogen kijk ben ik zowaar redelijk tevreden over het resultaat. Ik weet niet of ik de oude ik ben, degene uit het kinderloze tijdperk, of een nieuwe ik, een verbeterde postzwangere versie, maar ik voel me goed.

Mijn make-uptas zit onder de vlekken en is een beetje als een boomstronk waarop je de jaren kunt tellen. De inhoud vertelt het verhaal van mijn verleden: de kwastjes die ik kocht na een verschrikkelijke make-over in een warenhuis in Manhattan, waar ik heen ging met een vorig vriendje; de oude lipgloss die ik op mijn eerste afspraakje met Joel op had in een poging mijn zuinige lippen sensueel en zacht te laten lijken, terwijl ze in plaats daarvan vooral haarlokken leken aan te trekken, eerst de mijne en later op de avond, toen de missie was geslaagd, ook de zijne; de complete make-updoos die ik kreeg om me op te maken op mijn huwelijksdag en waarvan ik tot op de dag van vandaag slechts één kleur heb gebruikt. Elk dingetje herinnert me aan een voorgaand leven van ijdelheid. Ik mis mijn ijdelheid, die verdween op de dag dat Rufus geboren werd. IJdelheid voelt als een schoolvriendin uit je jeugd, die je evenzeer liefhad als haatte, van wie je zo snel mogelijk af wilde en die je ontzettend miste vanaf het moment dat ze weg was. Door mezelf in de spiegel te bekijken ging ik terug in de tijd. Tegenwoordig weet ik niet eens meer dat ik een spiegelbeeld heb; misschien ben ik wel een vampier en is er alleen leegte als ik kijk. De enige keren dat ik in de spiegel kijk is het om een baby te laten kennismaken met zijn eigen spiegelbeeld, waarbij het contrast tussen zijn poezelige gave huid en de mijne pijnlijk zichtbaar is.

Ik verschijn zo opgedoft mogelijk in de badkamer, waar ik begroet word door een echtgenoot en twee kinderen, van wie de oudste zich sinds kort bewust is van zijn naaktheid. Ze staan samen bibberend rechtop in bad. Rufus bedekt zijn mannelijkheid met zijn handen als een voetballer die klaarstaat om een vrije trap tegen te houden.

37) *Trekt nooit de stop uit het bad van de jongens, zodat ik later tot mijn elleboog in het smerige water moet tasten en de vieze rand op het bad ter hoogte van de waterlijn al lekker ingedroogd is.*

38) *De badkamervloer is altijd kletsnat als hij er is geweest, of hij nu wel of niet heeft gedoucht. Het lijkt wel of hij daarbinnen een of ander ecosysteem heeft aangelegd, een met een gestaag stijgende zeespiegel.*

39) *Negeert de handdoeken die aan de haakjes van de jongens hangen en pakt schone, luxe handdoeken die ik voor speciale gelegenheden op een speciale plek bewaar, wat neerkomt op een plank die maar net boven de boiler past.*

40) *Laat gebruikte handdoeken op de vloer liggen, die, zoals ik al zei, altijd zeiknat is.*

41) *Of gooit ze op het bed.*

Joel laat een onvervalste bouwvakkersfluit klinken – een van de talenten waarvan ik zo onder de indruk was toen we elkaar leerden kennen. 'Mooie jurk. Mooi lichaam ook.'

Rufus zal binnenkort de leeftijd bereiken waarop hij van dit soort opmerkingen over zijn nek gaat, maar nu voegt hij eraan toe: 'Je ziet er mooi uit, mama,' en ik voel een golf van liefde, met op de achtergrond de droevige wetenschap dat hij binnen enkele jaren zal besluiten dat hij toch niet met mij wil trouwen.

'Is het zijde?' vraagt Joel. 'Wat valt die stof mooi om je heen.'

'Dank je.' In de klaagzang over Joels tekortkomingen kan ik niet beweren dat hij een nieuw kapsel of outfit niet opmerkt. Dat stukje vrouwelijkheid is bij hem bijzonder goed ontwikkeld: het stukje dat nieuwe kleding wel waardeert maar nooit iets zal opvouwen. 'Jij ziet er ook goed uit.' Hij heeft een pak aangetrokken zoals mannen die dat voor hun werk niet gewend zijn doen, waardoor het nog leuk is je in het weekend op te doffen.

We gaan op weg naar Cara, die in een oude fabriek woont in een wijk waar vroeger vooral jonge kunstenaars woonden, maar waar nu de makelaars 'werk-woonruimtes' aanprijzen. Ik ken de plek goed, aangezien er ook talloze kleine televisiemaatschappijen zitten, waaronder die van mij.

Een stel met een cadeau in de aanslag belt voor ons aan bij Cara's intercom en wij glippen met ze mee naar binnen en voeren de ongemakkelijke conversatie die begint met 'Ik neem aan dat jullie naar hetzelfde gaan als wij,' waarbij je hoopt dat je snel genoeg bij de voordeur bent om niet aan te landen bij de vraag 'En waar kennen jullie Cara van?' Had ik een cadeautje mee moeten nemen? Wat zou ik Cara kunnen geven? Een bijzondere, exclusieve olijfolie?

Becky doet open en onze voorgangers glimlachen beleefd en geven haar in het voorbijgaan hun jassen aan.

'Mijn god, wie zijn dat?' fluister ik tegen Becky.

'Ik ken ze niet en ze kennen mij duidelijk ook niet. Zie ik eruit als de dienstmeid?'

'Absoluut,' zeg ik, terwijl ik kijk naar haar slechtzittende poging tot een cocktailparty-outfit, die haar slanke figuur met volle borsten, waarvan ze altijd zegt dat ze ervanaf wil, bepaald niet flatteert.

'Ik ben blij dat je er bent,' zegt Becky, en ik merk dat ze al een beetje dronken is, wat nog benadrukt wordt door de manier waarop ze een glas champagne van een voorbijkomende dame grijpt; een dame die overigens wél de voor de avond ingehuurde dienstbode is. 'Het wemelt van de cliënten. Als je me zou vragen wat de gelegenheid was, zou ik zeggen dat Cara's klantenbestand aan uitbreiding toe was. Zoveel saaie financieel verslaggevers en zakenmensen heb je nog nooit bij elkaar gezien. Je moet even met me mee naar de wc.'

Ik laat Joel achter, die meteen op zoek gaat naar een vreemde om opgewekt mee in gesprek te gaan, en ik volg Becky naar het toilet.

'Wat is er?'

'Ik heb gisteren een echo gehad.'

'O?' Ze is zwanger? Of, o god, kanker?

'Ik was doorgestuurd door mijn huisarts. Ze wilden kijken of ik een polycysteus ovarium heb.' Ik verwerk haar nieuws. 'O, dat, gelukkig. Ik dacht even dat je cystische fibrose bedoelde. Dat is die longaandoening, toch? Wat jij hebt zit in je eierstokken, of niet?'

'Indrukwekkend, Sherlock.'

Ik draaide mijn mentale index van gezondheidsfeitjes uit de glossy's af in mijn hoofd. 'Polycysteus-ovariumsyndroom? Dat kan je vruchtbaarheid aantasten.' En wat was er nog meer? 'Daar kun je dik van worden en last van overbeharing door krijgen.' Wat erg.

'Dat ja. Overbeharing is inderdaad een mogelijk symptoom. Maak jij vast een afspraak bij de schoonheidsspecialist? PCOS en lesbisch bovendien. Behaard zijn is mijn lot.'

'Becks, sorry.' En het spijt me echt, want zij verdient het niet, echt niet. 'Wat houdt het in, praktisch gezien?' Ik baal dat we internet niet op kunnen met deze medische kwestie voor ons. Mijn vingers jeuken om dokter Google te raadplegen.

'Zwanger worden zal moeilijker gaan of onmogelijk worden. Ik ovuleer niet elke maand, vandaar. Ik dacht dat ik gewoon geluk had dat ik zo licht en onregelmatig ongesteld was.' Ze lacht schamper. 'Dat betekent dat ik snel aan de slag moet.'

'Waarmee?'

'Met zwanger worden.'

'Ik wist helemaal niet dat jij kinderen wilde. Daar hebben we het nooit over gehad.'

'En omdat we het er nooit over hebben mag ik er ook niet aan denken? Of mag ik sowieso geen kinderen krijgen, is dat het?'

'Jezus, nee, dat bedoel ik niet. Ik wist het gewoon niet. Je zou een geweldige moeder zijn.' Is het lullig om te vragen welke vader ze in gedachten heeft? 'Dus dat zou je willen – alleen, bedoel ik? Een lesbische BAM, zeg maar?'

'Liever niet natuurlijk.' Ze zucht. 'Ik weet niet wat ik met Cara aan moet. We zijn pas een jaar samen dus het is nog wat vroeg om over kinderen te beginnen maar ik wil ook niet blijven hangen als het niets gaat worden.'

'Heb je haar toestemming nodig? Kun je het niet gewoon doen en een bekertje sperma, of wat dan ook, gaan halen?'

'In mijn eentje? Had jij dat gedaan, als je Joel niet had ontmoet, op onze leeftijd?'

'Dat weet ik niet. Als ik aan kinderen dacht zag ik die toch altijd in een relatie...'

'En waarom denk je dat dat bij mij anders is?' snauwt Becky. 'Waarom zou ik mijn kinderen niet óók liever binnen een fijne relatie krijgen?'

'Dat bedoel ik niet.' Hoewel ik dat waarschijnlijk wel bedoelde. Ze zou toch ergens anders heen moeten voor het sperma, dacht ik, dus Cara's rol was wat mij betreft een stuk minder duidelijk dan die van Joel in ons geval. 'Hoe denkt Cara in het algemeen over kinderen?'

'Ze denkt er doorgaans helemaal niet aan.' Ik kijk de badkamer rond, die met de mooie dubbele haar & haar-wasbakken en open planken meer lijkt op een chique apotheek. 'Hoewel ze eens gezegd heeft,' gaat Becky door, 'dat ze niemand kent die van kinderen beter is geworden. Dat woord gebruikte ze: beter.'

'Au. Wat zou ze daarmee bedoelen?'

'Ik denk dat ik een kind wil. Ik weet het niet. Wat als ik een kind wil en haar erbij? Behalve dat ik ze waarschijnlijk niet zal kunnen krijgen, en dus het risico loop dat ik haar voor niets wegjaag. Ik moet het gaan proberen, maar aan de andere kant ben ik daar bang voor, omdat ik er dan achter kan komen dat het niet kan. Kortom, het is makkelijker om niets te doen. Maar dan zou ik Cara kwalijk kunnen nemen dat ik het door haar niet geprobeerd heb, terwijl zij misschien wel heel graag wil dat ik het probeer. Wat moet ik doen?'

'We kunnen een lijstje maken. Alle opties op een rijtje zetten. Laten we er rustig over nadenken, ik help je wel. Samen komen we er wel uit. Ik schrijf alles op en dan gaat de rest vanzelf. De eerste beslissing die je moet nemen is of je wel of geen kind wilt. Twee: welke lichamelijke onderzoeken zijn er nodig? Drie: wanneer? Vier: met of zonder Cara? Vijf: welke vader? Geloof me, alles is op te lossen door een duidelijke lijst.'

Becky snoof. 'Jij en je lijstjes! Ik heb het lijstje nog dat je voor me maakte toen ik erover dacht om uit de kast te komen. Heb je je markeerstift bij je?'

'Ik maak ze tegenwoordig op de computer. Lach er maar om, maar het helpt echt. Op die manier krijg je tenminste helder wat je echt wilt, zodat je dat ook tegen Cara kunt zeggen. Zodra het voor jou duidelijk is moet je met haar gaan praten.'

'Dat moet jij nodig zeggen. Jij praat zelf ook niet.'

'Hoe bedoel je?'

'Laatst vertelde je me nog dat je van Joel ging scheiden omdat hij zijn sokken niet ontsmet.'

'Dat is niet waar. Ik vind gewoon dat hij heel veel dingen doet waar ik niet tegen kan. Ik maak een lijst.'

'Ja, dat weet ik. Over mij en of ik wel of geen kind moet nemen.'

'Ja, die ook, maar ik ben nog een lijst aan het maken. Ik maak er een over Joel.' Becky lijkt me dronken genoeg om haar over de Lijst te vertellen. Ik moet toch iemand in vertrouwen nemen. 'Een lijst met al zijn gebreken, en na zes maanden kijk ik de lijst na en weet ik of mijn kritiek gegrond is. Hij doet heel veel dingen waar ik niet blij van word.'

'En hij doet heel veel waar je wel blij van wordt.' Becky is op de wc gaan zitten en prikt in haar buik. 'Stomme klonterige eileiders. Noem één ding dat Joel doet om jou dwars te zitten.'

'Weet ik veel...' Ik doe alsof ik even niets kan bedenken, maar in feite probeer ik achterhalen welke onhebbelijkheid het best weergeeft wat ik bedoel. 'Hij laat de vieze poepluiers rondslingeren.' Zo! Dat moet verschrikkelijk klinken voor iemand zonder kinderen.

'Nadat hij een luier heeft verschoond. Veel mannen verschonen helemaal geen luiers. Krijgt hij daar geen punten voor? Een pluspunt omdat hij een man is die luiers verschoont?'

'Wat nou? Waarom moet hij een medaille krijgen voor het verschonen van een luier? Ik verschoon honderd luiers tegen één van hem. Natuurlijk verschoont hij luiers.'

'Ja, maar je kunt gewoon niet alleen de slechte punten van een relatie opsommen zonder oog te hebben voor de goede dingen, toch? God weet wat Cara mij op die manier allemaal te verwijten zou hebben.'

Er wordt op de deur gebonsd. Becky bedekt haar buik en doet open. 'Cara,' zegt ze. 'Hoe lang sta je daar al?'

'Lang genoeg om het te weten.'

'Wat te weten?'

'Dat degene die binnen was niet alleen aan het lozen was.'

In mijn ogen bezit Cara de mooiste kleren ter wereld. Als Armani in de jaren veertig zonder rantsoenering kleding had gemaakt, had het er zo uitgezien. 'Ik dacht dat het die vreselijke man was die zijn medicijnen aan het toedienen was, dus ik ben allang blij dat jullie hier zo knus samen waren.' Ze trekt één wenkbrauw op. Ik wou dat ik dat kon.

Becky maakt haar broek dicht. Cara's wenkbrauw gaat nog iets verder omhoog. 'Waar zijn jullie mee bezig? Moet ik jaloers zijn?'

'O, god, nee,' stamel ik. Ik stamel en bloos en schutter altijd bij Cara.

'Ik maak maar een grapje,' lacht ze. Niemand zou trouwens zo stom zijn om iets te proberen als ze met Cara mocht zijn.

'We waren gewoon aan het kletsen,' zegt Becky kribbig. 'Dat is toch niet bij wet verboden?'

'Je bent dronken.'

'Niet waar.'

'Volgens mij wel.'

'Nietes, nietes, nietes.'

Als Becky zo doorgaat hoeven ze helemaal niet aan kinderen te beginnen; één kant-en-klare tiener in huis is meer dan genoeg.

'Sorry, Cara,' mompel ik. 'We komen al naar buiten.'

'Ach, het maakt niets uit. Wat een mooie jurk heb je aan,' zegt ze, en ze streelt mijn arm terwijl ze me van top tot teen bekijkt. Dankzij mijn corrigerende ondergoed en verloren kilo's lijk ik de test te doorstaan. 'Wat een mooie stof.'

Ik denk een vonk te voelen, maar het kan ook komen door het verhoogde statische gehalte van de relatief goedkope stof van mijn confectiejurk. Ze buigt zich naar me toe en fluistert in mijn oor. Haar adem voelt koel; hij voelt alsof ze net terug is van een afspraak bij de mondhygiëniste.

'Let je een beetje op haar?' zegt ze. 'Ze is wat vroeg aan de champagne gegaan.'

Ik knik.

'Dank je,' zegt ze, en ze streelt nogmaals over mijn arm. Alsof ik iets te kiezen heb. Ik kan me niet voorstellen dat iemand Cara iets zou weigeren.

Ik neem Becky mee en ga op zoek naar Joel, die met een meisje staat te praten dat haar hand door haar haar haalt en zich snel uit de voeten maakt als ze aan zijn vrouw wordt voorgesteld.

42) *Is op de een of andere manier bijzonder aantrekkelijk voor andere* *vrouwen. Het zal zijn charmante, warrige voorkomen wel zijn. Ik* *had het kunnen weten, aangezien ik daar zelf ook voor gevallen* *ben.*

Oké, oké. Hij kan er natuurlijk weinig aan doen. Ik zou alleen willen dat hij niet zo aandachtig luisterde naar de verhalen van vreemde vrouwen. 'Jij bent geweldig, Joel,' begint Becky tegen hem. 'Echt geweldig. Ik hoop dat Mary dat ook beseft.'

'Vast wel,' zegt hij. 'Op een geheime, speciale manier.'

'Zeg maar tegen haar dat ze ook de goede dingen moet blijven zien, niet alleen de slechte.'

'Dat doe ik ook,' onderbreek ik. 'Dat doe ik echt wel, Becky.'

'Beloof het, Mary. Plussen en minnen.'

'Waar hebben jullie het over?' vraagt Joel.

'Nergens over. Ik beloof het, Becky.' Ik kijk om me heen, naarstig op zoek naar iets om haar af te leiden. 'Ik wist niet dat jullie Mitzi hadden uitgenodigd.'

'Ik niet, Cara. Cara vind Mitzi een van de weinige mensen die ze via mij kent die ermee door kunnen. Ze kent haar trouwens niet eens via mij, of wel? Meer door jullie. Ze hebben elkaar echt gevonden. Ze bellen elkaar om de haverklap en zo.'

'Dat snap ik best,' zeg ik. Uit hetzelfde hout gesneden – nee, zorgvuldig vormgegeven uit hetzelfde dure materiaal door een waanzinnige gemeenschap in India. Allebei artiesten, eigenlijk: blonde Mitzi en donkere Cara, Doornroosje en Sneeuwwitje, als twee prinsessen uit een sprookje. Cara begroet Mitzi uitbundig, waarna ze elkaars hand vast blijven houden terwijl ze over en weer complimenten uitwisselen.

Ik voel een steek van jaloezie. Het is altijd een beetje vreemd om twee mensen die elkaar via jou kennen goede vrienden te zien worden. Als ze klaar zijn met elkaars schoenen te bewonderen, komt Mitzi naar ons toe.

'Hallo, Mitzi,' zegt Joel. 'Hoe is het met je?'

'Goed. Druk, hectisch.'

'Echt?' zegt hij. 'Waarmee dan?'

'Vier kinderen opvoeden is best ingewikkeld, Joel, om te beginnen.'

'Oké, maar wanneer ga je weer aan het werk?'

43) Overtuiging dat 'werk' alleen gedaan kan worden op kantoor, in een fabriek of op een bouwterrein.

'Omdat voor de televisie werken zo'n waardevolle bijdrage is aan de maatschappij zeker?' zegt Mitzi met haar kenmerkende pruilmondje.

'Meer dan winkelen.'

'Dat doe ik maar zelden.'

'Echt waar?' zegt hij.

'Echt, ik koop bijna niets meer. Ik maak of brei het tegenwoordig zelf.'

'Mary heeft me de goodiebags laten zien die je had gemaakt. Je bent een echte Maria von Trapp op de naaimachine, hè?'

'Ik heb liever het karakter van Maria in het lichaam van de barones.' Mitzi laat haar handen over haar heupen glijden terwijl ze dit zegt. Ze is goed in vorm, zie ik. Ik zie ook dat Joel het ook ziet, wat waarschijnlijk de bedoeling was.

'En de intelligentie van een loopjongen van de Hitlerjugend,' voegt hij eraan toe.

'Hahaha, wat ben je toch grappig.' Hun gesprekje eindigt met een blik die ik eerder tussen hen heb gezien en die impliceert dat zij iets weten wat verder niemand weet.

'Waar ben jij zo druk mee geweest?' zeg ik om over iets anders te beginnen. Joel loopt weg, misschien op zoek naar het meisje met dat dansende haar.

'Het huis in Norfolk.' Ah, natuurlijk, het huis in Norfolk. 'Wat een nachtmerrie. We hebben een briljante architect, echt briljant, daar gaan we nog meer van horen, let maar op. Alleen begrijpt niet iedereen onze visie, die waanzinnig is en uniek en waarschijnlijk het begin is van een heel nieuwe stroming in de architectuur. De bladen bellen nu al voor interviews. De gemeente wringt zich in allerlei bochten over de windmolen. Je zou denken dat ze ons wel zouden helpen met zo'n milieuvriendelijke ingreep, aangezien Norfolk het eerst zal verdwijnen als het water stijgt.'

'Wat is dan het probleem?'

'Iets over de oorspronkelijke gevel die zichtbaar moet blijven. Dat zeggen ze, maar ik denk dat ze gewoon iets tegen tweedehuizenbezitters hebben.'

'Ze hebben wel een punt, toch?' Tweedehuizenbezit staat op mijn lange lijst van Dingen Waar Ik Boos Over Ben, en ik ben niet eens een arme, uit-de-markt-geprijsde lokale inwoner.

'Denk je? O, dan wil je zeker ook niet uitgenodigd worden om te komen logeren tijdens de meivakantie om het huis in te wijden? Om te vieren dat de verbouwing klaar is?' Haar stem heeft een ijzig randje dat doet vermoeden dat ze niet van plan is nog enige vertraging op te lopen door vervelende bureaucraten of niet-eco bouwspecialisten. 'Dan heeft het een jaar geduurd.'

'Sorry, was dat een uitnodiging?'

'Nou ja, als je het iemand die een tweede huis heeft voor deze keer kunt vergeven, zouden Michael en ik het heel leuk vinden om jullie te ontvangen,' zegt ze.

'Nou, graag. Ik wil het heel graag zien. Tweede huizen zijn geweldig zolang ze gedeeld worden met armlastige vrienden.'

'Natuurlijk. Het is heel mooi, echt waar. We kijken uit over het moeras naar de zee. En voor de kinderen zijn er allerlei ouderwetse dingen te doen, zoals met modder spelen en leren zeilen en krabben zoeken.' Het lijkt wel een vleesgeworden chique kinderkledingcatalogus. Ik zie het al voor me: 'Marlowe, van zes, is gek op duinhoppen en clubsandwiches, en draagt een turkooizen Gaastra-windjack.'

'We komen graag.'

'En stel je voor: geen verschrikkelijke vluchten om er te komen.'

'Genoeg, genoeg, ik was al om bij "gratis vakantie bij vrienden". Bedankt, bedankt.' We kijken de kamer in. 'Ik begrijp dat je dikke vrienden met Cara bent tegenwoordig?'

'Ze is geweldig, vind je ook niet? Ik hoop dat jouw vriendin Becky het deze keer niet verpest.' We kijken toe hoe Becky wild gebarend in gesprek is met een van Cara's cliënten.

'Of andersom.'

'Ik geloof niet dat Cara ooit iets heeft verpest,' zegt ze.

Om drie uur word ik wakker door de geur van eieren met spek, en vervolgens kan ik de slaap niet meer vatten.

44) *Staat als hij dronken is midden in de nacht op om iets vets en vlezigs klaar te maken. Niet gewoon toast en koekjes, zoals normale mensen.*

45) *Ruimt de keuken niet op en wast de vette koekenpan na zo'n*

nachtelijke maaltijd natuurlijk niet af.

Mijn hoofd tolt van de combinatie van een paar glazen champagne, jaloezie en de geur van varkensvlees. Ik herhaal in gedachten almaar het gesprek met Becky op de wc. Wat stom van me om niet te bedenken dat zij misschien wel kinderen zou willen. Ze zou een fantastische moeder zijn, streng maar rechtvaardig, betrokken maar niet controlerend. Verder is ze hartelijk en heeft ze meer liefde te geven dan die kekke Cara misschien kan hebben. Met een opkomende kater op de achtergrond sta ik mezelf toe me voor te stellen dat ik geen kinderen zou hebben, maar aangezien ik er al een paar heb zal zoiets alleen mogelijk zijn in geval van een tragisch ongeluk of als de rechtbank besluit dat ik ongeschikt ben voor het moederschap. Misschien ben ik dat ook wel. Ik word beroerd van beide scenario's en weet dat ik niet in slaap zal kunnen vallen voordat ik naar hun kamer ben gegaan om te controleren of ze nog ademen.

Ik doe de deur open en kijk naar ze, genietend van mijn kinderen in hun meest engelachtige toestand: slapend. Gabe is altijd verkouden en uit zijn kleine lijfje komt een indrukwekkend snurkend geluid. Rufus ligt met zijn hele lichaam tegen de muur gedrukt, vanwege zijn laatste beetje angst om uit het bovenste bed te vallen, waarbij zijn gedachtestroom over 'wat als' ook 's nachts onverzwakt blijft. Zij zijn mijn leven. Ik neem me voor hun dat vandaag te vertellen in plaats van hun alleen te laten weten wat niet mag. Ik wou dat ik net zo lief voor ze was als dat ze me lief zijn, maar tijdens de taaie en saaie uren van de dag is het erg zwaar.

Kijkend naar de jongens besef ik dat Becky kinderen zou moeten krijgen. Zij zou louter liefde zijn, geen chagrijn. Zij zou op kantoor efficiënt en zonder schuldgevoelens functioneren en thuiskomen in een huis van liefde in plaats van onrust. Zij zou geen problemen hebben met de troep die erbij hoorde. Ik zou haar moeten aanmoedigen ervoor te gaan, ongeacht wat Cara wilde. Maar als ik haar nou vertel hoe heerlijk het is en ze er vervolgens achter komt dat ze niet zwanger kan worden? Dan zou ik het alleen maar erger maken. Wat onnadenkend van me om zoiets te overwegen. Zal ik haar vertellen hoe afschuwelijk kinderen zijn, zodat ze niet zo verdrietig is als het niet lukt? Maar dat klinkt dan weer erg ondankbaar voor iemand die zo gezegend is.

Ik geef het op en denk aan wat ze zei over die andere lijst – mijn lijst. Misschien had ze in haar beschonken toestand wel gelijk; misschien móét ik ook aandacht besteden aan Joels pluspunten. Dat zal niet zoveel tijd kosten. Het zou het eerste zijn waar hij over zou beginnen als ik hem de Lijst liet zien; hij zegt altijd dat ik niet waardeer wat hij allemaal voor me doet. De Lijst zou misschien als een bankrekening moeten werken, met credit en debet... of, zoals bij kinderen, met lachende en niet-lachende emoticons. Ik begin in gedachten de Lijst op te stellen: hoeveel kolommen, hoeveel punten, hoe werkt het? Hij moet uiteraard ontegenzeglijk rechtvaardig zijn.

De volgende ochtend word ik wakker, of gewekt, en haal diep adem terwijl ik me voorneem vandaag alleen goede dingen te zien. Joel kreunt en ik hoor het vertrouwde gekraak van een paar extra sterke pijnstillers die uit hun folie worden gedrukt. Onthouding is een gewoonte geworden die mij nooit meer echt heeft verlaten na de achttien maanden zwangerschap van de twee jongens. Bovendien hakken katers er tegenwoordig harder in dan ooit en zijn kinderen en katers ongeveer de slechtste combinatie die de natuur heeft kunnen bedenken. Kortom, ik drink nog maar zelden, maar probeer daar niet zelfgenoegzaam over te doen.

'Kijk niet zo triomfantelijk,' zegt Joel.

'Dat deed ik niet. Ik vind je lief.'

'Jaja. Zeg maar niets.'

'Oké.' En ik zal ook niets zeggen. Niet over de pijnstillers die op kinderhoogte rondslingeren, of erger nog: over het feit dat hij lege strips terug in de la legt, zodat er als ik kiespijn heb nergens een pil te vinden is. Ik zal het niet hebben over het onsmakelijke gerochel dat hij produceert op de wc als hij dronken is, of over het spoor van zijn kleren van gisteravond van de badkamer naar het bed. God, wat erger ik me aan zijn katers. Ken je dat: zoals mannen verkoudheid als een zware griep kunnen presenteren? Zo gaat het ook met katers. Volgens hem is de pijn te vergelijken met de pijn tijdens een bevalling die hij manmoedig draagt, in plaats van een zelfveroorzaakt ongemak. Als het echt zo erg is, waarom drinkt hij dan nog?

'Arme jij,' zeg ik met mijn hand op zijn klamme voorhoofd. 'Kan ik iets voor je halen?'

Hij lijkt niet verbaasd over mijn ongebruikelijke reactie – eerder opgelucht dat ik eindelijk de tederheid tentoonspreidt die hij verdient. 'Een blikje cola, alsjeblieft,' krast hij. Als ik dit weekend nog iets positiefs aan de Lijst wil toevoegen, zal ik hem snel beter moeten maken.

In een vlaag van uitzonderlijke opofferingsgezindheid neem ik de jongens mee naar beneden, negeer de vuile, aangekoekte koekenpan en het stuk brood dat op het aanrecht is blijven liggen en keihard is geworden, en haast me terug met de cola, die hij zwakjes aanneemt.

46) Krijgt rust als hij ziek is. Alleen mannen en oppassen hebben het recht om ziek te zijn. Moeders moeten gewoon doorgaan.

Sorry, vandaag zou een positieve dag zijn. Ik sta op het punt het lege colablikje in de vuilnisbak te gooien als ik aan Joel denk en de moeite neem om het (zonder uitstoot) naar de recyclecontainer te brengen.

1. Probeert zich in te zetten voor het milieu. Hij fietst naar zijn werk, maakt soep van restjes groenten die hij zelf opeet als wij hen niet blieven en zet de televisie 's avonds uit in plaats van hem de hele nacht op stand-by te laten staan. Kijkt desondanks kritisch naar Mitzi's eco-uitspattingen, omdat groen leven volgens hem betekent dat je dingen zoals vliegen, autorijden en consumeren laat, en geen mooie dure gadgets verzamelt zoals zij graag doet: nieuwe auto's, zonnepanelen, eerlijke kleding enzovoort. Hij vindt dat je beter minder kleding kunt kopen dan meer geld besteden aan producten van dure ethisch verantwoorde modemerken.

Ik loop langs de badkamer, waar een duidelijke walm van urine uit opstijgt die me doet denken aan de openbare herentoiletten in het park. Ik adem uit om het niet te hoeven ruiken en mijn kalmte te bewaren.

2. Is zo begaan met de natuurlijke bronnen van Moeder Aarde en de toekomst van onze kinderen dat hij een 'Is het geel, laat het daar; is het bruin, spoelen maar'-doortrekbeleid heeft ingevoerd, waarmee we per jaar genoeg water besparen om, pak 'm beet, een bad/zwembad/vijver/meer/gebied zo groot als Wales te vullen.

O mijn god, wat smerig. Mijn leven bestaat uit doortrekken en wc-brillen omlaagklappen. Ik geneer me dood als er iemand langskomt en die giftige, limonadeachtige substantie in de wc-pot ziet liggen. En het werkt nog averechts ook, aangezien de vlekken die achterblijven in de pot alleen met extra krachtige chemische schoonmaakmiddelen weg te poetsen zijn.

47) *Trekt de wc niet door. Zo, dat is dus tegelijk een plus- en een minpunt.*

En als we het er toch over hebben...

48) *Vindt dat het kwartier dat hij elke ochtend op de wc doorbrengt heilig is, dat hij die tijd rustig kan nemen en niet hoeft deel te nemen aan de ochtendspits, terwijl ik tussen de bedrijven door mijn momentjes moet pakken, die daardoor slechts minuten (soms zelfs seconden) duren, in tegenstelling tot zijn langdurige verblijven op de troon in het kader van de belevenissen van zijn dagelijkse darmflora.*

Het is de dood van de romantiek, vind je ook niet, als echtgenoten elkaar als kinderen gaan aanspreken op hun lichamelijke gewoontes? Joel en ik hebben het onnatuurlijk vaak letterlijk over stront. 'Zo groot als een kinderarmpje,' zegt hij dan trots, of: 'Groot genoeg om de Belgrano te torpederen.' 'Wat ben jij smerig,' is mijn reactie, op mijn volgens hem burgerlijke toontje, wat hem weer aanspoort om te vervolgen met: 'Nou, mijn poep drijft tenminste niet.' 'Dat is een teken van een gezonde spijsvertering,' beweer ik in een manmoedige poging de hoop door te spoelen met behulp van een fles bleekwater. 'Jouw spijsvertering helpt de wereld naar de knoppen,' oreert hij dan. 'Leg dat wapen neer,' zegt hij met een blik op mijn spuitfles met kalkreiniger. En dat allemaal nog voordat we ons verbaasd buigen over de vreemd gekleurde smurrie met onverteerde legoblokjes die we in Gabes luier aantreffen.

Ik weet nog dat Mitzi me eens vertelde dat Michael haar nog nooit naar de wc had zien gaan. 'Niet eens een plas?' vroeg ik, en ze schudde haar hoofd. 'En een wind?' 'Ik denk niet dat ik er ooit bewust een heb gelaten,' zei ze, en ik dacht aan al die keren dat Joel had gezegd: 'Beter een leeg huis dan een lelijke waard' als hij een bijzonder smerige liet ontsnappen, of dat ik Rufus de schuld had gegeven als er iets van stank uit mijn richting kwam.

Hij komt een halfuur later naar beneden stommelen. Het gekrijs van de jongens zorgt ervoor dat ik inmiddels net zo goed wél een kater had kunnen hebben. Hij kust me met een bierkegel.

'Wat zie je er goed uit,' zegt hij. 'Hoe komt het dat jij zo mooi bent en ik me zo verschrikkelijk voel? Jij hebt mijn jeugd gestolen en opgedronken.'

'Ik denk dat het meer te maken heeft met wat jij gedronken hebt, lieverd.'

3. Maakt complimentjes. Niet zo uitbundig als in het begin, maar hij weet nog steeds manieren te bedenken om me te vertellen dat ik er goed uitzie.

'Wat gaan we vandaag doen?'

Daar gaan we weer. 'Zwemmen, en daarna maar zien wat de dag brengt, denk ik. Het ziet er nogal somber uit buiten en we hebben geen kinderfeestjes of andere dingen. Misschien is één feestje per weekend ook wel genoeg voor jou?'

Hij zit gebogen over een tweede blikje cola.

49) Drinkt frisdrank en eet chips waar de jongens bij zijn. Bij voorkeur vlak voor het eten. Ik schenk mijn cola light altijd in een beker en verstop me in een kast om chocola te eten, als iemand met boulimie.

Oké, oké. Vandaag positief en zo. Het is alleen zo moeilijk als hij zulke dingen doet.

'Nee, Rufus, je mag geen cola.'

'Maar...'

'Ik weet dat papa ook heeft, maar hij voelt zich niet zo lekker. Jij voelt je prima.' Ik richt me tot Joel. 'Vond je het gezellig gisteravond?'

'Het was prima. Ik snap die staande praatfeestjes alleen niet zo.'

'In plaats van liggende, zwijgende feestjes bedoel je?'

'Je begrijpt best wat ik bedoel.'

'Met wie heb je gepraat?' Mijn god, ik praat tegen hem net zoals tegen de jongens. Gaat hij nu ook 'niemand' en 'niets' tegen mij mompelen?

'Becky...'

'Beetje dronken.'

'Nee hoor, ze had het gewoon naar haar zin. Leuke meid.'

71

'Zij is jouw grootste fan.'

'Ach, iemand moet het zijn.'

'Wie nog meer?'

'Michael, hoewel we elkaar nadat we de eredivisie hadden besproken niet veel meer te zeggen hebben.'

'Jij houdt niet eens van voetbal.'

'Ik weet niet eens zeker of híj er wel van houdt. Wat ik weleens zou willen weten is waarom hij nog steeds zo rijk is.'

'Ik zou niet weten waarom hij dat niet zou zijn.'

'Jammer.'

'Mitzi ziet er goed uit, hè?'

'Brr, nee, ze heeft iets raars gedaan met haar gezicht. Ik weet het zeker.'

'Wat dan?'

'Botox, natuurlijk.'

'Daar zou je weleens gelijk in kunnen hebben. Daarom had ze zeker zo'n glimmend filmsterrenvoorhoofd. Ik dacht dat ze gewoon allemaal dezelfde crème gebruikten.'

'En ze is ook veel te mager.'

4. *Zegt vaak dat andere vrouwen te dun zijn. Ik weet niet of ik het ook echt geloof, maar het is in elk geval leuk geprobeerd. Het is vooral belangrijk voor mij dat hij dit soort dingen over Mitzi zegt vanwege wat er vroeger gebeurd is, toen we nog met z'n drieën werkten.*

'Trouwens,' zeg ik, 'Mitzi heeft ons uitgenodigd om in de voorjaarsvakantie te komen logeren in hun nieuwe huis in Norfolk.'

'Kon je zo gauw geen goeie smoes bedenken?'

'Nee, natuurlijk niet. Dat heb ik niet eens geprobeerd. Het is toch leuk om dan ergens heen te gaan? Het is overal zo duur in de vakantie en voor de jongens is het geweldig. Het schijnt er een echt paradijs te zijn, met zeilboten, emmertjes en schepjes en honderd verschillende soorten zeemeeuwen.'

Joel snuift. Alles van Groot-Brittannië wat niet in Londen ligt is wat hem betreft vooral geschikt om overheen te vliegen. Ursula heeft hem een enkele keer meegenomen naar hun vakantiehuis op het platteland, maar de meeste vakanties werden in het buitenland doorgebracht, in San Francisco, Hongkong of Rome.

'Nou, ik ga in elk geval,' zeg ik. 'Als je wilt blijf jij maar hier en dan wens ik je veel succes met zoeken naar een week lang gratis vermaak voor twee losgeslagen kinderen in te drukke musea.'

'Waarom denk je dat logeren bij Mitzi en Michael gratis is? We zullen minstens moeten betalen door onderhoudend te zijn. Daarom is het toch: om hun bankvriendjes te vermaken? Op z'n minst.'

'Nou, dan is het maar goed dat het jou geen moeite kost om onderhoudend te zijn, toch?' Het is waar. Ik heb het gevoel dat ik heel hard moet werken om vriendschappen te onderhouden, terwijl het bij Joel vanzelf gaat. Nog zoiets wat ik vroeger aantrekkelijk vond, maar waar ik me nu aan erger.

'Er klopt iets niet met die Michael.'

'Ik weet dat je hem niet bepaald aardig vindt. Je zegt zelfs zo vaak dat je hem niet aardig vindt dat er eerder aan jou iets niet klopt. Ik snap het niet, zo erg is hij toch niet?'

'Jawel. Hij heeft iets slechts over zich, ik weet het zeker.'

'Zoals wat?' vraag ik.

'Dat weet ik niet. Ik ken hem niet goed genoeg, maar hij lijkt me een soort pitbull. Een ontzettend alfamannetje, met zijn goede baan en kitesurfen en extreme sporten, maar ik heb hem nog nooit betrapt op een beetje menselijkheid.'

'Misschien heeft Mitzi hem laten maken in een laboratorium. Hij is precies de man waar ze altijd van droomde. Weet je nog dat ze zei dat je niet van geld houdt, maar van waar het geld is?'

'Verschrikkelijke cafés in het centrum, zo blijkt.'

Ik ril. 'Weet je nog die zilveren tent, met al die Russische meisjes? Dat was overduidelijk.'

'Maar waren die minder dellerig dan Mitzi?'

Ik trek een gezicht, waarop Rufus concludeert dat er iets aan de hand is. 'Heeft papa iets gezegd wat niet mag?'

'Een beetje.'

'Wat dan?'

'Dat zeg ik niet.'

'Ik ga het toch niet zeggen. Sommige jongens op school zeggen *fuck*, maar dat vind ik dom van ze.'

'Goed zo, lieverd.' Ik richt me tot Joel. 'Waarom gebruik je de meivakantie niet om eens haarfijn uit te zoeken wat er zo vreemd is aan Michael? Dat is een interessante uitdaging.'

5. *Is een goede mensenkenner. Observeert graag en vertelt wat hij heeft gezien, wat ik meestal bijzonder interessant vind, als hij Michael maar eens met rust liet. Dit werkt niet, hè? Dit is niet bepaald de morele tegenhanger van het theezakje in de gootsteen dumpen. Zijn goede kanten zijn te onafgebakend en abstract, zijn slechte kanten juist heel specifiek. Ben ik verkeerd bezig met de Lijst, of is hij verkeerd bezig met zijn gedrag? Volgens mij het laatste. Hij doet niet genoeg specifiek goede dingen. En daarom word ik gek van hem en zullen we uiteindelijk gaan scheiden.*

Ik gaap. Dan gaap ik nog eens, voor het geval hij het niet gezien heeft. Alsjeblieft, zeg ik inwendig, ik gooi die hele Lijst weg, ik zal nooit meer zeuren, draai je gewoon even om met de tekst: 'Schat, je ziet er moe uit, ga maar lekker terug naar bed, dan neem ik Gabe wel mee naar Rufus' zwemles.' Verwachtingsvol kijk ik hem aan.

'Je wilt zeker dat ik met Rufus ga zwemmen?' zegt hij. Ik maak bij gebrek aan woorden een vage beweging.

'Ik ben bang dat ik misselijk word van de chloorlucht. Je weet hoe gevoelig mijn maag is.'

'Oké, ik ga wel.'

'Vind je het erg om Gabe dan ook mee te nemen?'

De Lijst is weer helemaal terug.

Bij het zwembad ga ik door met deals met mezelf sluiten. Als hij de ontbijtboel nog niet heeft opgeruimd als we straks thuiskomen, laat ik die hele Lijst en de zes maanden proefperiode voor wat ze zijn. Dan is het stante pede, onmiddellijk, voorbij. En als hij wel heeft opgeruimd, maar ik ontdek dat hij alle katernen van de krant al heeft gelezen en dat de krant eruitziet alsof hij hem op bed heeft uitgespreid en er daarna een keer of vier overheen gerold is, dan is er *no way* dat ik die paar goede punten van hem nog ga opschrijven.

'Kun je je eigen broek niet optrekken, Rufus? Je bent vijf.'

'Maar, mam, ik heb er genoeg van dat ik alles moet doen. Gabe doet helemaal niets.'

'Gabe is jonger.' En onhandig. Evenwel gezegend met een veel grotere dosis natuurlijke charme dan zijn oudere broer. 'Ik ben het ook zat om alles te moeten doen.'

Rufus kijkt me aan. Het is een blik die voorbijgaat aan 'Maar dat is jouw taak'. Het is een blik die zegt: 'Jij? Heb jij ook gevoel?'

'Kom op,' spoor ik hem aan. 'Laten we gaan. Ik heb hier geen tijd voor.'

Op weg naar huis voel ik een zekere spanning over wat ik zal aantreffen. Beslissingen over ons huwelijk hoeven geen zes maanden te wachten; laten we ze nu nemen. Laten we een huishoudelijk muntje opgooien – misschien of de cornflakes wel of niet zijn opgeruimd.

Bij thuiskomst tref ik de keuken schoon aan. Bijna dan. Het is niet zo schoon als ik het zou maken – hij doet niet aan tafels afnemen – maar de ontbijtboel is opgeruimd en er is een pad vrijgemaakt tussen de viltstiften en bakjes boetseerklei op de vloer.

6. *Is goed in de sporadische bliksemschoonmaak. Hij beweert dat hij net zoveel opruimt als ik, wat natuurlijk niet waar is, maar al was het waar, dan vergeet hij dat ik bij voorbaat zorg dat er niet zoveel op te ruimen zal zijn: pannen afwassen tijdens het koken, de tafel afnemen na het eten, eerst speelgoed opruimen voor er nieuw speelgoed bij komt. Toegegeven: als hij schoonmaakt, doet hij het best efficiënt. Tot hij iets vindt, een krant of een oud speeltje waar hij door afgeleid wordt. Het maakt namelijk niet uit als iets half af is, want er komt later wel iemand langs die de klus afmaakt. Die muizige schoonmaakster/moeder/echtgenote naar wie Rufus zo vreemd had gekeken toen ze iets van eventuele ontevredenheid tentoonspreidde.*

'Bedankt voor het opruimen,' zeg ik, en ik kan mezelf wel voor mijn kop slaan. Waarom bedank ik voor het opruimen, terwijl hij nooit eens dankjewel tegen mij zegt? Zo werk ik het idee in de hand dat het mijn taak is om schoon te maken en dat zijn bijdrage een prettige bijkomstigheid is.

'Graag gedaan,' zegt hij. 'Nou ja, niet echt. Schoonmaken is behoorlijk saai, vind je ook niet?'

'Ja, dat klopt.'

'We zouden een werkster moeten nemen.'

'Die hebben we.'

'Niet jij. Een echte, bedoel ik.'

'Die hebben we. Kasia. Ze komt elke dinsdag drie uur schoonmaken. Ik raak in paniek over de troep in huis, jij zegt dat het belachelijk is dat ik het huis opruim voor de werkster, we maken ruzie over wat zij zou moeten doen en jij klaagt dat ze jouw bloemenshirts in mijn kast legt omdat ze zich duidelijk niet kan voorstellen dat een man zulke frivole dingen draagt.'

'O, zij, ja. Nou, dan moet ze maar wat vaker komen. Hoewel, zou het niet zo zijn dat we een vrouw uit een arm land uitbuiten, zodat wij onze handen niet vuil hoeven maken? Kan het ooit gerechtvaardigd zijn dat een buitenstaander in jouw huis op handen en knieën rondkruipt?'

'Ik moet toegeven dat vloeren en wc's schoonmaken absoluut een bijzonder nederig klusje is.' Ik bedwing de neiging om te zeggen dat de enige keer dat hij op handen en knieën gaat, is als hij voor de jongens speelt dat hij een nijlpaard is. Ik zie een halfopgegeten biscuitje op de grond liggen en buk me onmiddellijk om het op te rapen. Terwijl ik beneden ben begin ik het vuil onder de koelkast vandaan te vegen.

'Kasia is zeker degene die altijd papier bij het gewone huisvuil gooit?' zegt hij.

'En die het huis schoonmaakt met keukenrol en de keukenvloer stofzuigt in plaats van dweilt, en vraagt om sterke chemische schoonmaakmiddelen en de wasmachine aanzet voor twee of drie handdoeken.'

'Echt waar? Waarom heb je dat nooit verteld?' vraagt hij.

Ik haal mijn schouders op. 'Ik heb nog nooit een milieubewuste schoonmaakster gezien.'

'Dat valt me wel tegen. Heb je er met haar over gesproken?'

'God, nee, nee, daar begin ik niet aan. Als wij zo erg zijn dat we iemand anders nodig hebben om onze wc's te poetsen, dan ga ik haar niet ook nog eens vertellen hoe ze dat moet doen.'

'Het is inderdaad best erg dat we een schoonmaakster hebben. We zijn tenslotte jong en gezond. Misschien moeten we het toch maar zelf doen.'

'Waarom is het sociaal geaccepteerd om traditioneel mannenwerk uit te besteden, zoals het huis schilderen of de tuin onderhouden, maar moet ik me op de een of andere manier schamen dat we voor drie uur in de week een schoonmaakster inhuren? Ursula voelde zich toch ook niet schuldig?'

'Klopt,' zegt hij. 'En wij hadden een daghulp, die zo heette omdat ze elke dag kwam.'

'Niet dat dat iets hielp.'

'Klopt. Oké, dus de werkster houden we erin, maar kunnen we geen milieubewuster exemplaar vinden? Is er geen bureau voor groene werksters? Groenpoets.nu, misschien?' Hij gniffelt.

'Zoals ik al zei: volgens mij kunnen degenen die poetsen het zich niet veroorloven om groen te zijn.'

'Groen zijn is geen luxe, het is...'

'Laat maar, Joel. Bewaar dat maar voor Mitzi. Jullie hebben wel meer met elkaar gemeen tegenwoordig.'

In een poging de lijst van positieve dingen te laten oplopen tot een mooi rond dozijn laat ik Joel beslissen wat we vandaag verder gaan doen. In de praktijk betekent dat dat ik een aantal activiteiten voorstel waar hij uit kan kiezen en vervolgens alle voorbereidingen tref om die activiteit te ondernemen.

50) *Gebruikt me als een soort inwonende PA. Onze typische weekendgesprekken gaan als volgt:*

Hij: 'Wat gaan we vandaag doen?'

Ik: Reageer met een volledig ingevulde dagplanning, of, als ik het aandurf: 'Geen idee, heb jij een idee?'

Ik: 'Nou, we kunnen naar het wetenschapsmuseum voor het Enigma-project, of we kunnen naar het bos. Het schijnt lekker weer te worden.

Hij: 'Ik vind alles goed.'

Ik: 'Oké, dan gaan we naar het museum.'

Vervolgens is het mijn schuld als het hele uitje een drama wordt.

Net als bij een kind geef ik hem drie opties, en net als een kind kiest hij de laatste die hem wordt voorgelegd: bakken. Ik onderdruk de neiging om een alternatief voor te stellen, aangezien deze activiteit onvermijdelijk leidt tot een volledig met meel bedekte keuken, als cocaïne in de kleedkamer van een rockband.

'Doe er maar vier lepels suiker in, Gabe; één... goed zo, bijna helemaal gelukt... twee, ga maar door,' moedigt hij zachtjes aan, en ik kijk toe hoe ons tweede kind de beslagkom als zandbak gebruikt, en er niet in slaagt de juiste hoeveelheid suiker in de kom te scheppen.

7. *Bakt met de jongens. Als er één activiteit is waarin alles wat wij als ouders belangrijk vinden samenkomt is het wel bakken met de kinderen. Het is alsof de hoeveelheid tijd die je aan bakken besteedt de beste maatstaf is om een Goede Moeder te beoordelen. Bakken combineert onze voorliefde voor zelfgemaakte onbewerkte voedingsmiddelen en degelijke, ouderwetse activiteiten met de kinderen. Het is hét recept voor ouderlijke saamhorigheid. De moeders die ik ken zullen geen baksessie voorbij laten gaan zonder deze activiteit aan de wereld kenbaar te maken. 'Lieverd, laten we naar huis gaan en aan die cake beginnen'; 'Kijk, hier zijn wat alfabetkoekjes, zelfgemaakt, hè Felix? Ja, inderdaad, dat is de "Wee" van "Waitrose"'; 'We zijn een beetje moe, we hebben het beslag voor de kersttaart gemaakt.' Dat doet Joel niet. Hij schept niet op over zijn kookkunsten. Hij doet het gewoon, en het lijkt erop dat hij het echt leuk vindt. Ik vind bakken ook best leuk, maar nooit zo leuk als ik denk dat ik het zou moeten vinden. Ik merk dat ik de kinderen niets laat afmeten of in de kom laat scheppen uit angst dat de hoeveelheden niet precies kloppen met het recept. Ze mogen van mij de kom niet uitlikken, omdat er rauwe eieren in zitten, waarover ik tijdens de zwangerschap leerde dat ze Slecht zijn. Joel laat ze zelf klooien met de ingrediënten en toch smaken zijn baksels meestal beter dan die van mij.*

Ik voel een onverwachte golf van liefde die net zozeer op Joel als op Rufus en Gabe is gericht. Ze lijken wel een advertentie voor de ideale vader en zonen die grappige dingen doen met glazuur op hun neuzen en ondertussen van alles leren over gewichten en maten.

'Wil jij de kleur maken, Rufus?' vraagt Joel. 'Je doet rood en groen bij elkaar. Interessant. Wat gebeurt er als je rood en groen bij elkaar doet?'

'Dan lijkt het op poep,' zegt Rufus, starend naar het glazuur.

'Dan krijg je bruin, ja. Zullen we poepkoekjes maken?' Hij pakt een stukje deeg en rolt er een worstje van. Rufus en Gabe buitelen over elkaar van het lachen en doen hem onmiddellijk na.

'En als ze uit de oven komen doen we dit prachtige poepkleurige glazuur erop, goed?'

8. Maakt onze kinderen aan het lachen. Is de grapjas. Ik ben de saaie, degene met het opgeheven vingertje en de praktische bezwaren.

Een man van Joels lengte en postuur kan niet anders dan er woest aantrekkelijk uitzien als hij met ovenwanten aan bezig is een bakplaat met koekjes in drolvorm in de oven te schuiven. Heerlijk, denk ik. Fuck, denk ik als hij vervolgens de keuken uit loopt met de jongens achter hem aan, alsof hij de rattenvanger van Hamelen is. Ja, hij loopt de keuken uit. Zonder iets van het meel op te ruimen, het overgebleven bruine glazuur weg te gooien of de kommen af te wassen. Hij laat alles voor mij liggen, bewust of onbewust. Op al zijn goede acties volgt een slechte; het yin-en-yang van ons huwelijk. Ik adem in door mijn neus en uit door mijn mond, zoals ik bij yoga heb geleerd. (Als er iets een ongeschikte sport was voor de vrouw die in sommige kringen bekendstaat als Koele Mary, was het yoga wel. Al dat gedoe met vrede en meditatie werkte op mijn zenuwen. Ik wachtte de hele tijd op het inspannende gedeelte. Wat is de zin van sporten als je er niet van gaat zweten? Ik gaf het al snel op, om me vervolgens te concentreren op lessen als Body Combat en BBB.)

Later op de dag wendt Joel zijn culinaire vaardigheden aan om een niet aan poep of plas gerelateerde volwassen maaltijd te bereiden in de vorm van een heerlijke gebraden kip, waar hij met het oog op mijn intolerantie geen boter bij gebruikt. Zijn repertoire is vooral gebaseerd op de vette gerechten van Elizabeth David en hij slaagt er heel aardig in om niet al te vaak te klagen dat hij geen room en boter mag gebruiken bij alles wat hij maakt.

9. Is een goede kok. Hij is weliswaar slordig, maar het is soms zo heerlijk dat er voor je gekookt wordt. Dat feit alleen al zorgt ervoor dat je je geborgen en geliefd voelt. Hij kookt met passie en liefde. Ik kook praktisch en met voorverpakte sauzen.

Ik drink in plaats van mijn gebruikelijk twee glazen vier glazen wijn. We liggen languit op de bank slechte zaterdagavondtelevisie te kijken. Hij rolt een joint en de alcohol stemt me milder dan normaal in zo'n geval, dus ik gebied hem niet om buiten te gaan roken, maar vraag hem of hij in elk geval zijn hoofd door het raam wil steken. Ik ben niet eens bijzonder geïrriteerd over het feit dat hij op kantoor espressoman is (hyperactief, druk en alert) en thuis ganjaman (sloom, slordig en stoned). Ik neem zelfs een trekje en de smaak ervan voert me op proustiaanse wijze terug naar onze eerste schreden op het romantische pad en de vele uren die we giechelend op de bank doorbrachten terwijl we eindeloos zwart-witfilms keken.

We liggen in een zeldzame toestand van tevredenheid op de bank. Hij trekt mijn sokken uit en ik schaam me enigszins voor de Parmezaanse toestand van mijn voeten, maar het kan me niet echt veel schelen, omdat a) de alcohol zijn werk goed heeft gedaan, en b) het Joel maar is.

10. Geeft heel goede voetmassages. Heel, heel goede voetmassages.

Ik hoop dat hij zijn mond houdt. Dat doet hij. Ik voel mezelf een paar keer langzaam wegzakken. Hij kruipt omhoog langs mijn kuiten en streelt mijn dijen door mijn spijkerbroek heen. Het stugge materiaal zorgt voor een heerlijke spanning, maar nog fijner wordt het als hij de broek uittrekt en dezelfde plek met zijn tong bewerkt. Ik weet niet of het mijn poging is om zijn goede kanten te benadrukken of dat het puur de alcohol en drugs waren, maar ik besluit hem niet tegen te houden. 'Besluit'? Dat is niet het goede woord; ik had hem niet kunnen stoppen, al had ik het gewild. Het is al zo lang geleden.

11. Heeft een opmerkelijk lenige tong.

Hij likt de binnenkant van mijn dijen, terwijl zijn handen mijn onderbroek naar beneden trekken (dankzij een wascrisis draag ik een exemplaar dat ik kocht voor mijn ziekenhuisopname na de bevalling van Gabe. Hij komt ongeveer tot mijn oksels), zich dan onder mijn beha wringen en op mijn borsten blijven rusten. Zijn tong gaat nu omhoog en bereikt mijn uitbundige bos schaamhaar, langs de littekens van de knip en recht op het enige juiste plekje af om daar uitgebreid aandacht aan te besteden. Een hand strekt zich uit naar mijn tepels en van de andere hand glijdt een vinger langzaam van binnen naar buiten, van binnen naar buiten, en de hele tijd bespeelt zijn tong me als de snaren van een viool.

Ik lig nu languit op de bank, en hij op zijn knieën ervoor, zodat zijn hoofd precies op de juiste hoogte is. Ik wil niet dat het te lang doorgaat, maar ook niet dat het nu al ophoudt. Ik kan niet meer en trek hem omhoog en in me, zijn hoofd op gelijke hoogte met het mijne. Ik kantel mijn hoofd om zijn hals te kussen.

'Ik hou van je,' zegt hij, en ik geneer me en ontwijk zijn blik. Het is me bijna te persoonlijk, te intiem; het is alsof ik hem als een vreemde moet benaderen. Wat ze je ook in de damesbladen voorhouden, soms is het makkelijker om seks te hebben met een vreemde. Het praten, het losgaan, de innige blikken tijdens de vrijpartij zouden makkelijker moeten zijn met iemand die je zo goed kent als wij elkaar kennen, maar ik heb de man nodig die ik jaren geleden kende, of een heel nieuwe man. Ik richt mijn blik op zijn brede borst en het werkt: hij voelt als een nieuwe verleider.

Hij vult me helemaal. Ik was vergeten hoe bevredigend dat kan voelen. Ik denk dat ik een kind hoor huilen, maar het is een jankende kat op straat, of een sirene; die klinken allemaal even noodlijdend. Ik doe mijn best er weer in te komen, want ik ben er bijna, bijna. Ik kom er wel, maar nu nog niet. 'Nog niet,' fluister ik. 'Bijna.' Hij houdt zich in en begint dan opnieuw. Ik kom terug, weiger me te laten afleiden door de geluiden van buiten die in mijn hoofd vervormd raken tot het geluid van kindergehuil. Ik probeer de willekeurige gezichten die in me opkomen en me tegenhouden uit te bannen, want ik ben er bijna. Ik wil niet dat het ophoudt, ik kan het niet tegenhouden. Een laatste gezicht doemt in me op. Het is Cara. Ik laat me eindelijk gaan, schreeuwend zodat hij het weet, een paar tellen later gevolgd door een opgeluchte Joel.

12. Hij is niet slecht in bed. Verre van slecht. Wat zeg ik? Hij is fantastisch. De enige man op mijn niet-al-te-lange lijst van minnaars die mij altijd een hoogtepunt heeft kunnen bezorgen. Het hielp natuurlijk niet dat die anderen allemaal puur op hun mooie uiterlijk waren geselecteerd; als gevolg van een soort competitie tussen Jemima en mijzelf, denk ik, om wie de jongen kon scoren die het meest leek op een van de bandleden van Take That in hun jonge jaren. Het gevolg was dat het leek alsof we al blij mochten zijn dat we met hen naar bed mochten; dat was toch opwindend genoeg?

Ik rek me uit over de hele bank terwijl ik soezend de onderhandelingen in mijn hoofd hervat. Als, beloof ik mezelf, jij nu opstaat om een nat doekje te halen voor de vlek op de bank, vernietig ik de Lijst. Dan heb je de test doorstaan voordat hij begonnen is. We liggen nog steeds. Ik word onrustig door het straaltje vocht dat langs mijn dijen loopt op de reeds bevlekte en versleten bank. Hij rolt zich om en maakt een vage afdruk op een van de dure kussens die ik ooit in een vlaag van interieurverfraaiing heb aangeschaft. Hij staat op en ik hoor hem de badkamer in stommelen, stoned van de seks en de drugs. Er wordt doorgetrokken.

'Pak een tissue of een doekje, pak een tissue of een doekje,' is mijn geluidloze mantra, met een laatste sprankje goede wil. 'Pak een tissue of een doekje.'

Hij komt terug. Met lege handen.

4

Een geweldige kok

'Jij mag uitslapen als je wilt. Dat is mijn cadeau, lieve schat,' zegt Joel met een kus op de ochtend van mijn zesendertigste verjaardag, met de jongens wild dansend om het bed.

'Tjonge, dankjewel.'

'Blijf maar liggen. Dan ga ik even mijn ding doen.'

O god, daar gaan we: overtreding nummer 48, de uitgebreide sessie in de badkamer met de deur op slot. Mijn verjaardagshumeur lost sneller op dan een vitamine C-tablet. Na twintig minuten worden de jongens, die zich hebben vermaakt met op het bed springen, onrustig, en we gaan de badkamer in.

Ik deins terug. 'Het is nog een wonder dat je jezelf niet vergast.'

'Wat nou, en jouw stront stinkt zeker niet?' antwoordt hij. Bij het verboden woord kijken we allebei onwillekeurig even naar onze oudste.

'Nou ja, ik zit niet drie uur lang als een prins op mijn troon. Ik dacht dat ik mocht uitslapen?'

'Dat mag je ook.'

Ik gebaar naar de jongens. 'Lekker rustig.'

'Je hoeft alleen maar even op ze te passen terwijl ik jouw speciale ontbijt klaarmaak.'

'Lekker uitslapen is dat!'

Hij zucht. 'Oké, oké, maar je weet hoe moeilijk het is om ontbijt te maken én op de kinderen te letten.'

'Denk je?'

'Gefeliciteerd, lieverd. Je bent al die jaren geen spat veranderd.'

'Als ik er op mijn zevenentwintigste ook al zo afgedraaid uitzag geloof ik je. Mijn god, zesendertig; nu ben ik echt veel dichter bij de veertig dan bij de twintig,' zeg ik, en ik kijk in de spiegel, die, omdat we allebei hebben nagelaten het lampje te verwisselen dat het veertien dagen geleden grotendeels heeft begeven, een niet onaardige zachte gloed verspreidt. Misschien heeft hij gelijk. Misschien droog ik leuk op, ondanks alle woede en bitterheid die ik voel. Je zou denken dat dat in mijn gezicht terug te zien was. Ergens was er vast een foto van mij waar ik volkomen verschrompeld van de negatieve gedachtes en haat op sta, waardoor ik er nu, ach, redelijk uitzag, zal ik maar zeggen.

'Nee, echt waar,' zegt hij. 'Ik stond naar je te kijken toen je met Becky en Mitzi stond te praten, en je zou niet zeggen dat jullie even oud zijn.'

Ik bedank stilletjes de haartechnische botox die beter bekendstaat als de schuine lok over het voorhoofd en besluit in elk geval te proberen van mijn verjaardag te genieten. Ik breng wat meer balans in de hoeveelheid XY-chromosomen in dit huishouden door mijn zus Jemima uit te nodigen. Zij is de enige van mijn familie, mijn eerste familie, die hier bij ons in het zuiden woont en de fijne bekende gewoontes uit mijn geboortestad hier in huis tot leven brengt, zoals obsessieve eetstoornissen en onpraktisch schoeisel.

Mijn verjaardagsvoornemen om blij te zijn wordt nogmaals op de proef gesteld als ik twintig minuten later beneden kom en daar de ravage zie die is achtergebleven na de bereiding van de crêpes met slagroom en bosbessenjam. Er staat een enorme bos bloemen van een dure bloemist die ook levert aan de sterren. Ze zijn ronduit prachtig. Dit soort dingen kan Joel goed.

'Appelbloesem en Franse tulpen,' zegt hij. 'Ze komen uit Kent, niet Kenia. Ik heb het nagevraagd.'

Ik wil verdomme geen appelbloesem en Franse tulpen, denk ik. Ik wil schone tafels en aangeklede kinderen. Ik kijk weer naar de bloemen. Ze zijn zo volmaakt dat mijn keuken ze niet waardig is; deze bos verdient een meubel als dat van Mitzi om zijn schoonheid tentoon te kunnen spreiden. Ik zeg het verkeerd: het is niet dat ik deze bloemen niet wil, ik wil gewoon een leven dat erbij past. 'Dankjewel, ze zijn prachtig.'

'Dat ben jij ook.'

Dit is het soort uitspraken waar hij me vanaf het moment dat we een stel werden mee overspoelt. Ik raakte in een roes van liefde, maar die liefde is nu een kater. De complimentjes zijn een gewoonte geworden.

Hij geeft me bloemen, maar zet ze niet in het water. Hij pronkt ermee tegenover het bezoek, maar zal nooit het water verversen, al is het slijmerig en groen.

Ik haal een ovenschotel uit de vriezer voor de lunch. Of 'een makkelijke hap', zoals Joel het meestal noemt, hoewel er een enorme hoeveelheid schillen en snijden aan te pas komt en ik regelmatig tot 's avonds laat aardappels sta te pureren. Ik ben goed in 'lekker makkelijke' recepten – bolognese, macaroni met kaas, cake – terwijl Joel uitblinkt in 'Wauw, kijk nou eens, je verwent ons'-schotels. Die overigens vaak in een paar minuten in elkaar geflanst zijn: jakobsschelpen uit de wok met een balsamicosaus of biefstuk met zelfgemaakte bearnaisesaus.

Jemima arriveert met een opvallende zonnebril op, zeker gezien het mistroostige winterweer. Ik omhels haar en geniet ervan dat ze ongeveer even lang is als ik. Niet groot en sterk zoals mijn echtgenoot, niet klein en pezig zoals mijn jongens. Ze ruikt heerlijk en schoon en energiek.

'Vind je het erg?' Ik gebaar naar haar schoenen en de vele buitenschoenen die bij onze voordeur staan.

'Een beetje wel. Heb je gezien wat ik aanheb?'

Ze hebben naaldhakken, ingewikkelde bandjes en puntige neuzen.

'Ze zijn waanzinnig,' zeg ik, moeiteloos overgaand op ons schoenenjargon van vroeger. Tegenwoordig reserveer ik de woorden 'heerlijk', 'exclusief' en 'waanzinnig' voor de nieuwe keukens van vrienden en bekenden. 'Echt beeldschoon. Veel te mooi om op die afvalberg van schoenen te belanden. Laten we ze op het dressoir zetten, zodat ze de aandacht krijgen die ze verdienen.' Ze vat mijn woorden letterlijk op en draagt de schoenen voorzichtig de keuken in.

'Jij ziet er dun uit,' zegt ze. 'Ben je afgevallen?'

'Iets, denk ik,' antwoord ik.

'Zeker vijf kilo, lijkt mij, of iets minder. Drie kilo?'

'Oké, drieënhalf. Jij bent goed, zeg,' zeg ik. 'Je lijkt wel zo'n jongen die de maat van je beha kan raden zonder ze aan te raken.'

Ze giechelt. 'Ik doe mijn best. Enig idee hoe ik die specifieke vaardigheid commercieel in kan zetten?'

'Bij de overige vaardigheden en interesses op je cv? Trouwens, moet je jezelf eens zien. Je ziet er geweldig uit. Superfit. Sport je veel?'

'Drie of vier keer per week.'

'Goed van je. Ik kom er niet meer aan toe. Ik ben misschien wel redelijk slank, maar het blubbert, snap je?'

'Kleine prijs voor dit allemaal,' zegt ze. Ze gebaart naar de hele keuken, die er in mijn ogen uitziet als een slechte televisiefilm over het gezinsleven, meer dan als een echt thuis. Alle overduidelijke aanwijzingen zijn aanwezig: vieze vlekken van kinderhandjes op de muren, uitnodigingen voor kinderfeestjes onder koelkastmagneten, stapels kinderboeken op een oud grenen dressoir, vrolijk gekleurde bekers aan haakjes. En ik ben ook gekleed op de opnames. Ik ben geenszins de moeder in het hart van deze stee, ik ben een slechte acteur die een volwassene speelt. Ik ben een nep-mater familias. Meer een martelaar familias.

Jemima kijkt somber, zoals altijd als het gesprek op haar single en kinderloze/kindervrije bestaan komt. Ik mag niet klagen over mijn leven of er ook maar iets negatiefs over zeggen. Haar gezicht klaart op als Joel binnenkomt.

'Schat,' zegt hij, en hij knuffelt haar. 'Leuke bril.'

'Dat noemen we tegenwoordig *sunnies*.'

'Ach, die rare jongelui. Ga zitten en vertel me alles over het leven daar buiten.' Hij slaakt een theatrale zucht. 'Ben je nog aan het internetdaten?'

Ik huiver en wacht op Jemima's beledigde reactie, maar ze bespaart hem die en diept wat verhalen voor hem op. 'Ik zit op drie verschillende sites. Op een ervan sta ik op nummer zeven van meest bezochte profielen. Het is dodelijk vermoeiend om alle e-mails door te ploegen. Mijn god, wat een malloten lopen er rond.'

'Maar ook een paar niet-malloten?' vraag ik.

'Jawel hoor. Er is een surfer die met me uit wil. Die is om op te vreten.'

'Hoe oud is hij?' vraag ik. Ik ben heel saai en voorspelbaar.

'Twintig-plus. Achter in de twintig, denk ik.'

'Geen wonder dat je het zo leuk vindt,' zegt Joel. 'Het is te gek. Een keur van mogelijkheden, zonder het stigma van de vroegere relatiebemiddelingsbureaus. Ik bedoel, als iemand als jij online gaat... Als ik single was en me bij een datingsite inschreef en zulke meisjes als jij aantrof... Nou ja, dat was als tiener mijn grootste fantasie.'

Ik vraag me af of het nog steeds zijn fantasie is.

'Je ziet er geweldig uit, Jemima,' zeg ik, terugvallend op het zeer achterhaalde, maar vreemd vertrouwde patroon waarbij alles om haar draait, zelfs op mijn verjaardag. Het is altijd dankbaar om de aandacht op haar te focussen. Haar wenkbrauwen zijn geëpileerd, haar huid is gezuiverd, haar kleding zeer modieus. 'Wij zouden zo de "voor" en "na" kunnen zijn in zo'n programma over make-overs met plastische chirurgie. Jij bent precies wat ik zou zijn als ik geen kinderen had gehad.'

'Of niet met rood haar was geboren,' doet ze een duit in het zakje. 'Niet dat het niet mooi is. Ik heb jouw haar altijd prachtig gevonden.'

'Vurig,' zeg ik. 'Als in vurige verleidster.'

Joel lacht net iets te hard.

'Wil jij even gaan kijken of de jongens elkaar niet afmaken?'

'Dat gaat prima.'

Ik schenk hem een blik die duidelijk maakt dat het een retorische vraag was, en hij druipt af.

Jemima zakt zichtbaar in als Joel de kamer uit gaat. 'Zo leuk is het allemaal niet, hoor.'

'Wat niet?'

'Internetdaten. Het is wel leuk om een eindeloze voorraad vlees te hebben, maar uiteindelijk wil je dat het niet eindeloos is, snap je? Ik bedoel, het is toch de bedoeling dat het eindigt met een leuke kerel? Dat ik een leuke kerel ontmoet?'

'Dat is helemaal geen einde, iemand ontmoeten. Het is niet het einde van problemen of de oplossing voor alles. Het is gewoon het begin van een hele serie nieuwe.' Hoe kan ik haar, zonder neerbuigend te worden, duidelijk maken dat er een heel lang leven voorafgaat aan het romantische sprookjeseinde?

'Maar jij kunt tenminste voor al die nieuwe problemen kiezen. Ik begin me af te vragen of we boven de dertig soms allemaal meedoen aan een grote stoelendans en ik degene ben die is overgebleven.'

'Jemima, ik weet zeker dat je je wel settelt op het moment dat je daar ook echt klaar voor bent. Je bent nog jong. Je zult voor altijd mijn kleine zusje blijven.'

'Ik ben bijna vijfendertig.'

'En je bent geweldig. Jij bent altijd de geweldige geweest. Ik heb mama eens door de telefoon horen zeggen: "Ik weet het, wie had dat gedacht, maar Jemima is de ongetrouwde."'

'Mijn god, wat een kreng, hè?' We giechelen. Als we samenspanden tegen onze moeder, waren we altijd twee handen op één buik.

Joel en ik hebben het concept 'samen opvoeden' nooit echt onder de knie gekregen, maar Jemima en ik waren sterren in het 'samen dochteren'. De laatste tijd vraag ik me echter af of we niet een beetje vals zijn geweest tegen onze moeder. We deden nooit iets in huis. Zij probeerde van alles om ons te verleiden – schema's, lijstjes en beloningen, maar niets hielp. Ze hield het huis te goed bij, dat was haar probleem. Ze deed het zo perfect, onopvallend en stilletjes dat ik nooit echt besefte dat ze het deed en hoeveel werk het was.

'Ik meen het. Geniet van deze fase,' zeg ik. 'Wat hierna komt is niet per se een eindeloze, volmaakte huwelijksreis. Single-zijn is als werkloos zijn: als je wist hoe lang het ging duren, kon je er pas goed van genieten.'

'Het is niet leuk meer,' zegt ze. 'Ik ben het goed zat. Ik ben het zat om uit te gaan met al die mannen en verhalen over je jeugd en vragen als: "Had jij huisdieren toen je klein was?", en het bellen en niet bellen. Er zijn tegenwoordig zoveel manieren waarop je niet gebeld kunt worden. Ze kunnen je niet bellen per e-mail, Facebook, mobiele telefoon, vast nummer, sms. Fuck, ik ben er ziek van. Weet je waarom ik zo vaak naar de schoonheidsspecialiste ga?'

'Om er zo goed uit te zien als je eruitziet?'

'Omdat ik aangeraakt wil worden. Gatver, dat klinkt best pervers, of niet? Als je single bent wil je niets liever dan aangeraakt worden, dus betaal je maar weer voor gezichtsbehandelingen en zeewierbehandelingen met alles erop en eraan. Je smacht naar een menselijke aanraking en je kunt er beter op die manier voor betalen dan verzanden in stomme onenightstands met mannen die je niet eens bijzonder aardig vindt, maar van wie het toch lullig voelt als ze niet bellen. En schuldig, omdat je niet van plan bent ze ooit weer te zien.'

'Ik word juist te veel aangeraakt in mijn leven. Ik moet ze de hele dag van me af slaan, als teken.'

'Wie, Joel of de jongens?'

'Allemaal. Uchuch.' Ze lacht. Mijn opzet om haar een hart onder de riem te steken is geslaagd. Het is natuurlijk gelogen – tenminste deels. Ik vind het heerlijk dat mijn jongens zich gedragen als klittenband, altijd klaar om zich aan moeders rokken vast te klampen. Ik grijp ze als ze langs me lopen om hun magere lijfjes zo dicht tegen me aan te drukken alsof ik weer één met ze wil worden, zoals tijdens de zwangerschap. Ik vind die constante en aangename aanwezigheid van fysiek contact een soort wonder en kijk met angst en beven naar de dag, die niet eens zo heel ver weg is, dat het voorbij zal zijn. Joel met zijn klamme handen midden in de nacht en zijn gedrag is een ander verhaal... Daarover is niets gelogen.

'Wat vervelend dat je je zo voelt, Jem. Misschien zijn surfjongens van rond de twintig niet meer wat jij nodig hebt.' Jemima was blijven steken bij haar voorkeur voor mooie jonge jongens, wat leuk was toen zijzelf nog een verfijnd jong ding was, maar niet bij uitstek geschikt voor eventuele langdurige verbintenissen.

'Vind jij dat ik minder veeleisend moet zijn?'

'Misschien moet je niet minder eisen, maar andere eisen stellen. Een actuaris in plaats van een acteur? Papa's dikke fluitende man, weet je nog, die volgens hem zo geschikt was voor ons?'

'Dik omdat hij van eten houdt.'

'En fluitend omdat hij joviaal en tevreden is.'

Jemima laat haar hoofd op haar handen rusten. 'O god, dat wil ik niet. Ik wil een dunne, kwade man.'

'En ik wil alleen maar dat jij gelukkig bent.'

Ik wil echt dat ze gelukkig is. Ondanks alle ruzies en het diëten en de gestolen kleding is dat altijd onze wens voor elkaar geweest. Ik wil voor haar wat ik ook heb, denk ik: trouwen en kinderen. Maar wie ben ik om te denken dat dat haar gelukkig zou maken? Het maakt mij ook niet bepaald gelukkig, of wel? Ik vraag me af of ik niet eigenlijk hoop dat ze een vaste relatie krijgt om gelukkig te worden zoals ik, maar om ongelukkig te worden zoals ik.

Als Joel terugkomt, veert ze weer op. Dat effect heeft Joel op mensen; hij kan iedereen, behalve mij, laten stralen. Hij is hard op weg om dik te worden, hoewel ik hem de laatste tijd weinig heb horen fluiten.

'Joel, zou jij de ontbijtboel kunnen opruimen, zodat ik de tafel kan dekken?'

Jemima maakt dat typische, honende 'oeioeioei'-geluidje dat kinderen maken als hun leraren uit hun slof schieten – 'Oeioeioei, ben je nu boos?'

'Mary,' zegt ze, 'niemand zou kunnen raden dat jouw helft van de kamer vroeger zo slordig was dat er paddenstoelen groeiden.'

'Ik weet het, ze was een heerlijke slons,' zegt Joel. 'Dat was een van de dingen waar ik op gevallen ben: haar heerlijke slonzigheid.'

'Jaja, kinderen vergen nu eenmaal iets meer onderhoud, Joel.'

'Weet je nog,' zegt Jemima, 'dat je altijd dwars door de kamer een lijn maakte van maillots? Herinner je je die dikke, wollen dingen nog, die we van mama altijd moesten stoppen als ze stuk waren?'

'"Doe het er maar mee en stoppen die handel," zei ze altijd. Ik weet niet wanneer ik voor het laatst een sok gestopt heb.'

'Ik heb er wel een paar voor je,' zegt Joel.

'Heel grappig,' zeg ik. 'Ik herinner me de Maginotlinie van maillots, ja. Jij mocht er geen stap overheen zetten en geen spullen aan mijn kant laten slingeren.'

'Elke dag schoof je de lijn een paar centimeter verder mijn kant op en dan dacht je dat ik het niet doorhad.'

Joel lacht. 'Dat zou je in onze slaapkamer ook wel willen, zeker?'

'Best gek,' zeg ik, 'dat je je hele kindertijd het allerliefst een kamer voor jezelf alleen hebt en vanaf een jaar of twintig alleen maar bezig bent iemand te vinden om je kamer mee te delen.'

'Maar zelfs toen we klein waren,' gaat Jemima door, 'telde jij altijd de tegels op de badkamermuur, zodat we allebei precies de helft van het bad hadden. Het was trouwens wel een oneven aantal en jij nam altijd de extra tegel, omdat je ouder was.'

'Jij was net zo erg.' Het waren oude verhalen, die door de tand des tijds van venijnige vetes warme herinneringen waren geworden. 'Een keer liet jij mij niet aan "jouw kant" van de auto uitstappen terwijl we strak tegen de muur geparkeerd stonden, zodat ik me door de kofferbak naar buiten moest wurmen.'

'Jij werd boos als ik uit "jouw raam" keek. En je telde de spikkels op mijn taartje om zeker te weten dat ik er niet meer had dan jij.'

'Wat dacht je van de Smarties? We moesten altijd de doosjes leeggooien om te tellen of we er wel precies evenveel hadden.'

'Dat wilde jij altijd. Dan pikte je al mijn oranje Smarties.'

'Heerlijke verhalen,' zegt Joel, met de bekende gniffel die me zo aan zijn moeder doet denken. 'Ga door.' Voor hem als enig kind staat gekibbel tussen broers en zussen gelijk aan de nationale volksdans van een Oost-Europees land: hilarisch om naar te kijken, maar verschrikkelijk om ooit te hebben meegemaakt. Als onze zoons ruziemaken, wat ze onafgebroken doen, ziet hij dat als een unieke genetische overdracht vanuit mijn familie, net als het haar van Rufus.

'Je kent ze allemaal,' zeg ik.

'Maar ik krijg er nooit genoeg van.'

Jemima en ik mogen dan wel lol hebben om ons eigen kinderachtige gedrag, Joel moet zich erbuiten houden.

'Heb jij mama nog gesproken de laatste tijd?' vraag ik haar.

'Meestal op zondagavond. Precies op het moment dat ik me het slechtst voel en het minst zin heb om te praten.'

'Hier ook zo,' zeg ik. 'Ze belt altijd als ik bezig ben de jongens naar bed te brengen. Volgens mij maakt ze zich zorgen over papa.'

'Dat lijkt me niet onterecht. Hij zou eens wat verstandiger moeten snoepen, vind je ook niet?'

'Hij is dik, hè? Ik hoop maar dat ik niet zijn genen heb.'

'Ik ook.' We voelen allebei onderzoekend aan onze respectievelijke buiken.

De lunch is niet het Italiaanse familiefeest waar ik altijd van droom. Gabe spuugt zijn ovenschotel uit, waarna zijn vertaler Rufus uitlegt dat het komt doordat het 'naar kots smaakt'. Jemima en ik spelen wat met ons eten in een stilzwijgende competitie en werpen terloopse blikken naar elkaar. Als Joel niet zo'n enorme eetlust had, hadden we nog wekenlang ovenschotel moeten eten.

Joel zet de taart die hij de dag ervoor heeft gemaakt op tafel. Hij is zacht en romig, en – eerlijk is eerlijk – verrukkelijk.

'Godsallemachtig,' zegt Jemima zonder geluid, 'hij is za-lig.' Ze steekt haar vinger in het romige glazuur en likt hem af, waarbij ik de neiging krijg mijn vinger in mijn keel te steken. Ah, die goede oude tijd, toen we nog samen boulimie hadden. 'Je gaat me toch niet vertellen dat hier geen slagroom in zit?'

'Er zit margarine en sojamelk in in plaats van boter. En de beste pure chocolade die er te krijgen is,' vertelt hij haar. 'En wittewijn-azijn, wat vreemd genoeg lijkt te werken.'

'Wat ontzettend lief dat je dit voor Mary doet.'

'Het is mijn verjaardag,' sputter ik. 'Ik kan er toch ook niets aan doen dat ik een lactoseallergie heb?' Wenkbrauwen gaan omhoog. 'Waarom denkt iedereen toch van wel? Dat zou je toch ook niet zeggen als ik astma had, of zoiets? Het is een medische toestand.'

'Jij kunt heel goed koken, Joel,' zegt Jemima. 'Erg fijn voor jou, Mary. Waarom kan ik niet zo'n leuke man vinden? Hoe heb jij deze kanjer weten te strikken?'

Hoe? Dat vroeg ik me regelmatig af toen we net samen waren en verliefd, vele jaren en kinderen geleden. Ik weet nog goed dat hij mijn kantoor in kwam lopen; hij droeg een stoer grijs shirt met ge-rafelde boorden, een versleten ribbroek en Converse-gympen voordat ze in de mode waren. Ik weet niet waarom ik me dat moment van zijn eerste verschijning zo levendig blijf herinneren, terwijl ik hem in het begin verre van aantrekkelijk vond. Immuun zijn voor de charmes van Joel Tennant was maar voor weinigen bij mij op kantoor weggelegd. De andere vrouwen, onder wie Mitzi, liepen constant om hem heen, terwijl hij zelf in die tijd niet veel meer was dan een loopjongen. Ik was blij dat ik me niet liet meeslepen, maar toen, toen ik uiteindelijk voor hem viel, viel ik harder dan wie ook – een beetje als de laatste van de kinderen die de waterpokken krijgt.

Ik kijk naar mijn verjaardagstaart. Er staan negen kaarsjes op, drie en zes bij elkaar opgeteld. Op mijn negende verjaardag kleedde Jemima zich helemaal uit en oefende de handstand, wat iedereen superschattig vond. Mama had een enorme taart gemaakt in de vorm van een kleine pony en had er een pop met rode haren op gezet. Ze werkte toen nog niet en had alle tijd voor haar twee ondankbare dochters en gemakzuchtige echtgenoot. Toen wij op de middelbare school begonnen ging ze weer aan het werk, maar haar toewijding aan het huis en huishouden bleef onverminderd. Papa's bijdrage aan het huishouden nam niet evenredig toe met haar activiteiten buitenshuis, en als hij dan, halfslachtig, iets deed in huis, zoals de tafel dekken of iets opbakken, dan noemde hij het 'je moeder helpen'. En als zij Jemima en mij vroeg iets te doen, riepen wij: 'Waarom vraag je het papa niet? Jezus, wat ben je seksistisch, mam. Zo hou je het patriarchale systeem in stand!' Op haar eigen aandoenlijke wijze was onze moeder zichtbaar blij om het huis uit te kunnen en weer aan het werk te gaan, wat bleek uit de volkomen onnodige aktetas die ze met zich meesleepte en de 'dringende' telefoontjes van de universiteit als ze de administratie deed en waarbij ze te hard praatte en strooide met termen als 'vakgroepstrategieën' en met een rood hoofd van gewichtigheid de keuken weer in kwam.

Ik denk aan de verjaardagen die op die negende volgden. Mijn achttiende, toen ik met David Parsons vree, die meer dan knap was, maar ook bezig was het recordaantal meisjes per schooljaar te verbeteren. Jemima wees hem een paar maanden later zeer terecht de deur, maar toen ik haar vroeg waarom zei ze: 'Jakkes, hij is afschuwelijk,' wat mijn triomfantelijkheid over het feit dat ik hem gezoend had behoorlijk temperde. Mijn zevenentwintigste verjaardag vierde ik niet. Het voelde alsof ik met een noodgang op de dertig af jakkerde, wat toen heel raar en beangstigend leek. Toen ik uiteindelijk op dat punt was werd ik duizelig van opluchting nadat ik er zo lang tegen op had gezien. Waarom had ik niet meer plezier gemaakt als twintiger? Waarom had ik niet meer genoten van en gebruikgemaakt van mijn goddelijke jonge lichaam? Ik was niet perfect, maar, goeie god, ik zat op mijn top en ik waardeerde het totaal niet. Had ik op mijn zevenentwintigste verjaardag maar geweten dat ik in dat jaar Joel zou ontmoeten en gelukkiger zou worden dan ik ooit geweest was of waarschijnlijk ooit zal worden.

'Negen kaarsen,' zeg ik. Meer heb ik niet toe te voegen.

Joel woelde even door mijn haar, als een vriendelijke oom bij een klein kind. 'Wat zijn je plannen voor je zevenendertigste levensjaar?'

'Ik ga iemand zoeken om mij te onderhouden,' zegt Jemima. 'En dan krijg ik een baby. Misschien niet allebei in dit jaar.'

'Mijn plannen zijn...' Ik val stil. Mijn plannen, moet je weten, Joel, zijn als volgt: vandaag is het de laatste dag van januari en de laatste dag van de samenstelling van de Lijst. Morgen is het de eerste dag van februari en dat zal tevens de eerste dag zijn van de implementatie van de Lijst. Ik zal de avond van mijn verjaardag niet dansend in een club of etend met vrienden in een restaurant doorbrengen, maar werkend aan de Lijst om de laatste hand te leggen aan de Excelspreadsheet van mijn echtelijke onderzoek.

Elke maand krijg je een tegoed van twee schulden. Dat zijn je zogenaamde jokers. Alles wat hieroverheen gaat en wat je niet compenseert met positieve punten wordt bij je maandtotaal opgeteld. Dankzij Becky's bemoeienis zal ik negatieve yins die op positieve yangs volgen niet mee laten tellen, snap je dat? Dat betekent dat als jij een luier verschoont, je geen strafpunt krijgt als je die luier vervolgens laat liggen in plaats van in de luierbak gooit, of dat als je een heerlijk maal kookt, je niet bestraft wordt als je een puinhoop in de keuken achterlaat.

De punten die je maandelijkse tegoed overschrijden (60 in september, april, juni en november; 62 voor de overige maanden, behalve februari – 56) zullen afgetrokken worden van je totaalscore aan overtredingen. Als na zes maanden blijkt dat je over de 100 punten hebt gescoord, dan hebben we het: het bewijs dat ik nodig had om aan te tonen dat je een egocentrisch, lui varken bent zonder respect voor mij, dit huis of dit gezin.

Ik moet nog een paar dingen aanpassen, maar ik ben er bijna. Ik kan niet wachten om weer achter mijn laptop te gaan zitten om de laatste puntjes op de i te zetten. Elke maand staat op een nieuwe pagina. Bovenaan staan de data. In elke kolom staat een nummer dat correspondeert met een nummer in een lijst op een apart tabblad, waar de top 100 van overtredingen is onderverdeeld in subcategorieën zoals keuken, badkamer, was en algemene incompetentie. Op een ander tabblad staan een stuk of vijftien kredieten die bepaalde overtredingen kunnen compenseren.

'Zouden jullie de afwasmachine kunnen uitruimen?' vraag ik Joel en Jemima. Ze nemen hun tijd en Joel laat zoals gewoonlijk de minder voor de hand liggende voorwerpen achter voor mij. Ooit liet ik expres Rufus' plastic kom in de machine zitten om te kijken hoe lang het zou duren voordat Joel hem eruit zou halen; vijf wasbeurten later bedacht ik dat door de vele spoelbeurten de dinosaurusafbeelding op de kom vast zou vervagen, dus ik besloot hem te redden. Zo gaat het ook als hij de tassen leegt die de boodschappenbezorgservice aflevert. Weet niet waar het bakpoeder hoort, laat het in de tas zitten. Bruine bonen? Zegt: 'Ik bid niet voor bruine bonen,' en laat ze op het aanrecht liggen.

Ik veeg energiek tafels schoon, raap etensresten op van de vloer en kijk toe hoe ze borden richting de afwasmachine hebben geschoven, maar niets daadwerkelijk in het apparaat hebben gezet. Joel zit alweer op zijn stoel en kijkt me verwonderd aan.

'Rustig maar, Maz,' zegt hij. 'Waarom doen we dat straks niet?'

'Omdat ik het dan straks mag doen, niet wij. Ik haat het als je dat zegt.'

Jemima kijkt me vragend aan. We hebben altijd alles gedeeld, van neten tot naaldhakken, maar ik vertel haar nooit over alles wat er te klagen valt in mijn leven. Rufus die gelooft in de tandenfee en Jemima's geloof in 'lang en gelukkig' zijn onbetaalbare overblijfselen van onschuld in een wrede wereld. 'Goed,' zeg ik. 'Laten we straks opruimen. Waarom zet je de jongens niet even voor de kindertelevisie? Dan zet ik thee.'

Later op de dag spelen Jemima en Joel een spel met Rufus en Gabe dat inhoudt dat ze pistachenootjes eten en de doppen terug proberen te gooien in de pot. Iedereen vindt het hilarisch en ik heb het hart niet de saaie verstandige uit te hangen door te zeggen dat ze de doppen in de compostbak moeten gooien.

'Jemima,' zeg ik, 'weet je nog dat mama jou ook altijd een cadeautje gaf op mijn verjaardag, zodat je je niet buitengesloten voelde?'

'Dat heb je me vaak genoeg verteld.'

'En op jouw verjaardag kreeg ik er geen, en dan zeiden ze dat ik me niet moest aanstellen, dat ik ouder was...'

Joel en Jemima zeggen tegelijk: 'Het is niet eerlijk', in een zeurende imitatie van mijn stem. Daarna vallen ze bijna om van het lachen.

'Nou, het was ook...'

'Het leven ís niet eerlijk,' zeggen ze weer simultaan.

'Nee, dat zal dan wel niet.' Ik kijk naar mijn man en mijn zus. De een lang en donker, de andere slank en blond. Beiden alom geliefd, nooit gebrek aan liefde, mensen tot wie andere mensen zich aangetrokken voelen, mensen wier namen andere mensen onthouden. Tegenwoordig is het altijd 'JoelenMary', net als het vroeger 'JemimaenMary' was toen we klein waren. Ik ben een idioot. Mijn hele jeugd vecht ik om een flintertje populariteit in de schaduw van een alfazus en vervolgens trouw ik met een man die me precies hetzelfde gevoel geeft. Als kind moest ik het doen met ouders die de voorkeur leken te geven aan het andere kind. Als ouder leef ik met kinderen die onmiskenbaar de voorkeur geven aan de ander. Ik zit in een ondergeschikte intergenerationele houdgreep.

Ik stop met het fanatiek schrobben van de gootsteen en grijp Rufus, hou hem stevig in mijn armen, strijk hem over zijn haar en geniet gretig van zijn muffe, ongewassen geur. Arme drommel, om zo door mij gegrepen te worden en zo op mij te lijken. Ik kus het haar dat hij van mij heeft, waar ik bij mezelf altijd zo'n hekel aan had en dat hem onvoorstelbaar goed staat: ontelbare tinten in elke lok, met mooie namen als mahonie, kastanje en koper. Ondanks deze schoonheid is het altijd Gabe die op straat over zijn hoofd geaaid wordt, die dikke donkere krullen met die merkwaardige blonde highlights ('Is dat natuurlijk?' vragen mensen vaak, alsof ik mijn peuter van tweeënhalf meeneem naar de kapper om zijn poezelige lokken in folie te laten wikkelen). Gabe is degene die glimlacht naar vreemden, terwijl Rufus niet snel oogcontact maakt en ik me, zoals zoveel bovenmodaal verdienende ouders doen, ooit zorgen maakte of hij niet autistisch was. Hij en ik zijn underdogs, maar ik zweer plechtig dat hij daar nooit iets van zal voelen.

'Gefeliciteerd, sorry dat ik een week te laat ben,' zegt Becky, en ze overhandigt me een goed ontvangen biografie van een dode schrijfster. Het is onze tweewekelijkse maandaglunch en daar ben ik meer dan blij om.

'Wauw. Best dik als je bedenkt dat ze niet erg oud is geworden,' zeg ik, kijkend naar het boek dat eruitziet alsof je het beter niet op je voet kunt laten vallen.

'Wist je dat ze maar achtendertig is geworden?'

'Dan kan ze bij mijn club van getalenteerde vrouwen die tussen de dertig en veertig zijn gestorven. Jemima vertelde me dat ze altijd kijkt hoe oud bekende mensen zijn als ze hun eerste kind krijgen, en mijn ouders zijn geobsedeerd door hoe oud de overledenen uit de overlijdensadvertenties zijn geworden. Ik vraag me af bij wie ik hoor.'

'Leeftijd bij overlijden, duidelijk,' zegt Becky.

'Dank je.' Ik pak het boek op en blader door de foto's van een vrouw die alles doet wat ik heb gedaan en nog veel meer. 'Achtendertig, zei je? Nog twee jaar. Hoe deprimerend.'

'Dat ze er zelf een eind aan maakte?'

'Nee,' zeg ik. 'Dat zij zoveel heeft bereikt in zo weinig tijd. Mijn autobiografie op mijn achtendertigste past op een A4'tje.' Tenzij, denk ik erachteraan, ik naam en faam weet te maken met mijn revolutionaire huwelijksevaluatielijst.

'Wat zou je dan willen bereiken?' vraagt Becky. Ik vind het geweldig dat ze me dit soort vragen stelt. Voor mijn gevoel is zij de enige met wie ik over andere dingen praat dan kinderen en mijn dagelijkse beslommeringen en verwachtingen. Zelfs op het werk lijk ik niet verder te komen dan gesprekken over wat er gisteren op televisie was en waar alle anderen heen gaan als ze uit gaan.

'Geen idee.' Ik vind het geweldig dat ze me zulke vragen stelt, maar dat betekent nog niet dat ik ook altijd een antwoord heb.

'Kom op,' zegt ze kordaat. 'Je gaat me toch niet vertellen dat je alles wat je wilt al bereikt hebt in het leven?'

'Oké. Ik vraag me af naar welke middelbare school Rufus straks moet, want ik wil dat hij naar een goede school gaat, of tenminste een die goed is voor hem. Ik wil dat Gabe zindelijk wordt.'

Becky ziet eruit alsof ze haar garnalenwrap gaat uitspugen.

'Kom op, Maz, en jij dan? Je werk? Wat zijn je doelen?'

'Ik heb geen idee of ik nog een carrière heb. Ik heb een baan. Ik wil niet zielig doen, maar het is best moeilijk om carrière te maken als je parttime werkt.'

'Nou, dan ga je toch fulltime werken?'

'Nogmaals: ik wil niet zielig doen...'

'Ik hoor een excuus...'

'Maar het is best moeilijk om fulltime te werken als je kleine kinderen hebt.'

'O ja? Ik zie namelijk best veel politici, advocaten, wetenschappers en weet ik wat nog meer die allemaal fulltime werken, sommigen met nog meer kinderen dan jij.'

'Moeilijk in de televisiewereld dan. Onregelmatige draaidagen, op locatie, avonden, en als ik weer zou willen doen wat ik echt leuk vind, moet ik misschien wel terug naar kortlopende projecten, wat slecht combineert met vaste kinderopvang. Met één kind had ik het misschien nog gered, maar met twee is het niet te doen. Als ik naast kinderdagopvang ook een oppas in de avonduren moet betalen ga ik failliet. Ik heb het weleens gedaan, als Joel weg was voor opnames en ik 's avonds moest werken, en toen was ik vijftig pond kwijt, wat we er met zijn en mijn werk niet uit halen; en trouwens, waarom zouden we kromliggen om buiten kantooruren te mogen werken?'

'Oké, maar als jij achtendertig bent zijn zij allebei naar school, toch? Dan heb je minder kosten. Wat dan?'

'Geen idee, geen idee. Laat me toch.'

Ze lacht verontschuldigend. 'Ik zit je niet te pesten, liever. Het is nog wel je verjaardag. Het ligt niet aan jou. Ik zie het alleen zo vaak en ik word er zo verdrietig van.'

'Waarvan?'

'Dat het talent van zoveel vrouwen verloren gaat,' zegt ze. 'Alsof we nog in de jaren vijftig leven. Ik dacht dat we dat gehad hadden. Ik heb cliënten of echtgenotes van cliënten die niet werken.'

'Jonge kinderen?'

'Ja, sommigen. Maar wat zo frustrerend is, is dat ze geen enkele verwachting hebben dat ze ooit weer aan het werk gaan. Alsof een rijke man trouwen en kinderen krijgen gelijkstaat aan arbeidsongeschikt raken na een ongeluk op de werkvloer en de rest van je leven recht hebben op een uitkering. Als de overheid alleenstaande moeders stimuleert om uit de bijstand te gaan en de arbeidsmarkt op te gaan zeggen ze dan dat er economische motieven achter zitten? Nee hoor, dat doen ze om die vrouwen hun eigenwaarde terug te geven. Wat is er dan anders voor die rijke, getrouwde vrouwen? Compenseert geld een gebrek aan eigenwaarde? Zij krijgen hun eigenwaarde toch bij de pedicure en dat soort dingen? Het is ongelooflijk neerbuigend en vrouwonvriendelijk, maar dat kan ons niet schelen omdat het hun eigen mannen zijn die voor hun kosten opdraaien.'

Ik moet automatisch aan Mitzi denken, die uiteraard zo'n 'geweldige' vrouw heeft in West End, die zo gespecialiseerd is dat ze alleen nog maar pedicures doet. Ze heeft er ook een die alleen wenkbrauwen doet, een voor haar poriën en een andere voor overtollige haargroei. 'Rijke mannen die hun vrouwen onderhouden,' zeg ik. 'Raar dat niemand voor ze opkomt?'

'Vaak zijn ze helemaal niet zo rijk. En zij zijn ook niet zozeer degenen over wie ik me zorgen maak. Het zijn de vrouwen, de ex-echtgenotes, de' – ze zoekt een passende, minachtende term – 'accessoires. Ze voelen zich de koning te rijk, maar dat zijn ze niet, omdat ze nooit de waarde van werken voor je geld zullen leren kennen.'

'Voor jou is het leuk om de waarde van werken te ervaren, want jij hebt een leuke baan. Maar veel banen zijn allesbehalve inspirerend,' probeer ik tegen te werpen in de wetenschap dat haar juridische inslag geen tegenstand duldt. En ik weet dat ze ergens gelijk heeft; als ik niet af en toe het huis uit kon om te gaan werken zou ik me nog veel meer onderdrukt voelen door de afvalbergen die wij als gezin produceren. 'En ik weet dat het raar en antifeministisch klinkt, maar die vrouwen bleven thuis toen hun kinderen klein waren en runden het huishouden, zodat hun mannen veel geld konden verdienen...'

Becky schraapt haar keel. Niemand schraapt zijn keel zoals Becky haar keel schraapt. 'Het huishouden runden? Sorry, ik wist niet dat we nog in de jaren twintig leefden. Ik snap het wel, hoor. Het is ook niet niks om alle bedienden aan te sturen, bedankbriefjes te sturen en menu's samen te stellen voor dinertjes.'

'Jij nog koffie? Ik haal wel.'

In de rij voor de kassa frummel ik aan de armband die ik om heb. Rufus heeft hem op school voor me gemaakt en de kralen van geverfde pasta penne worden een soort rozenkrans in mijn gebed om een goed argument om tegen Becky in te gaan. Ik hou van mijn vriendin, maar ze bezorgt me regelmatig een gevoel van minderwaardigheid.

'Lijkt het jou nooit eens fijn om een vrouw te hebben, Becky?' zeg ik als ik terugkom met onze drankjes. 'Zo'n ouderwetse die je pakken ophaalt van de stomerij?'

'Ik droom niet van vrouwen, maar van goed zijn in mijn werk. Ik vraag me af hoe toevallig het is dat van onze groep meiden van de universiteit de enige met een succesvolle carrière ook de enige lesbische is. Zelfs toen ik nog dacht dat ik hetero was wist ik dat ik nooit financieel afhankelijk zou worden.'

'Hoe bedoel je? We zijn niet allemaal getrouwd met kinderen. We hebben een heleboel single vrienden uit die periode.'

'Maar die hebben hun keuzes op werkgebied gemaakt met de verwachting dat er ergens nog een uitweg was,' zegt ze. 'Dat ze uiteindelijk geen man gevonden hebben die ze gedeeltelijk kan onderhouden doet er niet toe. Bewust of onbewust hadden zij, jullie, allemaal het idee dat je er nog eens een paar jaar tussenuit zou gaan om daarna opnieuw te kunnen beginnen of een nieuwe opleiding te gaan volgen.'

'Als leraar, acupuncturist of psychotherapeut,' zeg ik, refererend aan de tweede carrières van de moeders van Rufus' school. 'Of een winkeltje beginnen in tweedehands gebreide kinderkleding. Of een kindvriendelijk café.'

'Precies!' Becky slaat met haar vuist op tafel en het schuim van mijn soja latte danst in mijn kopje. 'Ik word zo ongelukkig van al dat talent dat verloren gaat, bij mijn vrouwelijke collega's net zo goed als bij de cliënten. En weet je waar dat volgens mij aan ligt?'

Ik haal mijn schouders op.

'Het ligt aan de wetgeving voor moeders. Je weet wel, verlengd zwangerschapsverlof en flexibele werktijden, jullie parttimebaantjes en ik moet om vijf uur weg omdat ik ongesteld ben.'

'Wat?' Ik weet niet wat ik hoor. 'Dat is niet eerlijk, Becky. Je hebt het over vrouwen die vechten voor het recht om te werken, maar wij hebben net zo hard gevochten voor het recht op betaald verlof. Je kunt toch niet zeggen dat... Waar geef je ze ook alweer de schuld van?'

'Wist jij dat de beste echtscheidingsadvocaten op dit moment bijna allemaal vrouw zijn?'

'Super...'

'En weet je wie de besten zullen zijn over tien of vijftien jaar? Mannen. Dan zijn het allemaal mannen.'

'En jij.'

'En ik, ja, dankjewel. Ik zou niet moeten klagen over verminderde concurrentie, maar het is frustrerend om al dat talent weg te zien trekken.'

'Maar verbeterde ouderschapsregelingen zouden talent toch juist binnen moeten houden? Als moeders niet de mogelijkheid krijgen om een jaar verlof op te nemen en daarna flexibele werktijden aan te

houden, zouden ze misschien wel helemaal niet meer terugkomen.'
'De lichtgewichten zouden inderdaad wegblijven, en velen doen dat ook. Maar de rest zou na drie maanden verlof fulltime terugkomen en een paar jaar bikkelen, maar die hebben dan wel een leuke, uitdagende baan als de kinderen de schoolgaande leeftijd hebben bereikt.'

'Ze zitten maar zes uur per dag op school...' probeer ik in te brengen.

'Dat is precies het verslagen toontje dat ik altijd hoor bij mijn collega's. Feminisme gaat over gelijke beloning voor hetzelfde werk en als je niet voor de volle honderd procent werkt hoef je ook niet het volle pond te verdienen.'

'Misschien zijn het niet de werkende moeders die moeten veranderen, maar het systeem. Het is een enorm mannenbolwerk. Waarom zou iedereen honderd procent van de tijd moeten werken?'

'Denk nou eens na, Mary. Ik kan mijn cliënten geen driehonderd pond per uur factureren en er vervolgens lange weekendjes tussenuit gaan.'

'Wij gaan er niet "tussenuit". Was dat maar waar. Jezus, Becky, wat zit je dwars?'

'Niets. Het is puur politiek, niets persoonlijks.' Ze zucht. 'Ik ben wel wat meer aan het nadenken over kinderen, met die cysten en zo, en wat ik qua werk zou doen als ik ze had. Ik werk fulltime en dat zou ik blijven doen, na een kort verlof. Ik laat me verdomme niet voorbijlopen door die gemakzuchtige mannen in mijn vak.'

'Ik heb er ook over nagedacht. Hier.' Ik haal een A4'tje uit mijn tas. 'Ik weet dat je sceptisch bent, maar ik heb een grafiek gemaakt van alle mogelijke opties en hoe ze elkaar beïnvloeden. Misschien helpt het.'

Becky glimlacht. 'Wat lief. Dank je, Mary. Denk ik.'

'Waar sta je nu met het babyverhaal?'

'Ik weet het niet.' Ze legt haar vingers op haar slapen en ziet er onzekerder uit dan ik haar ooit heb gezien.

'Of je wel of geen kind wilt?'

'Of ik een kind wil, of ik er een kan krijgen als ik er een zou willen, wil ik een kind met Cara, is een kind krijgen belangrijker dan met Cara zijn, wil ik bij Cara blijven, wil Cara bij mij blijven?'

'Dat heb ik geprobeerd op te schrijven.' Ik wijs naar het blaadje. Het lijkt hopeloos nutteloos in het licht van deze levensveranderende vraagstukken, maar ik wilde helpen en dit is mijn manier.

Ze kijkt ernaar. 'Dit is geweldig, echt; alles hangt met elkaar samen. Ik kan niets beslissen zonder keuzes te maken op een ander vlak, en zo blijf ik rondjes draaien. Maar goed, hoe is het met jouw plan om van Joel te scheiden omdat hij het zilver niet poetst?'

'Ha ha.'

'Daar word ik ook verdrietig van, van jullie huwelijk. Joel en jij zouden reteboeiende onderwerpen kunnen aanstippen over het heteroseksuele huwelijk in de eenentwintigste eeuw; jullie zouden het instituut kunnen vernieuwen. In plaats daarvan bekvechten jullie over de afwas. Hoe retro is dat?'

'Je lijkt Ursula wel.'

'Dank je, dat is een compliment.'

Ik kom terug op kantoor. Met de nieuwe productie op stapel loopt het kantoor vol. Waar Lily en ik eerst het rijk alleen hadden, zit nu een groeiende groep druk pratende researchers, castingdirectors en regisseurs.

'Mazza,' zeurt er een in mijn richting terwijl hij onafgebroken op zijn iPhone blijft kijken. 'Wanneer begint de onderzoeksassistent?' Hij heet Jude en hij draagt een T-shirt met een diepe V-hals over zijn haarloze borstkas. Ik weet niet of zijn kale bovenlijf het gevolg is van harsen of van het feit dat hij voor borsthaar sowieso te jong is.

'Begin maart, als we er al eentje kunnen vinden.'

'Maar nu moet ik al die klusjes doen.'

'Vertel dat maar aan de baas.'

'Maar die is er niet. Waarom begint die assistent nu niet? We hebben echt iemand nodig, anders redden we het niet. Waarom beginnen ze niet? Waarom?'

Tel tot drie en adem uit. 'Omdat daar geen ruimte voor is in de begroting.'

'Waarom?'

'Daarom,' zeg ik, op een toon die duidelijk aangeeft dat hiermee het gesprek beëindigd is.

'Maar waarom? Waarom is er wel al een regisseur begonnen en nog geen assistent? Waarom?'

Ik word meegezogen, naar dat punt waarop er geen weg terug meer is, dat punt dat ik thuis probeer te vermijden met de jongens: de doodlopende weg van het waarom.

'Omdat ik het zeg!' roep ik uit, en ik zoek mijn heil op de wc in de hoop dat de hordes nieuwe en godzijdank tijdelijke medewerkers geen puinhoop van het kantoor zullen maken of met scharen gaan spelen in mijn afwezigheid. Ik doe de deur van mijn hokje op slot. Een paar laarzen met gevaarlijk hoge hakken tippelt langs de onderrand van de deur. Het is een goedgehakt paar, waarvan ik me afvraag hoe dat kan met het hongerloontje dat wij ze betalen.

'Mary,' zegt de stem boven de duurgeschoeide voeten, voeten die overgaan in skinny jeans om nog skinnier benen. 'Hoe laat begint de redactievergadering?'

'Misschien moet je even in de agenda kijken?' roep ik door de deur van mijn hokje heen. Ik weet precies hoe laat de vergadering begint.

'O, oké, goed idee,' zegt Poppy of Posy of Rosie.

Hoe wist ze dat ik op de wc zat? Ik kijk naar mijn voeten in mijn platte, afgetrapte laarzen en heb mijn antwoord.

Ik raap mijn papieren bij elkaar en begin een rondje langs de bureaus van mijn collega's. 'Vergadering over vijf minuten, zijn jullie klaar?'

'O, man,' zegt Jude. 'Ik heb zoveel te doen.'

'Heb je pen en papier? Nou, pak maar iets uit de voorraad. Jij ook,' zeg ik tegen het meisje wier naam ik niet meer weet. 'Waar is Lily?'

'Die moest ergens heen na de lunch, dacht ik.'

'Oké, ik sms haar wel even. Zij zou de agenda printen en uitdelen. Ik doe het wel. Kun jij iedereen bij elkaar roepen? Ik wil graag een keer op tijd beginnen.'

Ik drijf ze de vergaderkamer in, waar we op onze creative director Matt wachten. Hij is iemand die graag de nadruk legt op het creatieve gedeelte van zijn functie en lijkt te denken dat hij daarom het recht heeft om altijd en overal te laat te komen. Als hij eindelijk verschijnt is Lily nergens te bekennen, dus mag ik notuleren en schrijf ik vaker dan me lief is de afkorting AP van actiepunt achter mijn eigen initialen.

'Goed,' zegt Matt als we aan het einde komen. 'We hebben meer commissies nodig.' Een collectieve zucht gaat door de aanwezigen. We hebben altijd meer commissies nodig. 'Ik heb volgende maand een aantal pitchgesprekken, dus ik heb zo veel mogelijk ideeën voor formats nodig.'

'Ik denk dat we nodig iets moeten doen wat op de Cariben moet worden opgenomen,' zegt Jude, en de rest giechelt.

'Weet je wat?' zegt een ander mooi meisje, wier naam me niet de moeite van het onthouden lijkt. 'Er is niet genoeg mode op televisie.'

'Bijna elk modeprogramma dat op televisie is geweest, is mislukt,' zeg ik. 'Televisie is van nature intens onhip. Je weet wel, zoals je vader die naar een houseparty gaat.'

'Niks mis met vaders die dansen,' zegt Matt in een poging tot zelfspot, waar de meisjes in de kamer enthousiast op reageren. Joel en hij gaan af en toe samen iets drinken om het werk te bespreken, waarbij, volgens Joel, Matt hem bijna in forensisch detail toevertrouwt wat hij allemaal zou willen doen met de meisjes op kantoor, waarna hij naadloos overgaat in een lofzang op de geneugtes van het vaderschap.

'Volgens mij is het probleem dat de programma's niet duidelijk hebben gekozen voor draagbare mode van de straat of haute couture en dus ergens tussen wal en schip vallen,' zeg ik met de bedoeling de vergadering enigszins te versnellen om op tijd weg te kunnen. 'Als je een iets goedkoper, jonger, praktischer ingesteld programma kunt maken voor een van de digitale kanalen heb je waarschijnlijk meer kans van slagen.'

'Ja, goed idee. Flo, kun jij daar verder over nadenken? Nog meer ideeën?'

'Ja.' Ik sta verbaasd van mezelf. Mijn gesprek met Becky tijdens de lunch had professioneel en persoonlijk iets in mij losgemaakt. 'Ik zie telkens programma's over de geschiedenis van het feminisme, maar ik zie nooit iets over de toekomst en de huidige stand van zaken op het gebied van man-vrouwverhoudingen.'

Jude giechelt.

'De strijd van de seksen. Niet de bekende onderwerpen zoals gelijke beloning en quota voor managers en politici, maar meer over de huiselijke sfeer.' Iemand gaapt. 'Laatst las ik in een artikel dat de mannen van vrouwen die buitenshuis werken geen groter aandeel van het huishouden doen. Ik weet zeker dat daar een onderzoeksdocumentaire over te maken is, op een leuke manier.'

'Een leuke manier om naar het huishouden te kijken?' vraagt Matt.

'Ik weet het, ik weet het. Maar iedereen doet het, ook al praat niemand erover. Ik dacht aan een aantal verschillende gezinnen: alleenstaande ouder, werkende moeder, niet-werkende moeder, huisman – en dan onderzoeken wat ze denken dat ze doen en wat ze daadwerkelijk doen. Daarna kunnen we de deelnemers interviewen om te kijken of er een direct verband is tussen huwelijksgeluk en een gelijke verdeling van het huishouden. Of zelfs of er een verband is tussen de hoeveelheid seks en huwelijksgeluk. Er zijn genoeg testen die op allemaal van toepassing zijn, zoals een beker in de gootsteen, hoe lang die blijft staan voordat de verschillende deelnemers hem afwassen of zelfs maar opmerken. Ik herinner me een documentaire over seksuele aantrekkingskracht waar ze gebruikmaakten van camera's die de blik van de deelnemers volgden – zoiets misschien. Je zou steeds iets verder kunnen gaan, extremere situaties creëren voor die mannen en vrouwen die nooit iets doorhebben.'

'Ja,' zegt Lily, die alsnog is aangeschoven, en ik ben haar stilletjes dankbaar voor haar steun. 'We zouden een enorm huis kunnen neerzetten waar het aan het eind van het programma supersmerig is, met als bewoners een groep aantrekkelijke studenten.'

'Een soort combinatie van *Big Brother* en *Hoe schoon is jouw huis*? Leuk,' zegt Matt. 'Probeer jij daar iets concreets van te maken, Lily, dan kunnen we het misschien kwijt aan Factual Entertainment.'

'Wacht even,' zeg ik, 'het was mijn idee. En ik dacht meer aan Documentary.'

'Jij bent nodig om de boel te coördineren. Daar ben jij zo goed in.'

'Dat is hetzelfde als zeggen dat iemand goed kan afwassen.'

'Daar ben je waarschijnlijk ook heel goed in.'

'Ik zou het allebei kunnen doen. Het format ontwikkelen en de coördinatie, bedoel ik, niet de afwas. Ik zal wel een voorstel doen om het serieus aan te pakken.'

'Dat lukt je niet,' zegt Matt. 'Met al jouw vakantiedagen en zo.'

'Dat is geen vakantie. Ik werk parttime.' Dat zou jij ook kunnen doen, dacht ik, als je een groot deel van je salaris zou inleveren en bereid was op je vrije dag telefoontjes aan te nemen en e-mails te beantwoorden.

'Ja, dat bedoel ik,' zegt hij, waarmee hij het onderwerp en de vergadering afsluit.

Valentijnsdag heeft in mijn agenda nooit een gouden randje gehad. Luttele weken na mijn verjaardag benadrukte het vooral de nog sluimerende teleurstelling over niet-ontvangen kaarten en de stapel verjaardagscadeaus die de gevers duidelijk ooit zelf hadden gekregen en nu aan mij doorgaven. Als oudere tiener mat ik mezelf een veroordelende houding aan met het argument dat het niets meer was dan een slimme marketingtruc van Hallmark. Toen ik halverwege de twintig was, weerspiegelde die houding mijn werkelijke gedachten.

Maar toen leerde ik Joel kennen. Het sausje van kunstmatig sentiment werd zoet door een combinatie van mijn zelfoverstijgende liefde voor hem en de manier waarop hij het dagelijks leven elke dag weer opnieuw ontdekte en vierde. Ik hield zoveel van hem dat ik accepteerde dat ik de helft was van een stel dat zichzelf mythologiseerde, zo speciaal, zo uniek was deze liefde, en dus mocht ik me onbeschaamd in de meest zoete activiteiten storten.

Op onze eerste Valentijnsdag had hij een cafébediende zover gekregen mij een caffè latte in een versierde beker te bezorgen op kantoor – twee espresso's en sojamelk, mijn ultieme recept. Hij had de beker zelf versierd met Keith Haring-achtige tekeningetjes van hartjes en bloemen met speciaal aangeschafte keramiekverf. Mijn vriendje, dacht ik, is heel artistiek, heel apart, heel knap, heel verliefd op mij, en ik op hem. Ik bewaarde de beker en gebruikte hem alleen bij speciale gelegenheden, waarna ik hem voorzichtig afwaste – niet met afwasmiddel, maar met mijn dure handzeep. Hij staat nog in de kast, maar de kleuren zijn allang vervaagd door het veelvuldig meeliften in de afwasmachine.

Voor onze tweede Valentijnsdag zette de liefde van mijn leven een speurtocht voor me uit die begon met een aanwijzing aan de halsband van de kat van mijn huisgenoot en eindigde met een foto van ons samen, genomen op de top van de hoogste berg van Schotland, die hij tot posterformaat had opgeblazen en achter het glas van de snoepautomaat op ons kantoor had weten te schuiven. Ik schaamde me dood, maar aangezien iedereen het wist en gek was op Joel vond ik het stiekem geweldig. Tegelijkertijd was ik blij dat we dat jaar naar het frisse Schotland waren geweest en niet naar een plek waar de bikini het meest gedragen kledingstuk was.

Tegen de tijd dat onze derde Valentijnsdag zich aankondigde waren de verwachtingen hooggespannen en zou ik het niet doen voor minder dan een aanzoek. Het was pathetisch en ik haatte mezelf erom, maar onze relatie was zo koortsachtig van start gegaan dat ik verslaafd was geraakt aan het tempo en de spanning. Ik kreeg een handgemaakte omslagdoek met mijn initialen erin. Ik probeerde mijn teleurstelling niet te laten blijken en voelde me klein toen we ons niet lang daarna alsnog verloofden, hoewel de omstandigheden in niets leken op de romantische capriolen die ik en anderen van Joel gewend waren.

Op de vierde Valentijnsdag waren we al even getrouwd en was ik zwanger. Hij speelde echter nog wel mee, ook al had ik hem levenslange trouw beloofd. Hij dekte een tafel voor twee in de logeerkamer van ons eerste appartement, verduisterde de ramen en deed het licht uit. Hij imiteerde de ambiance van een net geopend restaurant dat als lokkertje had bedacht dat ze het eten in het pikkedonker zouden serveren. Hij voerde me vervolgens een vijfgangenmenu waar Heston Blumenthal jaloers op zou zijn. Als ik eerlijk ben was het consumeren van deze heerlijke en bijzondere gerechten in het donker nogal een misselijkmakende ervaring. Ik maakte me bovendien zorgen om de oesters (die ik had moeten uitspugen omdat ik zwanger was) die in het kleed werden getrapt. De maaltijd mondde uit in een wilde vrijpartij en een aantal eigenaardige vlekken op de muur, die me opeens verschrikkelijk opvielen toen we de eerste bezichtigingen via de makelaar hadden.

De jaren die hierop volgden lopen een beetje in elkaar over. De gebaren werden minder dramatisch, maar er waren nog steeds kleine verrassingen: Post-it-speurtochten door het huis, liefdesverklaringen op slagroomtaarten, een eerste druk van een favoriete schrijver. Vorig jaar nog, toen we allang toegetreden waren tot de wereld van oververmoeide en explosieve ouders van twee kinderen, maakten Joel en de jongens nog een spandoek voor me.

En nu is het onze negende Valentijnsdag samen. Ik schrob de vloer onder de stoelen van de jongens.

Hij scheurt een pak Rice Krispies open. Ik bedwing de neiging om hem erop te wijzen dat a) er al een pak open is, en b) het handig zou zijn als hij het pak open zou knippen in plaats van scheuren, omdat er dan geen lading korrels over het aanrecht zou liggen en op de bodem van het pak, die er vervolgens pas uit komen als ik de pakken verzamel om ze mee naar Rufus' school te nemen om mee te knutselen. Nee, zeg ik tegen mezelf, ik zet deze twee dingen gewoon op de Lijst, die veilig op mijn laptop staat. En ook al is Valentijnsdag alleen maar schaamteloze consumentenverlakkerij, op deze dag zal ik de wapens neerleggen. Als ik me bijzonder vriendelijk voel, geef ik hem misschien zelfs twee 'verlaat de gevangenis zonder te betalen'-kaarten om te gebruiken om zijn misdaden jegens gedroogde ontbijtgranen te compenseren.

Ik blijf naar hem kijken en hou het niet langer.

'Weet jij wat voor dag het vandaag is?'

'Maandag.'

'Ja, maar wat voor dag van het jaar?'

'Valentijnsdag.'

'Aha, dus je weet het wel?' zeg ik.

'Jij gelooft toch niet in Valentijnsdag?' zegt hij. 'Of romantiek of bloemen, of gewoon lief zijn voor je geliefde? Of op z'n minst beleefd zijn en goedemorgen zeggen?'

'Ja, natuurlijk vind ik Valentijnsdag een domme uitvinding. Jij maakt er altijd zo'n toestand van.'

Hij begint *The Times They Are A-changing* te zingen en slentert naar de wc, mij achterlatend met de ontbijtboel, de ochtendspits inclusief slechte humeuren, verloren tassen en uitgedroogde, aan de muur vastgekoekte cornflakes.

Zijn overduidelijke ontwijkende gedrag houdt me de hele dag bezig en ik vraag me af wat hij vanavond voor me in petto heeft. Er was een jaar na Rufus, voor Gabe, dat hij een oppas had geregeld, zodat wij uit konden gaan, hoewel de opvang van de kinderen altijd mijn taak is geweest en zal zijn, zodat hij in mijn telefoon moest kijken voor het nummer van de oppas. Dat hij uiteindelijk Maria mijn oude schoolvriendin belde in plaats van Maria de lieve Poolse dame die af en toe op de baby paste maakte niet uit. En het was heel aardig van Maria mijn oude schoolvriendin om naar ons huis te komen om een paar uur bij de babyfoon te zitten en naar onze televisie te kijken, hoewel ze als boekhouder bij de gemeente waarschijnlijk veel meer verdiende dan de zes pond per uur die wij haar betaalden.

De gedachte aan wat er mogelijk gaat gebeuren blijft de hele dag doorsudderen in mijn hoofd en ik oefen het verbaasde gezicht dat ik zal trekken als het moment daar is. Ik haal de kinderen op bij Deena en wacht. En wacht. Joel is er nog niet als de kinderen naar bed gaan, wat gepaard gaat met een fikse driehoeksruzie tussen Rufus, Gabe en mijzelf – het tegenovergestelde van een groepsknuffel, zeg maar.

Het is inmiddels halfelf en ik wacht. Voor de eerste keer in negen Valentijnsdagen is de verrassing dat er geen verrassing is. Ik klap mijn laptop open in bed en voeg een aantal punten toe aan de Lijst.

Map: privéadmin

Documentnaam: Huishouden februari

Tegoed februari: 2 per dag, 56 totaal

Totaal minpunten februari: 73

Categorieën van overtredingen: 22 keuken; 13 badkamer; 5 was; 4 slaapkamer; 9 onzichtbare vrouwen; 9 opvoeding; 11 algemene te-kortkomingen.

Overtreding van de maand: Gabes vieze luier op mijn helft van het bed laten liggen, zoals ze in een goedkoop hotel chocolaatjes op je kussen leggen.

Compensatiepunten: 5. Drie complimentjes; naar vismarkt geweest; uit zichzelf auto opgeruimd.

Totaal minpunten februari: 12 (73 min februari tegoed van 56 en 5 compensatiepunten)

Totaal overige punten: 88 voor de komende 5 maanden (100 min 12)

5

Sleutels kwijt

'Had je er nog aan gedacht dat ik vanavond leesclub heb?' zeg ik tegen Joel.

'Maar ik moet uit met de collega's. We vieren dat we die commissie gekregen hebben.'

'Ik heb het je weken geleden al verteld.'

'Niet waar.'

'Kijk, het staat op de kalender,' zeg ik triomfantelijk en tamelijk opgelucht, omdat ik op het moment van kijken nog niet honderd procent zeker wist dat ik het er ook opgeschreven had.

'Shit.'

'Niet vloeken.'

'Je vindt de leesclub niet eens leuk.'

Het is waar, dacht ik, dat er tranen waren gevloeid toen iemand het niet eens was met de bewering van iemand anders dat *The Time Traveler's Wife* het beste boek ooit geschreven was.

'Daar gaat het niet om,' zeg ik.

'Waar gaat het dan wel om?'

'Het gaat erom dat je mijn plannen niet respecteert, zelfs al staan ze langer dan die van jou, wat ook zo is. Alsof mijn plannen ondergeschikt zijn aan de jouwe, of alsof de kinderen voornamelijk mijn verantwoordelijkheid zijn en ik specifiek toestemming moet vragen om weg te mogen, terwijl jij er automatisch van uitgaat dat ik er wel ben om de zaken waar te nemen terwijl jij met wapperende haren in de nacht verdwijnt. Zelfs als het voor mijn werk is, is het ondergeschikt en komt het erop neer dat ik niet ga of moet betalen voor het genot van een avond werken, omdat kinderopvang niet onder onze gezamenlijke vaste lasten valt, maar grote hoeveelheden drank wel.'

'Tjongejonge, ben je klaar?'

'Ja.'

'Ik ga echt niet voor mijn lol weg. Het is werk,' zegt hij.

'Aha, die troef. Papier, schaar, steen, jouw werk, mijn werk, de kinderen. Als ik op dezelfde avond als jij moet werken moet ik een oppas regelen en betalen of afzeggen. Jouw werk gaat voor alles, toch?'

'We moeten toch de hypotheek betalen?'

'En mijn salaris doet dat niet? En vertel eens hoe je van een avondje drinken de hypotheek betaalt?'

'Dat is belangrijk voor de moraal.'

'Dat je dronken wordt?'

'Ja,' zegt hij doodleuk. 'Ik kan toch niet de alcoholvrije spelbreker gaan uithangen?'

'Dus als ik niet drink omdat ik zwanger ben of borstvoeding geef of moet rijden ben ik een alcoholvrije spelbreker?'

'Dat heb ik niet gezegd.' Hij zucht. 'Kun je niet gewoon een oppas regelen?'

Mijn god, hij is hopeloos met geld. Het hele idee van apart weggaan is dat een van ons thuis is, zodat we geen oppas hoeven te betalen. Het is niet bepaald aangenaam om al zoveel geld neer te moeten tellen voordat je ook maar iets hebt gedronken. Bovendien mag ik ze altijd betalen, alsof kinderopvang alleen mij aangaat, waardoor hij weer kan zeggen dat hij de hypotheek betaalt.

Nog erger is het dat ik de leesclub helemaal niet zo erg vind, maar ook weer niet zo leuk dat ik er dertig pond aan oppaskosten voor overheb om de literaire overwegingen van Mitzi's bont geschakeerde groep vriendinnenmoeders aan te mogen horen.

Diep ademhalen, zeg ik tegen mezelf. 'Ja, dat is goed, ik regel wel een oppas,' zeg ik, terwijl ik met enige opwinding denk aan de lijst minpunten die ik na dit korte gesprek aan de Lijst kan toevoegen: een punt voor het niet vragen of hij vanavond weg kon, een punt omdat hij mijn plan in de war stuurt, een punt voor het feit dat ik alle kinderopvang betaal, een punt voor zijn onverantwoordelijke financiële gedrag in het algemeen.

'Dankjewel, schat.' Hij lijkt verbaasd dat ik zo makkelijk toegeef. Hij kust me op mijn voorhoofd zoals je een kind zou kussen en verdwijnt zonder omkijken naar zijn werk.

We zijn in het huis van Alison, een soort Mitzi, maar dan zonder charme en humor. Of knappe trekken, charisma of hartelijkheid. Eigenlijk is ze Mitzi met een grote zak haat en nijd. Dus eigenlijk helemaal niet Mitzi, afgezien van haar kraakheldere, immer opgeruimde huis, maar dan zonder de leuke grapjes, de trendy aanpassingen, die Mitzi van de steriele massa onderscheiden. Alison begint met een typering van de hoofdpersoon van het boek van de maand.

'Ze was een enorme aanstelster. Ik bedoel, ze had een prachtig huis met een geweldige tuin.'

'*Yard*, noemden ze het,' helpt Daisy. 'In Amerika zeggen ze *yard*. *Diaper*, dat is ook grappig. *Faucet*.'

'Maar ze had alles: een man, twee kinderen, een jongen en een meisje. Waarom bleef ze zo mekkeren over Parijs?' gaat Alison verder op een toon die op z'n minst zeurderig genoemd kan worden. 'Waarom ging ze niet gewoon voor een lang weekend?'

'Dat is het nu juist,' zeg ik, hoewel ik niet geheel overtuigd ben van wat ik wil gaan zeggen. 'Dat ze de Amerikaanse droom heeft gekregen terwijl het haar droom helemaal niet was. Wat heb je eraan om iemand anders droom te bereiken?'

'Nou, volgens mij is het een prima droom. Ze zou haar mond moeten houden en haar zegeningen moeten tellen.'

'Ze had ook van die geweldige kleren,' zei Daisy. 'En mocht de hele dag martini's drinken.'

'Jij hebt het boek helemaal niet gelezen, hè?' vraag ik Daisy. 'Jij hebt gewoon de dvd gekeken.'

Ze giechelt. Ik hou van Daisy. Ze is de meest luie vrouw die ik ken. Ze is als lady Bertram, maar dan zonder personeel, en haar standaardantwoord op ongeveer alles is: 'Dat kan me geen reet schelen.' Dat kan gaan over een aanmelding voor een prestigieuze voorschool of een baan zoeken, tot het poetsen van de snoeten van haar kinderen of het verwisselen van een grauwig rompertje voor een speciale gelegenheid.

'Het was een goede film, hoor,' zegt ze met een verontschuldigende grijns.

'Tenenkrommend,' zeg ik. 'Over *cinéma vérité* gesproken. Ik dacht dat ik gevangenzat in mijn eigen vlieg-op-de-muurdocu. De volgende keer neem ik een fijne sciencefiction-dvd voor het betere escapisme.'

'Maar even serieus,' zegt Alison, 'vind jij niet dat zij het maar makkelijk had? Ze hoefde niet eens te werken. Ze was gewoon thuisblijfmoeder.' Alison doet iets druks in de City waar niemand het fijne van weet, met name omdat het haar geen miljoenen ponden oplevert, zoals in de financiële wereld het geval zou zijn, maar heel veel stress. Iets met risicometingen, dacht ik, wat ironisch is, aangezien ze er alles aan lijkt te doen om haar kinderen elk mogelijk risico te besparen door ze bijvoorbeeld te verbieden in het park te voetballen uit angst dat er hondenpoep van de bal zou kunnen vliegen dat in de tere kinderoogjes terecht zou kunnen komen, waardoor ze weleens voor hun leven blind zouden kunnen worden.

'Gewóón thuisblijfmoeder?' vraagt Mitzi met een schaal gekleurde muffins in haar handen, die ze samen met een fles dure chablis op tafel zet – haar bijdrage aan de dis van vanavond.

Ik duik in een figuurlijke loopgraaf en wacht op de granaten die gegooid zullen worden.

'Jij hebt vier kinderen, Mitzi,' zegt Alison. 'En twee huizen. Jij bent verre van gewoon een thuisblijfmoeder.'

'Ik heb maar twee kinderen en één huis,' piept Daisy. 'En ik ga bijna nooit ergens heen. Ik ben een blijf-thuis-en-kijk-de-hele-dag-televisie-moeder.'

'Ik werk,' zegt Henrietta, zo trots als een kind op de eerste schooldag. 'Maar ik werk thuis. Wat ben ik dan?'

Een vrouw die treurige hebbedingetjes haakt en online verkoopt op internet.

'En ik geef maar twee dagen per week les,' zegt Beth, 'en dat dan alleen op een particuliere school om korting te krijgen op het schoolgeld.'

'Super toch?' juicht Henrietta.

'En mijn therapie is een onderdeel van mijn opleiding en telt dus als werk,' zegt Jennifer. 'Ik ben de hele dag bezig met mijn verleden om een betere therapeut te worden. Dat is dodelijk vermoeiend, veel zwaarder dan een kantoorbaan.'

De andere vijf vrouwen kijken Alison verwachtingsvol aan en ik kijk van de een naar de ander alsof ik naar een spannende damesdubbel tenniswedstrijd zit te kijken.

'Het is echt zwaar om een werkende moeder te zijn,' zegt Alison, maar de vechtlust is verdwenen; die verdween op het moment dat alfababe Mitzi een seconde haar tanden liet zien. 'Ik bedoel niet dat het niet voor elke moeder zwaar is, maar weggaan, naar kantoor, om naast alles ook nog te werken...'

'Moeder zijn is de zwaarste baan die er is,' zegt Beth.

'Mijn werkende vriendinnen zeggen dat ze naar kantoor gaan om bij te komen,' zegt Daisy. 'Dat is rustiger dan thuis.'

God sta me bij, hoeveel clichés moet ik nog aanhoren?

'Een niet-werkende moeder bestaat niet,' zegt Henrietta. 'Het werk van een moeder is nooit gedaan.'

Als iemand iets zegt over taart, denk ik bij mezelf, dan grijp ik in. Iemand zegt altijd iets over taart.

'Ja, dat is waar,' zegt Alison. 'Maar ik moet al die moederdingen doen die jullie doen en daarnaast ingewikkelde en belangrijke financiële onderhandelingen voeren. Eén foutje van mij kan het bedrijf miljoenen kosten. Als jullie een foutje maken zit je hoogstens met een... wat zal ik zeggen... mislukte taart.'

Bingo. 'Is de realiteit van werken en ouderschap niet een beetje minder zwart-wit dan die van werkende moeders versus thuisblijfmoeders?' zeg ik. 'Dat is wat de media er altijd van maken, alsof er twee groepen zijn: vrouwen in strakke pakken met laptops en vrouwen in schorten die aan de lopende band taarten bakken. Het grappige is trouwens dat hoe hoger de functie van de werkende vrouw, hoe meer taarten ze bakt; ze is namelijk aan het overcompenseren.'

'Nu je het zegt,' zegt Alison, 'ta-daa!' Ze presenteert een schaal met vrolijk versierde cupcakes met hardroze glazuur. Zijn er dan echt mensen die cupcakes lekkerder vinden dan een ouderwetse reep chocolade? Het lijkt wel of de ambities en aspiraties van alle vrouwen in twee dingen zijn samen te vatten: vrolijk geglazuurde cakejes en hoge hakken. 'Ik heb Grace van school gehaald, haar geholpen met twee opdrachten voor wiskunde, mijn werkmail afgehandeld op mijn BlackBerry en twee dozijn van deze gebakken.'

'Alison, ik word al moe als ik alleen maar hoor wat jij allemaal gedaan hebt,' zegt Daisy.

Ik laat me niet afleiden. 'Bovendien werken de meesten van ons wel, maar dan parttime, en of het nu thuis is of op kantoor, het is een baan en geen carrière. Volgens mij geldt dat voor vijfenzeventig procent van de moeders met kinderen jonger dan vijf jaar.' Ik bedenk de cijfers er ter plekke bij. 'De meesten van ons worstelen ermee dat we noch het een, noch het ander echt goed doen – herkennen jullie dat?'

Ze kijken me glazig aan. Henrietta frummelt ingespannen aan een van de oorbellen die ze uit haar gehaakte collectie heeft meegenomen alsof het een oortje is waardoor de regisseur haar nu gaat vertellen wat ze moet zeggen.

'Toe dan,' zegt Alison, met een bemoedigend handgebaar.

'Dank je,' zeg ik. 'Ik werk bijvoorbeeld vier dagen per week, afhankelijk van wat er speelt.'

'Ik bedoelde dat iedereen een cakeje moest nemen, ik weet dat jullie het willen.'

Ik sputter verder, dronken van de witte wijn en mijn eigen verhaal. 'Henrietta werkt thuis, Alison zit vier dagen op kantoor en één dag thuis, toch? Mitzi denkt erover een eigen bedrijfje te beginnen. We werken allemaal zo'n beetje wel en zo'n beetje niet, en dan hebben we het nog niet eens over de discussie of voor de kinderen zorgen niet als werken moet worden gezien.'

'O mijn god,' zegt Beth. 'Deze zijn geweldig, Alison. Foei toch, ik kan er niet van afblijven.'

'Ik weet het ook niet,' zeg ik. 'Ik heb alleen het gevoel dat die hele mama-oorlog een beetje een mythe geworden is. De kloof zit 'm niet tussen degenen die werken en degenen die niet werken, maar tussen degenen die opvang hebben op de tijden dat ze niet werken en degenen die dat niet hebben. De thuisblijfmoeder die geen vrije tijd heeft is even afgepeigerd als de werkende moeder. En de enige ontspannen vrouwen zijn de vrouwen met extra opvang, zoals... weet ik veel... vrouwen die drie dagen werken, maar de hele week opvang hebben, of niet werken maar wel een au pair hebben.' Ik denk aan Mitzi, maar zeg het niet hardop. 'Het zou een strijd moeten zijn tussen degenen met vrije tijd die niet op kantoor en niet met kinderen wordt besteed en de groep zonder tijd zonder de kinderen. Of niemand tegen niemand, trouwens... Ik bedoel, er zijn toch meer overeenkomsten dan verschillen, denken jullie ook niet? Laten we niet tegen elkaar vechten, maar tegen de mannen. Ja!' Het geluid van mijn laatste opruiende woorden sterft weg.

Het is even stil.

'Nog een koekje?' vraagt Mitzi.

Zo gaat het altijd, peins ik: altijd koetjes en kalfjes, nooit een gesprek. Op de universiteit had ik altijd van die broeierige dronken discussies over de grenzen van het heelal of hoe we zeker konden weten dat we geen computers waren, of over de mogelijkheid dat we alleen maar een product waren van de fantasie van een of ander gigantisch opperwezen. Tegenwoordig lijk ik niet verder te komen dan de gebruikelijke kletspraatjes bij een drankje of op een feestje. Toen ik nog twintig was waren de drankjes straf, de drugs soft en de gesprekken eindeloos. Nu vloeit er middelmatige wijn, zijn er geen drugs en zijn we het praten verleerd. Als de moeders en ik samenkomen met de kinderen, op feestjes of in het park, voelt het alsof onze gesprekken altijd blijven steken op het randje van een interessante kwestie of onthulling, om zonder uitzondering op het cruciale moment onderbroken te worden door een kind. Het lijkt wel of onze zinnen er alleen nog maar in fragmenten uit kunnen komen, zoals die koelkastmagneten met losse woorden om onze kinderen te helpen met lezen, en als we nou maar wat meer tijd hadden, dan zouden we er wel een samenhangend en interessant geheel van kunnen maken. Maar áls we dan een keer samen zijn zonder kinderen, besef ik dat onze onderbroken, gehaaste uitwisselingen eigenlijk veel interessanter zijn dan de afgemaakte gesprekken, omdat daar nog de belofte van het ongezegde omheen hangt. In gedachten zijn we nog aan het multitasken, ongecontroleerd aan het malen.

Seks: nog zoiets waar mijn vrienden – mijn oude vrienden van voor de kinderen – het altijd over hadden. Die gesprekken over seks waren bijna nog fijner dan de seks zelf. Kapotjes met glijmiddel vlogen door de slaapkamers van studiegenoten; wedstrijden met bananen om wie de minst gevoelige braakreflex had; gedetailleerde gesprekken over welke eigenschappen een goede bedpartner moest hebben. Mitzi en ik waren jong en single toen we elkaar leerden kennen. Ik kijk haar kant op, elegante gastvrouw als altijd, zelfs in andermans huis, en ik heb er moeite mee me de chaotische, hilarische promiscuïteit van haar jonge jaren voor te stellen. Niemand had zulke liederlijke volgende-ochtendverhalen als Mitzi. In die tijd was ze arm met een onverzorgd uiterlijk, maar zelfs als ze met smokey eyes in een vuile jurk rondliep omdat ze de vorige avond niet thuis was gekomen was ze nog elegant. Door haar wilde je je make-up twee dagen laten zitten en drie dagen in dezelfde kleren lopen omdat die destructieve look zo cool was. Haar lach was even schunnig als haar kleding. En de verhalen... 'Eikeltje' die nooit een eik zou worden, de popster die graag op een speen zoog, de comedyacteur die haar filmpjes van zijn rivalen liet zien en tijdens de daad voortdurend 'Jij bent de grappigste, jij bent de beste!' riep, de eindeloze vleesmetaforen die gebruikt werden om de anatomie te beschrijven van de toen beginnende sous-chef, die nu natuurlijk een gewaardeerde restauranthouder is. Onze huidige anekdotes over de vorderingen van onze kinderen op leesgebied worden natuurlijk nooit zo vermakelijk.

Iedereen doet een stoelendans om maar niet aan Alison te blijven plakken en te moeten luisteren naar haar tirade over hoe hard ze werkt, aangevuld met haar talent om haar gesprekspartner binnen de kortste keren in de stress te helpen over risico's en andere zaken waar je voorheen nog nooit van had gehoord. Ze heeft verder de vreemde gewoonte om haar kinderen en echtgenoot tegelijkertijd af te kraken en op te hemelen. 'Ik ben Olivier zo zat,' zegt ze bijvoorbeeld over haar zesjarige zoon. 'Hij wil me de hele dag uitleggen hoe wolkenpartijen ontstaan. De complete *Hobbit* had hij in twee dagen uit. Denkt hij dat het geld me op de rug groeit of zo? En Grace,' zucht ze over haar dochter van vier. 'De mensen begrijpen gewoon niet dat hoogbegaafd-zijn net zo goed een handicap is als autisme of ADHD.'

'Weet je nog,' zeg ik tegen Mitzi, 'dat we het vroeger altijd over seks hadden?' Daisy hoort wat ik zeg en giechelt. 'Weet je nog dat we vroeger nog seks hadden? Het kan mij tegenwoordig geen bal meer schelen.'

Mitzi plooit haar lippen tot een vette grijns.

'Moet ik constateren dat het jou nog wel een bal kan schelen?' vraag ik haar. 'Dat bedoel ik niet letterlijk.'

Ze grijnst weer. Echt? Dat is natuurlijk ook een manier om aan geboortebeperking te doen. 'Nou niet opeens geheimzinnig gaan doen, Mitz. Vertel eens.'

'Het lijkt me niet dat we elkaars seksleven uitgebreid moeten bespreken, dankjewel,' zegt Alison, terwijl iedereen zijn best doet haar te negeren.

'Jawel,' zeg ik. 'Mitzi maakte de gekste dingen mee toen we nog jong waren. Weet je nog met die kok en de reuzentruffel? Niet zo'n chocoladegeval met spikkels, maar een echte, die door een varken was gevonden in het bos.'

'Laten we het daar maar niet over hebben, oké?' zegt ze. Dat is iets van het verleden en in het heden kennen deze vrouwen haar alleen maar als de elegante dame annex echtgenote. 'Laten we zeggen,' vertrouwt ze Daisy en mij zachtjes toe, 'dat Michael en ik in de slaapkamer geen last hebben van onze leeftijd.' Haar slaapkamer is in feite meer een boudoir, met een overdaad aan gordijnen en draperieën, een fluwelen chaise longue en zo'n kingsize bed dat niet zou misstaan in een exclusief hotel.

'Maar jullie hebben vier kinderen,' zegt Daisy. 'Waaronder een tweeling. Waar haal je de energie vandaan?'

'Prioriteiten.'

'En personeel,' sneert Alison, die aan komt schuifelen om mee te praten.

'Maar slapen dan? Je kunt je personeel geen opdracht geven om voor je te slapen. Je kunt niet alles uitbesteden,' zegt Daisy.

'Laat staan seks met je echtgenoot,' zeg ik. 'Hoewel... dat kan geloof ik wel.'

'Misschien iets voor mij,' zegt Daisy.

'Moeten we het hier echt over hebben?' zegt Alison. We blijven haar negeren.

'Kom op, Mitzi, welke grotemensendingen voeren jullie uit in de slaapkamer... pardon... jullie boudoir?' vraag ik. 'Inspireer ons, alsjeblieft.'

Ze lacht geheimzinnig. Vroeger zou ze alles tot in het kleinste, smeuïgste detail verteld hebben, maar sinds ik met Joel ben is ze zo gesloten als een oester. Ze trekt dat gezicht, dat gezicht dat ze trekt als ze het over mijn man heeft, dat dingen suggereert waar wij niets van weten of zullen weten. 'Jullie moeten je fantasie gebruiken.'

Een beeld van Michael, op en top alfa en behaard en dominant, verschijnt voor mijn geestesoog. 'Liever niet.'

'Ik bedoel,' zegt ze, 'dat jullie bij je eigen mannen jullie fantasie moet gebruiken. Doe jij dat niet met Joel, Mary? Ik zou niet weten waarom seks niet steeds beter zou worden als je ouder wordt.'

'Ik kan wel een miljoen redenen verzinnen,' zeg ik.

'Of twee, in mijn geval,' zegt Daisy. 'Drie, als je mijn wettige echtgenoot meerekent.'

'Als je eraan toegeeft. Zoals ik al zei: het is een kwestie van prioriteiten stellen, en ik kies ervoor mijn seksleven prioriteit te geven. Michael is een sterke man en het is mijn taak zijn behoefte te bevredigen en seksueel nog net zo begeerlijk te zijn als toen we elkaar net leerden kennen.'

Toen hij nog de echtgenoot van iemand anders was, denk ik. 'Ga door,' zeg ik.

'Ik zorg ervoor dat ik me allesbehalve mama-achtig gedraag en kleed.'

Wedden dat Mitzi elegante en dure lingerie draagt? Ik heb nog steeds een stuk of wat enorme zwangerschapsonderbroeken en een paar voedingsbeha's. Becky vindt de modellen die op sportbeha's lijken mooi, die meer inbinden dan ondersteunen. Ik vraag me af wat

Cara draagt. Praktisch of elegant? Ik vermoed iets moois, bijna ouderwets, model Rita Hayworth.

'Nou, Mitzi, dat klinkt wel erg ondergeschikte-vrouwachtig,' zeg
ik. 'De behoeften van de man vervullen en dat soort dingen.'

'Geloof mij nou maar,' zegt ze, weer met die grijns, 'ik ben niet de
enige die zich weleens overgeeft.'

Dat bewijst hoe ver ik ben afgedreven van de wereld van seksuele
intriges en de dagen dat we onze beste sekstips uitwisselden; ik heb
geen flauw idee waar ze het over heeft.

Toen Mitzi en ik elkaar leerden kennen, bespraken we meer dan
alleen seks. We hadden het over alles. Het was zo'n zeldzame vriendschap die leek op verliefdheid: hele nachten kletsen over ons verleden en onze toekomst, en grappige dingen onthouden om ze aan
elkaar te vertellen.

Het was de eerste dag van mijn eerste echte baan. Ik dacht dat bij
de televisie werken hip en cool was, wat tijdens mijn sollicitatiepro-
cedure allesbehalve bevestigd werd door de kleding van mijn beoor-
delaars, die treurig en doorsnee was. Mijn enige taak toen ik begon
was typen, maar alleen al in dat gebouw te mogen werken maakte
dat ik me een belangrijke mediapartner voelde.

Na één uur op kantoor was mijn aanvankelijke opwinding volkomen geneutraliseerd. Mijn gezicht deed pijn van het krampachtig
glimlachen en mijn hoofd tolde van alle namen die ik moest onthouden. Nu weet ik dat zich op elk kantoor dezelfde types bewegen
en dat ik in mijn jongere jaren altijd binnen de kortste keren vriendschap sloot met de grootste lolbroek onder hen, maar toen was het
allemaal nieuw en dodelijk vermoeiend.

Voor alle mensen die op me af kwamen toverde ik mijn glimlach
tevoorschijn, maar ze wilden allemaal alleen maar weten waar Mitzi
was. Ik wist niet eens wie ze was.

Toen kwam ze binnen, en er was geen twijfel mogelijk. Het klinkt
misschien een beetje cliché, maar het was alsof ze begeleid werd
door een koor van engelen en een hemels licht. Ik wilde zo graag
haar vriendin worden dat ik haar amper aan durfde te kijken.

Ik kon me niet voorstellen dat ze mij leuk zou vinden, maar toen
ze me vroeg of ik iets met haar wilde gaan eten kwam als vanzelf
mijn leukste, grappigste en beste ik naar boven. Terugkijkend was
Single White Female in die dagen misschien de beste beschrijving

geweest voor mijn gedrag, want Mitzi inspireerde me mateloos met haar geweldige smaak in vintage jurkjes en mijn pas ontdekte liefde voor schoenen. De eerste keer dat ze me vroeg of ik zin had om met haar te gaan winkelen, buiten werktijd en alles, was ik zo blij als een ten huwelijk gevraagde bakvis. Onze strooptocht langs de winkels was een goedkope, *girls-only* versie van die scene uit *Pretty Woman*, waarin zij mij uitdoste in stijlvolle hobo-outfits.

Toen ze op een dag niet aan haar bureau zat nam ik haar telefoon op; dit was in het tijdperk voor iedereen aan de mobiel ging. Persoonlijke telefoontjes voor Mitzi kwamen meestal van mannen, maar dit was een vrouw, aan haar stem te horen iets ouder en met een accent dat van mijlenver te herkennen was. Haar toon was beleefd doch dringend. 'Kunt u een boodschap aan Mitzi doorgeven?' vroeg ze.

'Natuurlijk.'

'Kunt u ervoor zorgen dat ze hem echt krijgt? Ik denk dat ze mijn vorige berichten niet heeft gekregen.'

'Ik zit klaar met pen en papier.'

'Zeg dat ze haar moeder belt. Schrijf mijn nummer maar op voor het geval ze het niet heeft.'

Ik hing op en voelde me alsof ik iets had gehoord wat ik niet had mogen horen. Toen ze terugkwam en ik de boodschap doorgaf zag ik haar voor het eerst iets van haar beheersing verliezen.

'O, fuck!' zei ze, met zo'n bekakt accent dat het kon. 'Ze is terug. Ter ere van die ouwe taart die mijn moeder is stel ik voor dat we vanavond uitgaan en heel, heel erg dronken worden.'

Later op de dag, onder het genot van verschillende cocktails die we ons niet konden veroorloven, boog ze zich naar me toe en zei: 'Ik heb het er liever niet over, dus beloof me dat je er met niemand over zult praten.'

'Natuurlijk.' Ik genoot van de spanning.

'Mijn moeder is verslaafd aan de liefde.'

Tegenwoordig verklaren alle sterren dat ze seksverslaafd zijn, maar in die tijd werd daar niet openlijk over gesproken. Het klonk stoer en spannend. Ik kon me niet voorstellen dat mijn ouders ergens aan verslaafd waren, hoewel ze tamelijk onrustig leken te worden als ze twee opeenvolgende afleveringen van de dagelijkse soapserie op televisie misten. Ik knikte en deed mijn best mijn onwetendheid te verbergen. 'Hoe uit haar verslaving zich?'

'Mannen, uiteraard.'

'Natuurlijk.'

'Nee, je begrijpt het niet. Ze heeft vijf kinderen van vier vaders.'

'Echt waar? Het is vast leuk om zoveel broers en zussen te hebben.'

'Geen volle broers en zussen. Ik was het enige kind van een knappe vader.'

Natuurlijk waren Mitzi's ouders knap.

'Wie was het?'

'Een plaatselijke aannemer. Ze verliet de vader van mijn broer en zus voor hem. Ik was het resultaat van haar eerste terugval. Het hield natuurlijk geen stand. De volgende ook niet – de rijke ouwe stinkerd. Daarna nog een paar. Degene die ze nu heeft gaat al tien jaar mee, maar het staat waarschijnlijk op springen, aangezien ze belde.'

'Kun je een beetje opschieten met de rest van de familie?'

Ze haalde haar schouders op. 'Weet jij hoe het voelt als je broers en zussen oneindig veel rijker zijn dan jij?'

'Hoeveel rijker?'

'Veel. Mams eerste man heeft geen kin, maar wel een groot deel van Somerset. Zijn kinderen mogen mij niet, omdat mama hun vader heeft verlaten voor die van mij, en ze zijn eerlijk gezegd niet om aan te zien. De vader van mijn jongste zus is overleden en van zijn erfenis kan ze een ruim appartement kopen als ze klaar is met haar studie. Jake is net zo arm als ik, maar heeft waanzinnige wimpers.'

Ik dacht terug aan hoe ik me had gevoeld als Jemima's kerstcadeau groter was dan dat van mij en vermenigvuldigde dat met honderd om me voor te stellen hoe het was om veel minder bedeeld te zijn dan je eigen broers en zussen.

'Klinkt ingewikkeld.'

'Je moest eens weten. Eerlijk waar, mijn jeugd, Mary, het leek wel een Catherine Cookson-roman, maar dan in het westen. Ze kwamen, speelden een tijdje vader, en gingen weer. Sommigen kwamen daar weer tussendoor. Ze moet altijd "verliefd" zijn, snap je, altijd lyrisch zijn over een man, alsof het Darcy, Mellors of Heathcliff zelf was. Vreselijk kinderachtig. Zo is de liefde helemaal niet.'

'Nee, zo is het niet.' Voor mij in elk geval nog niet. 'Hoe heb je het volgehouden?' '

'Ik ben slim.' Dat wist ik al. 'Overal waar we gingen wonen zocht ik op mijn nieuwe school het meisje met de gezondste familie uit en klampte me daaraan vast. Die thuisblijfmoeders waren dol op me.

Ze bakten elke dag taarten en prachtige soufflés. Het is een wonder dat ik niet dik ben geworden. Ik woonde zo'n beetje bij ze tot het moment dat we weer gingen verhuizen.'

'Mitzi, dat had ik nooit gedacht. Jij lijkt altijd zo... ik weet niet... zo zeker van jezelf.'

'Zodra ik de kans kreeg ben ik vertrokken. Ik ben op mijn achttiende het huis uit gegaan en heb sindsdien altijd op eigen benen gestaan. Ik kan je dit vertellen: mijn kinderen zullen nooit arm zijn.'

'Ben je van plan om veel geld te gaan verdienen dan?'

'Of ermee te trouwen,' zei ze, en ze hief het glas.

De volgende dag op kantoor zit Lily zuchtend achter haar bureau. Ik negeer haar. Ze zucht nog eens, nu zo hard dat het op hijgen begint te lijken.

'Wat is er?'

'Mijn idee... Je weet wel, over dat vieze huis. Dat had ik nu af moeten hebben.'

'Dat idee dat begon met mijn opmerking over een ongelijke verdeling van het huishouden tussen de seksen?'

'Echt?'

'Ja, ik zei dat we iets moesten doen over dat de essentie van een relatie tussen man en vrouw vaak terug te voeren is op de verdeling van het huishouden. En op de een of andere manier bracht dat jullie op het idee voor een realityshow vanuit een smerig huis.'

'O, oké, dan kun jij me vast wel helpen.'

'Niet met het format, maar wel met de achtergrondinformatie, denk ik. Kijk.' Ik open een document op mijn scherm. 'Ik heb wat informatie verzameld over het onderwerp en over de huidige verdeling van het huishouden.'

Ze kijkt naar mijn aantekeningen. 'Maken mensen hier echt meer ruzie over dan over geld?'

'Ja. Het is belangrijker dan seks.'

Ze kijkt sceptisch.

'Hoor eens, als ik nou eens een introductie voor je schrijf, kun jij je concentreren op het format.'

'Wauw, dank je, Maz, je bent geweldig. Kun je het morgen af hebben?'

Ik ga natuurlijk weer nergens heen vanavond. 'Ja hoor.'

Joel heeft geen goede maand. Zijn quotum voor maart is al op en we zijn nog niet op de helft. Het leesclub-oppasdebacle bezorgde hem vijf minpunten. Hij is niet één keer op tijd thuisgekomen om de jongens in bad te doen, en ergens bij het introduceren van de magische wereld van computerspellen aan zijn eerstgeborene is hij het snoer van de dvd-speler naar de televisie kwijtgeraakt, waardoor ik niet meer naar mijn series kan kijken. Drie keer gebruikte hij het woord 'hormonen', in de context van: 'Zijn het je hormonen?', gevolgd door ogengerol alsof ik het eens moest wagen kritiek te hebben op zijn gedrag.

Ik kijk in zijn kast: drie als een bal in elkaar geklonterde papieren zakdoekjes (één met iets wat lijkt op een aangekoekt stuk uitgehard slijm); twee bonnetjes van lunches die veel meer hadden gekost dan mijn sober belegde boterhammen of sporadische uitspattingen met Becky; een verzameling buitenlandse munten en een pakje Rizla. Die bonnetjes zullen nooit opgevoerd worden als onkosten – nog een minpunt voor de Lijst. Hij kan niet met geld omgaan omdat hij tot er kinderen kwamen nooit iets nodig had. De kleine toelage uit het trustfonds van Ursula's illustere voorvaderen in combinatie met zijn natuurlijke hang naar het onverzorgde vrijwaarde hem van financiële zorgen. Wat een bofkont: al die jaren wat aanklooien met de band en precies op de goede momenten tegen een baan aan lopen.

O god, de band. The Spitz (vernoemd naar de zwemmer uit de jaren zeventig met dat goedkope image en die enorme verzameling medailles en een nog enormere snor) staat garant voor een complete aparte sectie van de Lijst. Onvermoeibaar komen ze voor elke veertigste verjaardag in de wijde omgeving rondom Londen opdraven, wat voorafgegaan wordt door eindeloos veel repetities. Die vinden zoals dat gaat altijd in het weekend en 's avonds plaats, waardoor de kinderen als vanzelf aan mij worden overgelaten. Ik kan me geen enkele vrouwenactiviteit voorstellen die mij zo gemakkelijk zoveel vrijheid zou geven zonder dat iemand dat vreemd zou vinden. 'Mama is dit weekend weer naar haar creatieve schrijfopleiding'; 'Mama gaat vanavond breien'.

'Je helpt mijn creativiteit om zeep', zegt Joel altijd quasibeledigd als ik de frequentie van zijn muzikale excursies probeer te beperken, alsof erkenning van de absurditeit van een clubje middelbare mannen die new age-indie-punk-rave-muziek spelen hem een vrijbrief geeft.

Muziek botst niet alleen met zijn vaderlijke plichten, maar ook met mijn zaterdagochtendhumeur. De radiofrequentie danst als ik een andere zender wil opzetten.

'Verdomme, heb je weer met de zenders zitten klooien?' zeg ik terwijl ik met moeite de juiste frequentie voor de zacht kabbelende gesprekken van Radio 4 weet te vinden.

'Sinds wanneer ben jij zo oud?'

'Ik ben nog altijd jonger dan jij.'

'Figuurlijk gesproken.'

'Naar rock luisteren' – ik geef een heel korte, heel slechte luchtgitaarsolo ten beste – 'maakt je niet automatisch jong.'

'Luisteren naar dit anders ook niet.'

'Misschien moet jij je haar laten groeien en een tour-T-shirt gaan dragen. Dan vinden de jongens hun vader vast supercool, weet je wel.'

'Weet je, schatje,' zegt hij. 'Volgens mij ben ik verliefd op jou geworden toen we een keer samen in de auto zaten en jij de muziek harder zette. Jij was de eerste vrouw die ik ooit ontmoet had die de muziek harder zette in plaats van zachter. Ik weet nog dat ik dacht: dit is nou eens een vrouw met wie ik de rest van mijn leven door zou kunnen brengen.' Hij zucht.

'Ach, dingen veranderen. Niet alles, helaas. Nu we het toch over muziek hebben, kunnen we het misschien ook weer eens hebben over de platendozen in de huiskamer. Je luistert er nooit meer naar; waarom bewaren we ze nog?'

'Ik kijk graag naar de hoezen. Ze maken zo'n heerlijk geluid als je erdoorheen gaat.' Hij kijkt me aan. 'Ik moet toch ergens aan mijn trekken komen.'

'Lijkt het je ook niet heerlijk om ze in opbergbakken te doen en naar de zolder te brengen?' De zolder is het voorportaal voor spullen die er een paar jaar in stilte doorbrengen voordat ze naar de eeuwige verdoemenis van de kringloopwinkel worden verbannen.

'Nee, dat kun je me niet aandoen.'

'Maar je ziet toch hoeveel troep we hebben? De jongens hebben meer ruimte nodig voor hun speelgoed en boeken. Het zijn niet alleen de elpees, maar ook de programma's, de kaartjes, de muziektijdschriften.' Hoe overtuig ik hem van de nutteloosheid van al die elpees die hij niet draait en parafernalia waar hij nooit naar kijkt? Hetzelfde heeft hij met zijn collectie overhemden met gerafelde boorden en schreeuwerige patronen waar hij maar geen afstand van kan doen.

'Ons huis is lang niet zo groot als dat van je moeder. Trouwens, waarom breng je je spullen niet naar haar huis? Dat is wel zo toepasselijk.'

'Het gaat er niet om hoe groot het huis is,' zegt hij met een grafstem. 'Al woonden we in een paleis, dan nog zou je het van me vragen.'

'Alsjeblieft.'

'Oké dan, wat jij wilt.'

'Is dat een ja? Ruim je ze op?'

'Jaja, ik doe het.'

'Wanneer?'

'Later, Maz, chill.'

Het gaat er niet van komen. Ik doe mijn mond open om het weer te vragen. Of 'zeuren', zoals het heet als een vrouw meer dan eens vraagt of een man iets wil doen. 'Prima,' besluit ik. Nog iets voor op de Lijst.

Mijn humeur is er sinds de lunch niet beter op geworden, als de bel gaat. Ik voel paniek, zoals je vroeger kon hebben als je 's ochtends vroeg bij de bakker onopgemaakt en in je pyjamabroek die ene leuke jongen tegenkwam. Als huizen mensen waren, was mijn huis op dit moment die vrouw met dat gekke haar en die winkelwagen vol oude kranten. De oudpapierdoos is leeggegooid en de inhoud ligt bij wijze van knikkerbaan op de trappen van de tweede verdieping tot aan de begane grond.

'Gabe,' zegt Joel tegen zijn laatstgeborene. 'Niet daaraan trekken, straks doet ie het niet meer.'

Gabriel blijft trekken aan het – ik moet toegeven – indrukwekkende middenstuk van de baan, dat bestaat uit een kartonnen koker waar inpakpapier omheen heeft gezeten, een paar afgeknipte plastic flessen en een brug van vershoudfolie.

Ik sta in dubio: snel een plek in huis toonbaar genoeg maken om iemand te ontvangen of de deurbel negeren. Hij gaat weer. 'Ik kom!' roep ik. 'Momentje!'

'Waarom maak jij altijd alles stuk, Gabe?' huilt Rufus. 'Hij is kapot, helemaal kapot.' Hij stuift weg om zich voor zeker dertig seconden op zijn bed te storten en vervolgens weer te verschijnen met een reusachtige stuiter, die met een noodgang van de baan rolt om in een hoek van de gang tot stilstand te komen in een berg laarzen, mutsen en sjaals.

'Deed hij het?'

Joel juicht bevestigend, waarna hij met twee treden tegelijk naar boven rent.

Ik kijk snel de keuken rond als de bel voor de derde keer gaat. Op de vloer rondom de stoelpoten van de jongens liggen hoopjes rijst, maar lang niet zoveel als onder Joels stoel. Een jongensonderbroek – gelukkig zonder remsporen – bij het fornuis. Onder mijn voeten kraken cornflakes en over de kapotte verwarming hangen kleren te drogen. Onderweg naar de deur schop ik zo veel mogelijk troep opzij en ik hoop dat het iemand is die aan het verkeerde adres is of zo'n voormalige mijnwerker die schoonmaakmiddelen verkoopt.

Het is geen van beiden, en ik kan mijn verbazing bijna niet verbergen als ik zie wie de onverwachte gast is. 'Hallo, Alison.'

'Nou nou, wat waren jullie aan het doen? Ik dacht dat je nooit zou komen. Stoor ik?' Ze probeert om de deur te kijken.

'God, nee. O nee, echt niet.' Denkt ze soms dat ik door Mitzi geïnspireerd ben om mijn liefdesleven midden op de dag nieuw leven in te blazen? Als ze ziet dat er eierdozen door het hele huis liggen in plaats van ondergoed zal ze daar wel snel vanaf zijn. 'Wat doe jij hier?' We kennen elkaar, maar we zijn geen vriendinnen, en zeker niet van het soort dat onaangekondigd bij elkaar binnenvalt. Ik sta op het punt om iets te zeggen in de trant van: 'Niet dat ik het niet leuk vind om je te zien', als ik bedenk dat dat gelogen zou zijn. Ik doe het niet.

'Ik heb net Oliver naar een verjaardagsfeestje gebracht en Chris past voor een keertje ook eens op zijn eigen dochter.'

'Ah, super.' Alison is altijd ergens kwaad om. Bij haar vergeleken voel ik me bijna heilig. Oké, soms dan.

Kreten van vreugde en knikkerbaan-aanmoedigingsyells weerklinken. Ik probeer de deur iets verder open te doen, maar een step blokkeert de boel. Ik moet het doen met een kleine spleet om doorheen te kijken, als een bang, oud omaatje met een ketting op de deur. Dat is trouwens niet zo heel anders dan hoe ik me voel in de aanwezigheid van Alison, met haar constante gesnauw en vermogen om tegelijk gevoelens van medelijden en wedijver op te wekken.

'Ik kom cadeautjes brengen,' zegt ze, zwaaiend met een volle plastic tas. 'Je vertelde toch dat Rufus zo'n moeite had met lezen?'

'Nee, hij kan best lezen, maar hij wil niet...'

'Dus heb ik al onze beginnend-lezen-boekjes voor je meegenomen.'

'Heeft Grace die niet nodig?' Grace is een jaar jonger dan Rufus.

'O nee, die heeft zichzelf leren lezen toen ze drie was. Ze is gek op Nijntje. Voor het eind van het jaar vraagt die naar de complete Harry Potter-serie.'

Ik wil de tas al aanpakken, maar realiseer me dan dat die te vol is om door de kier van de deur te wurmen, tenzij ik hem verder opendoe. Ik duw de deur een paar centimeter verder open, wat Alison opvat als een uitnodiging om binnen te komen.

'Goh,' zeg ik. 'Een paar uur zonder de kinderen. Wat heerlijk. Je hebt vast honderd dingen die je wilt doen.'

'Inderdaad.' En dan is ze binnen. Ik herinner me dat Mitzi een keer vertelde dat Alison haar opbelde en urenlang aan de praat hield, en dat wij ons afvroegen wie nou haar echte vriendinnen waren. Dat Mitzi toen besefte dat zij Alisons echte vriendin was.

'Oei,' zegt Alison met een blik op de gang, die bezaaid is met handschoenen, mutsen en – vraag me niet waarom – een uv-bestendig kinderzwempak. 'Is er ingebroken?'

In haar wereld is dat een grapje. 'Het is weekend, je weet hoe dat gaat. Als ik wist dat je zou komen...'

Ik hoor een schreeuw van boven. 'Klaar voor de start, aaaf...!' roept Joel, gevolgd door een vervaarlijk gebonk van Rufus, die twee trappen af komt zeilen in een Cars-slaapzak in een poging om eerder beneden te zijn dan de knikker. Hij en de knikker belanden met een doffe dreun aan Alisons voeten.

Joel en Gabe komen achter Rufus de trap af gerend.

'Voorzichtig op de trap!' zeg ik.

'Oké.'

'Niet jij, Joel. Gabe. Glijd maar op je billen naar beneden, liefje.'

'Lukte het?' vraagt Joel aan Rufus.

'Ja, ik kwam helemaal beneden en ik hoefde niet eens te duwen en ik heb gewonnen. Ik was eerst, maar hij ging echt snel en ik ook.'

'Je kent Alison toch?' zeg ik, hoewel ze in dit huis beter bekendstaat als Kwellison.

'Ja, wij kennen elkaar,' zegt Joel. 'Wil je onze knikkerbaan proberen? Hij begint helemaal boven en we hebben er twee uur aan gewerkt. Kijk,' zegt hij, wijzend naar het avocadokistje dat onder aan de baan dienstdoet als laatste rustplaats voor de knikkers. 'Helemaal recycle.'

Ik verwacht weinig enthousiasme van haar, aangezien het eruitziet

alsof de oudpapierbak verzeild is geraakt in een overactief broedpro-
gramma, maar ze lacht. Ik durf zelfs te beweren dat ze koket giechelt.
'Dat ziet er geweldig uit. Wat lief, Joel. Wat ben je toch een geweldige vader. Wat heerlijk voor jou, Mary. Ik zou ook wel willen dat die
lapzwans van een Chris ooit zoiets zou doen, hoewel hij nu natuurlijk
erg druk is met klanten werven en zijn energie niet moet verspillen
aan het bouwen van een knikkerbaan, hoe mooi hij ook is. Had ik al
verteld dat hij dit jaar zijn grootste bonus ooit krijgt? En dat ondanks
de crisis.'
Ze loopt linea recta door naar de keuken en blijft alleen even staan
om een halfopgegeten appel op te rapen die aan haar voet is blijven
kleven.
'Tja, het is weekend,' zeg ik weer.
'Weet je dat ik echt bewondering heb voor hoe relaxed jullie kunnen zijn in deze puinhoop? Ik wou dat ik mijn huis eens zo kon laten
gaan,' zegt ze.
'Ik vind er eerlijk gezegd niets aan. Ik wou dat het anders was.'
'Heb je geprobeerd alles wat je gebruikt meteen op te ruimen?'
'Zo ziet het eruit als ik alles meteen opruim. Als ik dat niet zou
doen, zou het hier helemaal niet begaanbaar zijn. Dat is het trou-
wens ook bijna niet.'
'Arme jij. Het valt ook niet altijd mee.'
'Het gaat prima. Mijn huis is alleen niet zo smetteloos als dat van
jou, dat is alles.'
'Wil je het geheim weten?'
'Is er dan een geheim?'
'Jazeker, er is een geheim. Zal ik het vertellen?'
Ze buigt zich naar voren. Ik buig me naar voren. 'Natuurlijk,' hoor
ik mezelf fluisteren.
'Ben je er klaar voor?'
Ik knik.
'Het zal je leven veranderen.'
En het kan, denk ik, mijn huwelijk redden.

Ik weet niet wat ik verwachtte van Alisons geheimzinnige openba-
ring. Een soort voodoo, misschien, die de kleine schoonmaakka-
boutertjes naar mijn huis zou lokken. Of dat Alison zou bekennen
dat haar gezin niet normaal at, maar gevoed werd door maagsondes,
waardoor het eindeloze proces van boodschappen doen, koken en

afwassen overbodig werd. Of dat ze kleren dragen van de NASA die vuil en bacteriën afstoten. Dat haar gezin uit ruimtewezens bestaat die geen troep maken en niet hoeven te douchen. Dat ze een robot had voor al haar schoonmaakwerk, of, als dat niet kon, een goedkope illegale immigrant die onder de trap woonde.

Wat ik kreeg was een naam op een beduimeld briefje.

'Wat is dit?' Een goeroe misschien. Een toverfee die bij mij thuis zou komen en met haar toverstafje zou zwaaien, zodat de wirwar van snoeren ineens keurig op orde was en de oude kleren automatisch in zakken zaten om naar de kringloop te brengen.

'Het is een website. Voor mensen zoals jij. Ik was vroeger ook zoals jij, Mary, maar ik heb het licht gezien. Volg het licht, Mary, en ook jij zult een opgeruimd huis hebben. Je zult bovendien gelukkiger worden.' Ze verkondigde het evangelie als een AA-lid, maar haar preek werd net dat beetje ongeloofwaardiger doordat ze nog steeds de grootste chagrijn is die ik ken.

'Ben je door die site gelukkiger geworden?'

'O, ja. Ik ben echt rustiger geworden. Vraag maar aan de mensen die me kennen. Je kunt het je vast niet voorstellen, maar ik ging altijd tegen mijn man en kinderen tekeer. En nu,' glimlachte ze sereen, 'hebben we de rust gevonden.'

'Soms,' zei ik tegen haar, 'lijkt het of mijn huis de fysieke weergave is van mijn gedachten, en die zijn rommelig en verward, en als mijn huis een witte, lege ruimte was, dan zou mijn hoofd ook leeg zijn. Leeg op een positieve manier, bedoel ik.'

De ringtone van Alisons mobieltje klonk. 'Godsamme, Chris,' snauwde ze. 'Het enige wat ik wil is dat je twee uurtjes op Grace past. Is dat al te veel gevraagd? Die staat in de kast bij de voordeur, natuurlijk, waar hij altijd staat, wat je zou weten als je je kind vaker zou meenemen naar de schommels. Ik ben om zes uur terug. Gaat dat lukken, denk je? Hmm? Lastig? Hoe denk je dat ik het doe als jij je golfweekendjes met overnachting hebt? Best vreemd dat ik meer verdien dan jij, maar toch meer voor de kinderen zorg, vind je niet?'

Ze stopte de telefoon in haar zak en keek me met een schuin hoofd meewarig aan. 'Probeer het maar eens,' herhaalde ze. 'Volgens mij heb je het hard nodig.'

Ik installeer mezelf achter mijn laptop en met een bijna onhoudbare nieuwsgierigheid naar wat komen gaat typ ik het adres van de website in. Zeg het me, straal ik in stilte richting de computer, zeg het me.

In plaats van de virtuele magie waar ik op gehoopt had, verschijnt er een van de slechtst vormgegeven webpagina's ooit op mijn scherm, met uitspraken als: 'Ruim op!', 'Een nieuw programma voor thuismanagers!', en: 'Blije glimmende keukens!' Ik snap het niet. Is dit het levensveranderende geheim dat Alison me beloofd had?

Ik lees door, hoewel mijn handen jeuken om de Lijst erbij te pakken om de opbrengst van vandaag in te voeren. Ik worstel me door een woud van uitroeptekens heen en probeer te begrijpen wat de boodschap is. Uiteindelijk wordt me duidelijk dat de makers van de site een systeem hebben bedacht waardoor je huis brandschoon is en altijd klaar om gasten te ontvangen, dat je bovendien maar een kwartiertje per dag kost. Dolenthousiaste persoonlijke getuigenissen hebben het over levens en huizen die volkomen veranderd zijn door de 'dumpdans' die inhoudt dat de thuismanager een song van drie minuten opzet en in die tijd zo veel mogelijk dingen weggooit. Anderen hebben het over het uitroeien van hun 'giftige vlekken', wat klinkt als iets wat ik sinds de puistjes in mijn tienerjaren niet meer gedaan heb. Ze bejubelen stuk voor stuk de transformatieve krachten van hulpmiddelen als 'gouden schriften', ringmappen met todolijstjes, weekmenu's en huishoudzones. Doris Lessing kon trots op ze zijn.

Ik lees door in de hoop te ontdekken hoe je kunt zorgen dat je huisgenoten net zo enthousiast worden over het wegwerken van overbodige troep in huis als jijzelf, terwijl ik me tegelijkertijd afvraag waarom de vrouw achter deze site niet op het idee is gekomen om het grootste deel van de uitroeptekens die de inhoud van haar boodschap vervuilen weg te werken. Mijn ogen branden als ik alleen maar denk aan het gebod om te genieten van de dagelijkse poetsbeurt van de wc-pot en blij te worden van het weggooien van troep. Ik verlang steeds meer naar mijn uitroeptekenvrije, heerlijke saaie zone van de Lijst. Mijn Lijst.

Maar toch vraag ik me af of al die vrouwen (want het zijn allemaal vrouwen) het dan bij het verkeerde eind hebben. Alison zei dat het haar leven had veranderd, dat ze van Kwellison naar Zennison was gegaan. Misschien ga ik dan ook van koele Mary naar zwoele Mary. Voordat ik van gedachten kan veranderen, schrijf ik me in voor de elektronische nieuwsbrief met titels als 'Gebruik het systeem' en besluit ik het 'BrandSchoon!TM'-systeem voor een efficiënt huishoud-management een week lang uit te proberen.

<u>Dag 1.</u> Tegen de tijd dat ik maandag op mijn werk mijn inbox open heb ik 39 berichten van mijn nieuwe vrienden van BrandSchoon. Ik ben al verbijsterd voordat ik iets gelezen heb. Hoe moet ik de tijd vinden om door de puinhopen van mijn huis te jakkeren als ik eerst uren bezig ben mijn inbox door te ploegen?

Ik kom er al snel achter dat ik hopeloos achterloop. Ik had mijn wekker een halfuur eerder moeten zetten om te zorgen dat die wc-pot er weer stralend bij stond als de rest van het gezin opstond, en ik tevens mijn 'gezicht' al had opgezet; waarmee ze, denk ik, niet doel-den op make-up, maar op een blije moederlijke glimlach.

Ik kijk fronsend naar mijn scherm als Lily mijn gedachten onder-breekt. 'Matt vroeg of ik jou wilde zeggen dat hij wil dat vandaag nog alle kosten aan het schema worden toegevoegd. Of zoiets. En zo.'

Ik hoor haar praten, terwijl ik lees: 'Ga de afwasmachine uitrui-men! Geen gemaar, nu meteen, tante!'

'Sorry, wat zei je, Lily?'

'Ik weet niet. Matt zei iets over schema's en kosten. Hij heeft ze nodig.'

'Doe ik. Zeg als je hem ziet maar dat het in orde is.' Maar, denk ik bij het veertiende zeurmailtje van BrandSchoon, mijn kasten heb ik lang niet allemaal op orde, of wel soms? Mijn hoofd zal blijkbaar nooit leeg worden zolang mijn kasten vol zitten. Ze hebben het zelfs over een 'garderobekast', wat waarschijnlijk zo'n ding is dat mensen in een parallel universum hebben in plaats van een ongeorganiseer-de berg jassen en toebehoren op de grond onder de kapstok in het halletje. En wat dacht je van stof afnemen aan de onderkant van de eetkamerstoelen? Ik heb niet eens een eetkamer. En moet ik echt mijn eigen 'persoonlijke luchtverfrisser' samenstellen uit verse munt en rozenblaadjes?

De rest van de dag probeer ik twee petten op te houden: die van de efficiënte thuismanager (wat dat dan ook moge zijn. Een haarnetje, misschien) en die van een al net zo efficiënte opzichter van het pro-ductiemanagement van een bloeiende onafhankelijke televisiemaat-schappij (een speels schuin gedragen baret?). Ik durf mijn inbox bijna niet meer te openen uit angst voor nog meer aanmoedigingen om mijn vogelvoederbakjes te vullen en van mezelf te houden. O god, BrandSchoon heeft gelijk: ik zou de badspeeltjes van de jongens vaker moeten schoonmaken, zodat ze minder vaak grijze drab zouden uitspugen als je erin kneep, en vaker schoon badwater. En als ik een waskamer had, zou ik zeker tussen de daar opgeborgen apparaten op zoek gaan naar de ontbrekende sokken.

Omdat ik nog geen tijd heb gehad een ringband aan te schaffen om aan een Gouden Schrift te beginnen, krabbel ik een todo-lijst op de achterkant van een agenda van een redactievergadering en ga naar huis met het vaste voornemen het BrandSchoon-systeem een serieuze kans te geven.

Ik neem nauwelijks de tijd om met mijn kinderen te communiceren, zo ijverig stort ik me op het afstrepen van de taken op mijn lijstje. In mijn queeste om het opgedragen aantal zaken gedaan te krijgen ben ik gedwongen de kunstwerken weg te gooien die Gabe heeft geknutseld op het kinderdagverblijf. Hij kijkt een beetje beteuterd, maar soms denk ik dat de onafgebroken stroom van werkjes meer te maken heeft met de wens indruk te maken op de ouders dan met het stimuleren van de artistieke talenten van het kind. Bovendien waren ze, als ik eerlijk ben, niet bijzonder goed.

Bij het eten leg ik kranten onder alle stoelen, zoals geïnstrueerd, en na het eten gooi ik die weg, samen met de natte doekjes die ik heb gebruikt om de wc 'stralend' schoon te krijgen en de zieltogende potplant die ik van Ursula kreeg voor kerst (Goh, Ursula. Bedankt). Daarna moet ik de vuilniszak verwisselen, omdat hij volzit met de vruchten van mijn arbeid en het rottende fruit uit de fruitschaal. Ik heb zin om Joel erbij in te stoppen als hij thuiskomt en zegt dat ik moet 'chillen'. Het feit dat je het in tienertaal met een vleugje ironie verpakt maakt het nog niet oké, man van me.

Dag 2. Het huis ziet er niet beduidend beter uit. Ik merk dat ik zoveel tijd kwijt ben aan de inrichting van een mooi Gouden Schrift dat ik geen tijd overheb om te zorgen dat ik er overdag zelf 'leuk en aardig' bij loop. Op mijn werk probeer ik de hele dag zo veel mogelijk klaar te spelen met wéér minder geld en gehalveerde promotieteams, om vervolgens thuis een poging te doen om ten minste één van de huishoudelijke zones aan te pakken. Voordat ik 's avonds uitgeput in bed kruip moet ik de woonkamer en de keuken opruimen, de tafel dekken voor het ontbijt en bedenken wat ik zal serveren. Zwaar gesuikerde cornflakes, in mijn geval. Als ik op bed lig is het werk van de vrouw nog niet gedaan, want dan denk ik terug aan wat ik deze dag allemaal heb bereikt en alles waar ik dankbaar voor ben en maak ik bovendien tijd voor mijn 'DE', oftewel mijn 'Dierbare Echtgenoot'. Dat laatste vat ik op als een eufemisme. Hoe dan ook, ik doe het niet en ik val ook niet, volgens de opdracht, in slaap 'met een lach op mijn gezicht'.

Dag 3. Wat ik moet doen: de planten bemesten, originele bedank-briefjes schrijven, boodschappen, de financiële administratie en de kapotte lampjes in de afzuigkap vervangen. Ik moet iedereen in het gezin vertellen dat ik van ze hou en wat ik zo geweldig aan ze vind. Ik moet tegen mezelf zeggen dat ik van mezelf hou en vijf dingen bedenken die ik geweldig aan mezelf vind.

Wat ik in plaats daarvan doe: schreeuwen! Hou op, hou op, hou op! Stomme idiote wijven! Laat me met rust, ga weg! Waarom laten jullie me niet met rust? Wat maakt het uit dat ik de vloerbedekking niet heb gereinigd op een donderdag? Jullie zijn allemaal gestoord. Fuck, fuck, fuck (ik heb zo'n idee dat de BrandSchoon-dames hun thuismanagers liever niet zo grofgebekt hadden gezien)!

Ik laat mijn hoofd in mijn handen zakken. Gelukkig heb ik me vandaag niet de reguliere 'perfecte' dagpoets-coupe aangemeten, zo-dat ik mijn kapsel niet kan bederven. Ik voel tegelijk medelijden en bewondering voor Alison. Geen wonder dat zij altijd zo'n pesthu-meur heeft. Ze wordt de hele dag digitaal getreiterd. Erger nog: ze luistert er nog naar ook. Ik zou gek worden – nog gekker dan ik al was – als ik ermee doorging.

Ik zoek de knop om me af te melden en verwijder alle e-mails uit mijn inbox, alle 103, van die bron van vlijtige jarenvijftignonsens. Ik adem uit. In één ding hebben ze wel gelijk, die BrandSchoon-dames: het lucht inderdaad op om onnodige troep te lozen.

Ik open de Lijst, die ik de afgelopen drie dagen heb genegeerd. Hij is zo heerlijk helder en duidelijk. Ik kan het scherm wel zoenen. Wat de BrandSchoon-mensen vergeten waren te melden is dat echtgeno-ten, of 'dierbaren', eventueel ook konden bijdragen aan een efficiënt huishouden. De Lijst doet dat wel. Ik zou er weleens patent op kun-nen aanvragen en een website kunnen bouwen voor anderen zoals ik, die hun leven weer op de rails willen krijgen, als een tegenhanger voor de BrandSchoon-gekte. En wie weet, als puntje bij paaltje komt zorgt de Lijst er misschien wel voor dat ik me bevrijd van de grootste overbodigheid van mijn leven.

Map: privéadmin

Documentnaam: Huishouden maart

Tegoed maart: 2 per dag, totaal 62

Totaal minpunten maart: 99

Categorieën van overtredingen: 19 keuken; 19 badkamer; 7 was; 11 slaapkamer; 23 dagelijks leven; 8 opvoeding; 5 algemene tekortkomingen; 7 geld.

Overtreding van de maand: Op een ochtend roepen: 'Waar heb je mijn sleutels gelaten?' 'Nergens.' 'Weet je het zeker? Jij ruimt altijd alles op. Ik kan vandaag echt niet te laat komen – waar zijn ze? Dan ga ik met de jouwe.' En weggaan terwijl ik vloekend het hele huis door loop, om zijn sleutels uiteindelijk nergens te vinden en de reserveset haal bij de buren. Toen hij thuiskwam, bleken de sleutels de hele tijd in zijn zak te hebben gezeten. Hij vond het wel grappig.

Compensatiepunten: 7. Wat leuke activiteiten met de jongens en een paar complimentjes. Dat was het wel.

Totaal minpunten maart: 30 (99 min maart tegoed van 62 en 7 compensatiepunten)

Totaal overige punten: 58 voor de komende 4 maanden (100 min 42)

6

De gele tandenborstel

'Shit!'

'Mama, dat mag je niet zeggen,' zegt Rufus bestraffend.

'Nou, dat mag ik toevallig wel, want het is geen vloek, maar een beschrijving van de werkelijkheid.' Hij kijkt me vragend aan. 'Waarom, waarom, waarom laten mensen hun stinkende honden overal op straat poepen? Dat is zó smerig!' roep ik tegen niemand in het bijzonder, misschien in de hoop dat een schuldige hondenbezitter me hoort. Of een schuldige hond, voor mijn part. 'Gadverdamme, het zit aan de wielen van de buggy. En jouw schoenen, Ruuf. Waarom kijk je niet uit waar je loopt?'

'Ik kan er toch niets aan doen?'

'Nee, dat weet ik wel. Het komt door die ellendige hondenbaasjes.' Ik verhef nogmaals mijn stem. 'En het is zeker mijn schuld dat ik op tijd op school wil zijn en niet goed uitkijk waar ik loop?' Joel vindt dat ik geobsedeerd ben door hondenpoep. We lopen rond met een ingebouwde radar die constant piept, klaar om naar de kinderen te roepen dat ze moeten blijven staan en ze de straat op te trekken, precies in de baan van een op volle snelheid naderende auto, om tenminste te voorkomen dat de buggywielen onder de poep komen te zitten.

Om onverklaarbare redenen werkte mijn ingebouwde radar deze ochtend niet. 'Shit, shit, shit!' grom ik.

De hondenpoep lag niet alleen midden op de stoep, maar ook midden op de route tussen ons huis en de school. Even sta ik stil; dan draai ik de buggy honderdtachtig graden en trek Rufus net iets te hard mee aan zijn arm om een paar poepschoenen in de gootsteen te zetten, waar ze zullen blijven wachten tot ik terug ben uit mijn werk.

'Maar ik wil die gympen niet aan!' huilt hij.

'Waarom niet? Ik dacht dat je ze zo mooi vond? Ze geven licht als je loopt.'

'Die zijn voor baby's. Gaby baby, Gaby baby.'

Gabe slaat terug met een uithaal waarbij bloed vloeit. 'O god, tijd om je nagels te knippen.' Rufus brult alsof hij met een machete is opengereten.

'Och, lieverd, arme schat! Maar je moet nu deze schoenen aantrekken. Deze of sloffen, of blote voeten.'

Hij brult door.

'Alsjeblieft, hier heb ik geen tijd voor,' zeg ik, terwijl ik met een oude gele tandenborstel de poep uit het profiel van de buggywielen probeer te poetsen, waarbij ik mijn adem inhoud.

Hij brult nog harder als hij op school een telaatbriefje krijgt. Te laat komen wordt niet geaccepteerd, maar het is wel oké dat een of andere gek zijn grote hond aan het schoolhek bindt. Ik zou weleens een DNA-test willen doen op die enge Staffordshire-bastaard die ons de weg verspert om te kijken of het overeenkomt met de stront op het paar kinderschoenen in mijn gootsteen, die stront die met het uur harder en moeilijker te verwijderen wordt. Wedden dat het die hond is? Ik wil weten waar de baasjes wonen en hun neuzen in de met vliegen bedekte hoop op straat wrijven. Of een van Gabriels luiers door de brievenbus gooien. Als hij diarree heeft.

Blije Kylie, de goeiige klassenassistente, komt op ons af met haar uitstraling van weldoenster. 'Vergeet je niet dat de eersteklassers vanmiddag hun taartenverkoop hebben? Bijdragen kun je op het aanrecht in de lerarenkamer neerzetten,' zegt ze opgewekt.

'Sommige mensen moeten werken,' snauw ik tegen haar. Ik zou zweren dat ik haar 'kreng' hoorde ademen.

'Geen probleem,' zegt ze opgewekt.

Ik ren met de buggy voor me uit alsof ik train voor een marathon en probeer het gezeur van Gabriel, die wil lopen, niet te horen. Hij begint te huilen. Mensen kijken naar me alsof ze op het punt staan de kinderbescherming te bellen. Bij Deena ga ik niet naar binnen, maar ik positioneer Gabriel op de stoep als een of andere aankoop van een postorderbedrijf. Ik heb de neiging om, net zoals de meeste koeriers, gewoon aan te bellen en weg te gaan voordat er iemand open heeft gedaan met een kaartje met de tekst: 'Wij hebben u niet op het adres aangetroffen' erbij. Ik zeg: 'Hier is hij,' gooi een tas met schone luiers naar de immer fruitige Deena en smeer 'm naar kantoor.

Natuurlijk laat de bus uren op zich wachten. Als mijn baas met telaatbriefjes zou werken, zou ik er nu een krijgen. Desondanks ben ik alsnog vroeger dan veel van mijn collega's, maar dat weerhoudt hen er niet van zich, 'Parttimer!' mompelend, om te draaien als ik om klokslag halfzes opsta om naar huis te gaan.

Zelfs staand in een overvolle bus voel ik dat ik voor het eerst sinds zes uur even tijd heb om te ademen. Ik geniet er heel even van en neem dan in gedachten de werkdag door die voor me ligt. Ik ben niet verder gekomen dan elf uur als we bij mijn halte stoppen, en ik stap uit en ren naar kantoor. Daar word ik onmiddellijk overspoeld door een golf vragen en klachten van de arriverende troepen.

'Mary, er moet nog vijf procent van deze begroting af. Maakt me niet uit waarvan. Als het moet doe ik het camerawerk zelf wel.'

'Waarom krijgen we geen zakgeld op de dagen dat we weg zijn? Dat is toch niet eerlijk? Dan moeten we onze lunch en koffie zeker zelf betalen, of zo?'

'Oi, La Roux, dit schema is een ramp. Dat gaan we nooit redden. Het lijkt wel sciencefiction. En ik krijg het allemaal op mijn dak.'

Dat krijg je helemaal niet, denk ik stilletjes. Ík krijg het allemaal op mijn dak. Dat ben ik: het afvalputje, het zwarte schaap, het laatste station.

'Spannend, hè?' zegt Lily tegen me.

'Wat?'

'Dat we deze week gaan filmen. Leuk!'

Filmen is leuk, ja, en het doet goed om een opdracht te hebben in deze moeilijke tijd. Ik dwing mezelf om trots te zijn op deze productie, ook al is het een commerciële spelshow met een panel en gebaseerd op de roddelbladen, die alleen op de een of andere obscure zender uitgezonden zal worden. Als het filmen begint is het alsof een toneelstuk eindelijk voor publiek wordt gespeeld; als het inrichten van een nieuw huis na het saaie voorwerk, zoals de fundering en het metselen; het is de race die eindelijk gelopen wordt na uren van training. Helaas betekent mijn ondersteunende functie, parttime en binnen kantooruren, dat ik wel meedoe aan de voorbereiding, maar de opwindende apotheose misloop. Ik vraag me voor de zoveelste keer af of er geen manier is om weer op die begeerde stoel van producent-regisseur plaats te kunnen nemen, of ben ik dan te veel van huis en betekent het dat ik, als ik dan eenmaal thuis ben, nog meer tijd kwijt ben aan het saaie papierwerk rondom een productie, wat ten koste gaat van speeltijd met de jongens?

'Het voelt alsof mijn jongens groot zijn geworden,' zeg ik over de loopjongens, productie-assistenten, regisseurs en producenten, 'en nu moeten ze het nest verlaten en de wijde wereld in gaan. Ga maar, kleintjes.' Ik heb in figuurlijke zin de kont van de crew afgeveegd, heb ze verzorgd en getraind, en nu zijn ze klaar voor de universiteit van het leven zoals het tijdens een productie geleefd wordt. Ze laten mij achter en zullen zich, als studenten tijdens de ontgroening, lam zuipen, high roken en aan elkaar vergrijpen. Ik hoop dat ze ondertussen de klus geklaard krijgen. Als dat niet lukt, krijg ik de schuld.

'Kom je vrijdag niet naar de opnames?' vraagt Lily. 'Toe nou, daarna worden we allemaal dronken.'

'Niet van het geld dat ik ervoor begroot heb.'

'Spelbreker.'

Nu ben ik de saaie. Dat is niet altijd zo geweest. Toen Joel en ik elkaar leerden kennen werkte ik aan een vergelijkbare productie. We flirtten wat, toen weer niet, en toen werden we een stel. Kort samengevat dan. In de lange versie speelt Mitzi een bijrol. Maar toen we elkaar uiteindelijk vonden, hield ik meteen en onvoorwaardelijk van hem. Ik hoefde me nooit zorgen te maken dat hij niet zou bellen of me zat zou worden. Joels zelfvertrouwen maakte dat je helemaal voor hem ging en hij voor jou. Ik droeg zijn gerafelde truien en zijn warme grijns. Op de leeftijd van zevenentwintigenhalf vond ik mijn eerste ware liefde. In mijn maag heerste een constante blije verwachting van wat komen ging. Ik wilde zijn naam op mijn tas schrijven en met mijn hand in zijn broekzak lopen. Ik voelde me zeventien. Nee, niet weer zeventien, niet hoe ik me voelde toen ik echt zeventien jaar was, wat te omschrijven is als ellendig, onzeker en angstig. Nee, ik voelde me zeventien zoals zeventien in de film: blozend van liefde, optimisme en kansen.

Ik weet niet hoe we nog iets van werk gedaan kregen. We vierden feest met onze vrienden op kantoor, genoten ervan hen als getuigen te hebben van onze volmaakte liefde – ons eigen Griekse koor, fluisterend over het geweldige stel dat we waren. Daarna gingen we naar huis om urenlang seks te hebben, niet doordat we allerlei ingewikkelde tantrische standjes beoefenden, maar doordat we niet konden stoppen met praten. Ik genoot intens van de verhalen over zijn wilde jonge jaren en mijn relaas over noordelijke degelijkheid fascineerde hem net zo. We gingen pratend naar bed en stonden pratend op. Monden gemaakt om te praten, te zoenen en te lachen.

'Kom op, je kunt toch wel zo'n, eh... hoe heet het... oppas regelen?' Mijn lofzang wordt wreed verstoord door Lily.

'Maar Lily, die oppas is er de volgende ochtend niet meer als ik met een kater en twee overactieve jongetjes zit.'

'Nou, dan neem je toch iemand die blijft slapen?'

'Misschien.' Niet dus.

De geur van stront zit aan mijn handen, hoe hard ik ook schrob, als een ware lady Macbeth. Ik vraag me af hoe ik Joel de schuld kan geven voor het debacle van deze ochtend. Als hij Rufus naar school had gebracht in plaats van hem en Gabriel allebei aan mij over te laten, zou het nooit gebeurd zijn. Nou ja, het was misschien wel gebeurd, maar niet bij mij in elk geval. Als mannen zoals hij de moederlijke angst voor hondenpoep deelden was er waarschijnlijk allang een wet tegen geweest en werden hondenbezitters naar behoren gestraft. Als ik vanmorgen zijn eindeloze gemorste-melkkringen niet van het aanrecht had hoeven poetsen, had ik me niet zo hoeven haasten.

Ik besluit om even naar buiten te gaan voor een pakje kauwgom, in de hoop dat een frisse pepermuntadem me kan verlossen van de hondenpoepkegel die hardnekkig om me heen blijft hangen.

Dan zie ik haar: Cara. Ze loopt mijn kant op – nee, schrijdt – vanaf het eind van de straat. Ik wou dat ik haar op mijn weg terug van de kiosk was tegengekomen, met een muntfrisse adem, in plaats van op weg ernaartoe. Maar dan had ik kauwgum in mijn mond gehad, en ik zou het vreselijk vinden om met Cara te moeten praten met kauwgum in mijn mond; dat zou – ik hoor het haar zeggen – van weinig cachét getuigen.

Het is te laat om een van de steegjes aan weerszijden van deze oude industrieweg in te schieten, dus ik besluit stoïcijns voor me te blijven kijken, zodat ik tenminste verbaasd kan reageren als we elkaar passeren. Of moet ik zorgen dat ik haar blik vang en haar vriendelijk toelachen totdat we elkaar aan kunnen spreken? Maar dan moet ik wel heel lang vriendelijk glimlachen en ik weet niet zeker of mijn gezichtsspieren dat aankunnen. Over al die dingen denk ik na, totdat we tegenover elkaar staan.

'Goedemorgen, Mary,' zegt ze, en ze zoent me op beide wangen zonder de ontluisterende, kunstmatige *mwah*-geluiden.

'Hallo, Cara, wat doe jij hier?'

'Ik woon en werk hier.'

'O ja, natuurlijk. Ik was op weg naar de kiosk.'

'Mooi.' Ze kijkt altijd zo geamuseerd. Ik wou dat ik de wereld hoogst amusant vond in plaats van tergend irritant.

Ik spring in het gat met een besmuikt 'Hoe is het met Becky?' Bij het stellen van die vraag voel ik me opdringerig als een roddeljournalist, terwijl het in wezen een onschuldige vraag is.

'Hoe denk jij dat het met haar is?' antwoordt ze.

'Prima.' Waarom vraagt ze dat aan mij?

'Nou, dan gaat het prima met haar,' zegt ze zonder blikken of blozen.

'Ik werk hier vlakbij.' Ik klink als een schoolmeisje dat indruk probeert te maken op een populaire leerling uit een hogere klas.

'Volgens mij wist ik dat al. We moeten maar een keer een drankje doen.'

'Goed plan. Dat zou leuk zijn; ja, laten we dat doen.' O, god, laten we dat maar níét doen, want waar moeten we het over hebben? Ik kan op straat niet eens een normaal gesprek voeren. Ik snap dat Mitzi haar vriendin is, maar hoe kan Becky in 's hemelsnaam haar vriendin zijn? Haar minnares. Theoretisch begrijp ik denk ik wel wat ze in elkaar zien, maar ze zijn zo verschillend dat ik ze niet eens een keuken zie delen, laat staan een slaapkamer. Ze zijn van hetzelfde geslacht, maar komen van verschillende planeten.

'Mooie jas,' zegt ze, en ze raakt even mijn mouw aan.

'Echt waar? Dit oude ding?' lach ik, hoewel ik het gevoel heb dat ik in de maling word genomen.

'Ik moet gaan,' zegt ze. 'Ik heb een brunchafspraak.' Ik zie haar in gedachten al zitten in een chic restaurant met haar vissalade en een glas champagne, waar ze nooit gewoon uit drinkt maar aan nipt.

'Tot ziens dan maar.' Ik loop weg en begin te malen. Dit is gewoon zielig. Ze is de vriendin van mijn beste vriendin. Niet de premier of een of andere beroemde hersenchirurg. Ik ben een volwassen vrouw, moeder van twee, hoogopgeleid en verantwoordelijk voor de verdeling van honderdduizenden ponden, zonder noemenswaardige misstappen op mijn naam; ik zet zonder probleem talentvolle 'professionals' aan het werk; ik kan godverdomme omgaan met Gabriels driftbuien in openbare gelegenheden. Gewoonweg zielig, herhaal ik in gedachten.

In bed met mijn computer op schoot overdenk ik de dag, half magisch, half tragisch, terwijl ik de Lijst bijwerk, die snel naar een vroegtijdig totaal toe raast nog voor het einde van de maand.

Ik lees de eerste overtredingen van de dag na. **Subsectie A [keuken] nummer 16** *Verwijdert nooit de prut uit de gootsteen.* Deze haat ik; het doet me denken aan James Herriot die zijn arm in de vagina van een koe steekt en een kalf tevoorschijn haalt. Ik overweeg om hiervoor elke dag een punt toe te kennen, aangezien het er niet naar uitziet dat Joel deze slijmboel ooit een blik waardig zal keuren.

Ik kijk de kamer rond. **Subsectie C [was]** *Laat vuile onderbroeken opgerold in het dekbed zitten.* O, en **D [slaapkamer nummer 4]** *Laat gebruikte zakdoekjes op zijn nachtkastje liggen.* Hij laat die smerige bacteriebommen overal liggen. Nee, dat is niet eerlijk, hij laat ze niet altijd op zijn nachtkastje liggen. Soms laat ie ze in zijn broekzak zitten, zodat ze meegewassen worden en als kleine witte pluisjes op alle schone kleren blijven plakken. Wat natuurlijk ook een punt van de Lijst is.

'Jij ben ook veel op de laptop bezig,' zegt Joel.

'Nee hoor.'

'Waar werk je aan?'

'Niets.' Ik doe mijn beste imitatie van Rufus als hem gevraagd wordt wat hij op school gedaan heeft. 'Dingen. Internet. We moeten dat draadloze gedoe eens regelen. Ik wou dat ons hele leven draadloos was,' zeg ik met een treurige blik op de wirwar van snoeren achter de televisie. Ik ben die iemand die dat zal regelen. Naast de opperthuismanager ben ik ook de lokale IT-adviseur. En hoofd Financiële Administratie, Personeelszaken en Interne Communicatie.

'Heb je een virtuele verhouding?'

'Hè? Natuurlijk niet.'

'Grapje, Mary. Dacht je echt dat ik dat dacht?'

'Waarom zou dat niet kunnen? Denk je dat niemand een digitale affaire met mij zou willen? Misschien ga ik wel online vreemd.'

'Je zei net van niet.'

'Dat is ook zo.'

'Nou dan! Wat is het dan? Ik vraag me af wat erger zou zijn: jij die vreemdgaat of jij die verslaafd bent aan zo'n suf spelletje *Dungeons and Dragons*, of *World of Witchcraft*.'

'*Warcraft*,' corrigeer ik hem. '*World of Warcraft* heet het.'

'Dus dát doe je. Je bent er uren zoet mee om een schaars geklede

140

superbosnimf te spelen die luistert naar de naam Thorday.' Hij imiteert een diepe, indringende bioscoopstem.

'Echt niet. Jij weet er kennelijk alles van. Ik niet.'

Ik blijf naar mijn aantekeningen van de schuivers van vandaag kijken. Als ik een schema zou maken van hoe ik mijn tijd in bed besteed zouden er meer actieve aan de Lijst bestede minuten opgetekend worden dan aan mijn echtgenoot. Of aan wiens echtgenoot dan ook, trouwens. Waarom was Joel er zo van overtuigd dat ik geen virtuele affaire zou kunnen hebben? Ik zou best een avatar van mezelf kunnen hebben als een rondborstige blondine in een leren bikini, vrolijk flirtend met een harige tekenfilmachtige spierbundel die in het echt een kalende callcentermedewerker is die nog bij zijn moeder woont.

Hoewel ik, als ik dan toch vreemd zou gaan, waarschijnlijk voor het echte werk zou gaan. Het lijkt me nauwelijks de moeite waard om eraan te beginnen als het beperkt bleef tot digitale manoeuvres. 'Een affaire...' Ik spreek het woord in gedachten uit met een Frans accent. Minnaar, passie, erotiek... Door de woorden in het Frans te zeggen wordt het beeld een stuk smaakvoller, zoals een vochtinbrengende crème het over *luminescence pour la peau* heeft.

Het idee van een affaire roept bij mij dezelfde vraag op als gedachten aan de volmaakte huizen van andere mensen: waar halen ze de tijd vandaan? De enige met genoeg personeel om er misschien een scharrel voor tussen de middag bij te kunnen hebben is Mitzi. En wat dacht je van alle fysieke voorbereidingen die het zou vergen voordat je voor het eerst met iemand naar bed zou gaan? Als je hem bij je thuis zou uitnodigt, moet je na afloop het bed verschonen. En van tevoren ook, waarschijnlijk.

Joel zou wel een affaire kunnen hebben, dacht ik. Ik vroeg me af wat hem het meest zou bevallen aan 'overwerken': de seks of het mislopen van het vermoeiende bedtijdritueel?

Ik ga de badkamer in en zie dat Joel zijn tanden staat te poetsen met een felgele oude tandenborstel.

'Is dat jouw tandenborstel?' vraag ik.

'Ja. Hoezo?'

'Ik dacht dat het een oude was. Zo zag hij eruit.'

'Verspilling is zonde. Weet jij waarom ie op het aanrecht lag? Naast Ruufs schoenen?'

'Nee, geen idee.'

Ik ben er nagenoeg zeker van dat vandaag een dag van diverse over-tredingen van **Subsectie F [onzichtbare vrouwen] nummer 7**, voorheen bekend als nummer 33: *Kiest altijd partij voor zijn moeder*, van de Lijst zal worden.

Diep ademhalen terwijl we de auto parkeren en het potje, favo-riete speelgoed, extra kleding en, uiteindelijk, de kinderen eruit ha-len en Ursula's domein betreden. Ik moet wel diep ademhalen om rustig te blijven a) onder de passieve agressie van de Tennants, en b) het feit dat Ursula's huis letterlijk stinkt. Ik draag mijn kinderen door een overwoekerde tuin naar een voordeur die gesierd wordt door GEEN RECLAME-stickers en vergeelde 'Ban de Bom'-stickers. Vroeger fantaseerde ik altijd wat een make-over zou kunnen doen voor mijn grauwe, kleurloze medestudenten, wat een nieuw kapsel en een hip-pe outfit voor ze zouden uithalen. Nu vraag ik me af wat Mitzi met Ursula's huis zou doen, een solide dubbele edwardiaanse villa. Ze zou het kleverige zeil in de hal dat half over de originele tegels is gelegd eruit rukken en de ontbrekende panelen van het glas in lood boven de deur terug laten zetten. De grote vlakken oranjebruin ge-beitst grenen zouden overgeschilderd worden in een duifgrijze tint van handgemengde Ierse porseleinaarde.

Ze zou echter moeten beginnen met een grote schoonmaak. De vensterbanken liggen bezaaid met dode vliegen, de spaarlampen zijn bedekt met een laagje dode huid en de wc-pot is het bewijs van een leven lang niet doortrekken 'als het geel is', in de vorm van een dikke korst bruine kalkaanslag in de pot die me doet denken aan Ursula's tanden met hun ingesleten nicotineaanslag. Stapels oude kranten vechten om een plekje met torens van boeken en grote stof-fige vetplanten in grote koperen potten. Het meubilair is een bizarre mix van waardevolle erfstukken en goedkope tweedehands jarenze-ventigtroep... Barok en beschadigd door elkaar.

Ursula is het stralendste item in de donkere hal, in paars fluweel met een halssnoer van een Guatemalteekse vrouwenorganisatie. Ru-fus, met zijn goede opvoeding, gaat meteen op de onderste trede van de trap zitten om zijn schoenen uit te trekken. De vorige keer dat hij dat deed hadden zijn sokken zo zwart gezien dat we ze weg moesten gooien.

'Je hoeft je schoenen niet uit te trekken, lieverd.'

'Waarom niet, mama?'

Ik overweeg welke tactiek ik zal toepassen in mijn antwoord als

Ursula zich ermee bemoeit. 'Omdat schoenen zijn om te dragen, na-tuurlijk.' Ze lacht naar mij. 'En hoe is het met mijn favoriete schoon-dochter?' Het is maar goed dat Joel enig kind is.

'Prima, dank je.' In de boeken die ik lees is een slordig huis altijd een teken van warmte en liefde. Een opgeruimd huis staat voor een koude, klinische bewoner – steriel zelfs. Ik geloof dat niet meer. Ik loop de keuken in met de plakkerige bruine kastjes met gedessineerd oranje-en-wit kastpapier. Het is een warme dag. Ursula stuurt ons de tuin in voor een wat zij een 'gin-en-french' noemt, wat sterk lijkt op een ander mysterieus drankje dat 'gin-en-iets' heet. Op de bemoste binnenplaats staat Becky met een vettig glas rosé. Ze omhelst me.

'Becky, wat leuk. Wat doe jij hier?' vraag ik.

'Ursula heeft me uitgenodigd.'

'Ja, maar... Hoe dan ook, altijd leuk om je te zien.' Ik praat zachtjes verder: 'Altijd fijn om een bondgenoot te hebben.' Ze kijkt me niet-begrijpend aan.

'Leuk om hier te zijn.' Ze maakt een beweging met haar glas, dat ook een kleine vaas had kunnen zijn.

'Rebecca,' zegt Ursula, 'heeft verschillende keren samengewerkt met mijn goede vriendin Suzannah Westernberg.'

'De legendarische echtscheidingsadvocaat,' verduidelijkt Becky. 'Zij is trouwens ook erg onder de indruk van jou,' zegt Ursula. Ik heb het vermoeden dat Becky, ongeacht haar seksuele voorkeur, een veel betere schoondochter zou zijn dan ik.

'Wat wil jij, ma?' roept Joel uit de keuken. Het is 'Ursula', 'ma' of 'mater'. Nooit 'mam', zoals alle andere moeders worden genoemd. 'En jij, Mary?'

Hij gaat altijd helemaal los op de gin en iets waarmee hij misstap **F3** begaat: *Neemt aan dat ik altijd naar huis rijd als we ergens heen gaan.* 'Iets non-alcoholisch, neem ik aan.' Hij ziet niet eens wat dat voor mij betekent. 'Zeg, kun jij terugrijden? Dan neem ik een rosee-tje.'

Hij gooit de rest van zijn gin achterover en maakt een geluid door het effect van de pure alcohol. 'Ik ben bang dat het daar te laat voor is. Maar jij drinkt er toch altijd maar één of twee.'

Hij gedraagt zich als de ideale gastheer in het huis van zijn moeder, zet huismerkpinda's op tafel en zorgt dat iedereen iets te drinken heeft. Hier is hij stukken behulpzamer dan thuis. Verder mag er geen kwaad woord gezegd worden over het eten dat geserveerd wordt, hoewel hij na zijn goedkope-wijnazijnjeugd inmiddels een balsamico-azijnman is geworden.

'Ik kwam Cara laatst nog tegen,' zei ik tegen Becky.

'Echt waar? Daar heeft ze niets over gezegd.'

'We hebben haast niet gepraat. Heel even maar. Het was vlak bij kantoor.'

'Heb jij Suzannah de laatste tijd nog gezien, Ursula?' verandert Becky abrupt van onderwerp. Ik vraag me af waarom en neem me voor dat later eens te vragen. Ik wil niet zo in beslag genomen worden door de Lijst dat ik geen oog meer heb voor Becky's dilemma. 'Ze werkt aan een zaak die in de Kamer komt. Iedereen denkt dat er een precedent geschapen zal worden voor het minimuminkomen.'

'Nee, Gabe, blijf eens van die chips af. Joel, hou hem eens tegen. Zo eet hij straks niets meer.'

'Weer zoiets wat moeders altijd zeggen,' zegt Joel.

'Ik niet,' zegt Ursula.

'En geen pinda's opgooien en opvangen. Dan gaan de jongens je nadoen en stikken ze erin.'

Ursula haalt haar neus op. 'Pinda-allergie.'

'Weer zoiets wat moeders altijd zeggen,' zegt Joel.

En dat is een **G9**: *Staat niet achter me als ik de kinderen een volkomen redelijke regel opleg.*

'Je moet je niet zo druk maken over wat ze eten.'

'Hij heeft gelijk,' zegt Ursula.

'Kinderen zorgen wel dat ze krijgen wat ze nodig hebben. Joel leefde tot zijn zevende op cornflakes en sinaasappelsap.'

'Maar ik wil dat mijn kinderen genoeg eiwitten, koolhydraten, vitaminen en mineralen binnenkrijgen.'

Gabe en Rufus blijven chips en zoutjes naar binnen werken en de volwassen drinken lauwe rosé en laffe martini's. De bloesem tiert welig en de tulpen bloeien. De kinderen houden zich ongekend rustig gezien de verdovende hoeveelheden zout die ze tot zich hebben genomen, terwijl de volwassenen sparren over politieke en persoonlijke onderwerpen. Het is het soort idyllische en bohemienachtige plaatje waar ik over fantaseerde als jong meisje dat altijd met haar neus in de boeken zat in het volgens haar saaie dorp waar ze opgroeide. Ik dacht dat ik er heel gelukkig zou zijn.

De lunch begint met Ursula's idee van 'tapas': een bakje oude olijven, ingemaakte uitjes met slasaus en crackers met smeerkaas uit een tube. Joel roept uit dat het allemaal heerlijk is. Het vlees is te hard doorbakken en de gebakken aardappels zijn op de een of andere manier keihard, maar dan zonder krokant laagje; het lijkt meer of er een soort ondoordringbare rubberen vlies omheen zit. De prei drijft in botersaus, natuurlijk.

'Sorry,' zegt Ursula. 'Weet je dat ik altijd vergeet dat je een koemelk-allergie hebt? Joel, wist je dat de Moores uit elkaar zijn?'

'Wat? De volwassenen of de kinderen?' vraagt Joel.

'De volwassenen. Nou ja, zo volwassen als je kunt zijn als je op je zestigste bent blijven hangen in de sixties.' Ze schudt haar hoofd. 'Ik bedoel, wat heeft het voor zin? Wat heeft het voor zin?'

'Wel als ze ongelukkig waren,' zeg ik. 'Als zij ongelukkig was.'

'Ja, maar je moet wel heel ongelukkig zijn om al die moeite te nemen. Ik bedoel, de kans is klein dat ze nog een nieuwe liefde vinden, toch?'

'Begrijp ik goed,' zeg ik, 'dat je geen ethische bezwaren hebt tegen scheiden, maar wel praktische?'

'Natuurlijk heb ik geen ethische bezwaren. Ik heb Joel bepaald niet in een standaardkerngezin opgevoed.' Ze lacht. Joels vader woont ergens in de Verenigde Staten en Joel kende hem vooral als de man die een paar keer per jaar langskwam met spannende cadeaus. Tot op de dag van vandaag wordt hij geacht dolgelukkig te worden van een reep chocolade of een pakje kauwgum, als een vermagerd meisje in een bevrijd vaderland dat de geallieerden inhaalt. 'Volgens mij kan Rebecca beamen dat een scheiding een enorm gedoe is.'

'Om niet te zeggen een dure kwestie,' zegt Becky. 'Wat voor een groot deel komt door de tarieven van mensen zoals ik. En bovendien wijst alles erop dat gescheiden partners een jaar na dato ongelukkiger zijn dan in hun huwelijk. Vooral de vrouwen, denk ik.' Bij deze laatste woorden kijkt ze mij aan.

'Het is gewoon heel gênant,' zegt Ursula. 'Ik denk dat de Moores serieus denken dat ze niet te oud zijn voor liefde en geluk. Absurd gewoon. O, nee, Mary!'

'Wat is er?'

'Je kunt zeker ook niet tegen slagroom op je toetje?'

'Volgens mij zou Mary hoe dan ook bedanken,' zegt Joel met het kuipje in zijn hand. 'Moeder, het is bewonderenswaardig dat je nooit iets weggooit, maar zo bont heb je het nog nooit gemaakt. Dit is al twee maanden over datum.'

'Onzin,' zegt ze, en ze snuift theatraal aan de slagroom. 'Niets mis mee. Ik heb een enorme hekel aan die betutteling van de voedselindustrie. Die uiterste houdbaarheidsdatum is gewoon verzonnen door de supermarkten om meer te verkopen.'

'Precies,' zegt Becky. 'Dat zeg ik ook altijd tegen Cara.' Ze trekt een gezicht. 'Vooral yoghurt. Die hoort een beetje te gisten.'

'Je bent een vrouw naar mijn hart,' zegt Ursula. 'Ham hoort een groene zweem te hebben. Dat betekent dat ie goed gerijpt is.'

'Precies,' zegt Becky, iets harder dan nodig door de rosé. 'Zuinigheid is het echte groene leven. Niet wat jouw vriendin Mitzi doet.' Ze sist haar naam.

'Dat zeg ik ook altijd tegen Mary,' valt Joel haar bij. 'Het gaat erom minder te kopen, niet meer.'

'Inderdaad,' zeg ik. 'Dat hoef je mij echt niet te vertellen. Ik word ook niet goed van dat hybride rijden en composthoopgedoe.' Alleen niet zo erg als van Ursula's twee maanden oude slagroom.

Ik breng de borden naar de keuken. Ik hevel de restjes over in kleine bakjes om niet van verspilling te worden beticht en zoek tevergeefs naar iets wat lijkt op vershoudfolie. De koelkast staat al vol pannen met onappetijtelijke restanten van vorige maaltijden en vreemde potjes met niet nader te identificeren vette substanties. Ik moet vreselijk nodig plassen, maar kan me moeilijk over het ontbreken van een slot op de deur heen zetten. Joel snapt er niets van en zegt dat ik gewoon 'Ik zit hier!' moet roepen als er iemand aankomt.

Becky komt de keuken in. 'Wat is het hier heerlijk. Wat heb jij het getroffen. Ursula is geweldig. Dit huis is een paradijs.'

'Hoe bedoel je?'

'Alles ademt gewoon geschiedenis. De bank met kuilen op de plekken waar al die billen hebben gezeten geeft je het gevoel dat je van iets groters en positiefs deel uitmaakt als je erop zit. Ik vind het te gek dat er op alle muren getekend is en dat op de deurpost niet alleen de groeistreepjes van jouw jongens staan, maar ook nog die van Joel. Geweldig dat er in geen dertig jaar geschilderd is. Alles wat hier staat heeft een verhaal. Een beker uit een ver land, gesigneerde boeken, antieke kookboeken met aan elkaar geplakte pagina's van de vetspetters.'

'Ursula kookt anders zelden,' antwoord ik.

'Als deze muren konden praten...'

'Dan zouden ze op intellectueel verantwoorde wijze iets of iemand in één enkele discussie volkomen veroordelen.'

'Nou, ik vind het super. Ik heb er een enorme hekel aan als mensen prima functionerende keukens aan de straat zetten omdat dit jaar een andere kleur in de mode is, of omdat ze zich niet realiseren dat achter iets lelijks misschien wel een heel mooi verhaal zit.'

'Dit gaat vast niet over Ursula's huis. Voel je je nog steeds niet thuis bij Cara?'

'Nee, dus.' Becky frunnikt aan een placemat met een afbeelding van Cambridge College. Of beter gezegd: St. Johns College in een modderstorm – zoveel vieze, oude jusspetters zitten erop.

'Maar haar huis is zo tiptop,' zeg ik denkend aan Cara's roestvrij-stalen keuken.

'Precies. Ik heb niets met tiptop. Als ik kijk naar de plek waar ik woon – merk je dat ik het niet eens "mijn huis" noem? –, dan vraag ik me de hele tijd af waar de spulletjes zijn.'

'Spulletjes?'

'De spullen, de souvenirs, de cadeautjes, het ratjetoe van oude stoelen.'

'O, de troep, bedoel je.'

'Het is toch niet normaal dat mensen alles wat niet mooi genoeg is weggooien? Ik heb het gevoel dat ik het enige souvenir ben – of troep zoals jij het noemt – in dat hele huis. Ik ben het enige wat niet gloednieuw en fantastisch is. Ik ben het enige wat er niet bij past, wat niet binnen de regels valt.'

'Becks, dit gaat volgens mij ook niet over hoe Cara haar huis heeft ingericht. Ik denk dat wij ons identificeren met onze omgeving. Als mijn huis niet opgeruimd is, ben ik het ook niet; dan ben ik onrustig. De staat van mijn huis heeft direct invloed op mijn stemming. Is dat misschien waar je last van hebt?'

'Dat klopt.'

'Dat dacht ik wel.'

'Nee, ik bedoel dat het klopt dat je je gevoelens over je huis niet moet verwarren met je gevoelens over jezelf, maar ik denk dat het andersom werkt: je huis weerspiegelt niet wat je voelt, maar hoe je je voelt bepaalt hoe je je huis ziet.'

'Hoe bedoel je?'

'Neem nou jou en Joel. Jullie vieze huis is het probleem niet; júllie zijn het probleem. Net zoals het probleem niet is dat ik geen wit draag en niet bij Cara's houten vloer pas, maar dat ik niet bij háár pas. Wíj passen niet bij elkaar.'

Joel komt binnen met een stapel slordig opgestapelde borden. Ik haat het dat hij de borden niet afschraapt en niet al het bestek op het bovenste bord verzamelt als hij afruimt. Niet dat hij thuis ooit afruimt; dit soort behulpzame oprispingen zijn gereserveerd voor zijn moeder.

Becky kijkt naar mij en Joel en knijpt even in mijn arm. 'Denk er maar eens over na.'

Ik dacht erover na. Drie dagen later, terwijl ik me eigenlijk over de alweer aangepaste begrotingen moet buigen of er in elk geval een virtuele bezuiniging op zou moeten loslaten, zoals gebruikelijk in de wereld van de televisie, denk ik er nog steeds over na.

'Klaar,' zegt Lily tegen haar Facebook-pagina. Op haar gezicht staat een triomfantelijkheid te lezen die niet meer vertoond is sinds Gabe voor het laatst een grote boodschap op het potje heeft gedaan. 'Status aangepast. Ik heb het helemaal gehad met Zack.'

Ik wist helemaal niet dat ze iets met Zack had gehad. 'Wat vervelend voor je. Wat ben je nu? Ho, niets zeggen. Twitter het me maar even, want je zit zeker vijf meter van me af.'

'Jij hebt geen account, weet je nog? Ben je al klaar voor een lesje, oma?'

En dan te bedenken hoe ik mijn ouders uitlachte toen ik de videorecorder voor ze moest programmeren. 'Ik maakte maar een grapje. Single en gelukkig? Single en op zoek? Toegetreden tot een religieuze orde?'

'Single en meditatief.'

'Dat klinkt niet als jou.'

'Wat, single of meditatief?'

'Allebei?'

'Grappig, hoor.' Ze frunnikt aan haar druk gedessineerde sjaaltje. Kijk, als Lily een sjaaltje draagt ziet het er hip, cool en nonchalant uit. Als ik er een zou dragen, zou ik eruitzien als een middelbaar sociaaldemocratisch parlementslid. Of, nog erger: als Ursula. 'Nee, echt. Ik ben die jongens zó zat. Ik wil een man. Iemand als jouw man schuine streep wandelende seksmachine. Hij is super.'

'O, alsjeblieft.' In mijn beleving is er niets minder super dan hij. Het over iemands man hebben, mijn eigen man in het bijzonder, in combinatie met seksuele aantrekkingskracht vervult mij met afschuw. Toen we allemaal nog op jacht waren, was het meer dan geaccepteerd

– verplicht zelfs – om flink uit te pakken over hoe lekker en sterk je laatste overwinning was en hoe groot geschapen, maar tegenwoordig vind ik elke verwijzing naar de uitstraling van een getrouwde man onsmakelijk. Onze gesprekken over seks en mannen zijn vervangen door een vocabulaire van tragikomisch celibaat en geringschattende opmerkingen.

'Nee, ik meen het,' gaat Lily door. 'Iemand met van dat peper-en-zouthaar en van die sterke armen. Daar val ik nu op. Magere meis-jesachtige jongens zijn zó vorig jaar, weet je. Waar zou ik een Joel 2.0 kunnen scoren? Ik denk houthakken en schapen scheren.'

Ik lach. 'Niets is minder waar. Hij is de minst handige, minst spor-tieve man die ik ken. Hij is opgegroeid in Londen en keek zijn ogen uit toen hij zag dat koeien normaal gesproken in het weiland staan en niet op een stadsboerderij. Hij denkt dat je om vuur te maken de hoofdschakelaar moet omzetten.'

'Je weet wel wat ik bedoel.' Lily is niet van de wijs te brengen. 'Hij ziet eruit als iemand die de opwarming van de aarde nog zou over-leven. En daar gaat het om. Hoe hebben jullie elkaar leren kennen?'

'Het spijt me dat ik je teleur moet stellen, maar wij hebben elkaar niet leren kennen tijdens het wildwaterkanoën op de Amazone. We kennen elkaar van het werk.'

Lily kijkt om zich heen naar de weinige mensen op kantoor en huivert. 'En?'

'Hij begon als loopjongen, wat raar is voor iemand die in principe nergens lopend naartoe gaat, en er waren maar een paar hetero's bij ons op de redactie en toen... Nou ja, toen werden wij een stel.'

'Details, ik wil details. Ik ben gek op verhalen over "hoe wij elkaar hebben ontmoet".'

'Oké. Ken je mijn vriendin Mitzi? Ze is een paar keer hier geweest om met me te lunchen en ze werkte vroeger ook voor de televisie.'

'Die blonde, slanke, rijke Mitzi met al die kinderen? Botox?'

'Waarom weet iedereen dat ze een botoxbehandeling heeft gehad behalve ik? Lezen jullie allemaal die blaadjes met die rode cirkels om de cosmetische operaties van de sterren?'

'Belangrijke sociologische documenten, die bladen,' zegt ze. 'Ga door, vertel over Mitzi en jouw man.'

'Zij werkte op dezelfde redactie als Joel en ik. Zij vond hem leuk, dus ik nam aan – namen wij allemaal aan – dat niemand anders ook maar een kans zou krijgen. In die tijd was zo ongeveer iedereen die ook maar enigszins aantrekkelijk te noemen was voor Mitzi: de presentatoren, de managers, de getrouwde eigenaar van het bedrijf? Het was een onverbiddelijke natuurwet dat Mitzi de beauty was. Lange benen, maar niet té lang, slank maar niet mager, blond maar met een iets te grote neus en te sterke kaaklijn om haar een gewoon blondje te laten zijn. Ze was oogverblindend, maar het was ook haar houding. Haar haar danste, haar heupen wiegden, de mistige blik in haar ogen deed mannen geloven dat ze continu aan seks dacht. De rest van ons accepteerde haar superioriteit zonder tegen deze aanname te protesteren. Dat zou ongeveer neerkomen op een planeet die weigert om in een baan om de zon te cirkelen. 'Ik wist niet eens of ik hem wel zo leuk vond. Ik vond hem toen al een beetje vadsig,' ga ik door tegen Lily. 'Mitzi zei dat hij niet dik was, maar "volslank" en dat dat betekende dat hij van eten en drinken en dus van het leven hield, en dus van seks.'

'Dus zij reed hem voor je in.'

'Nee, Joel vond haar niet leuk.' Zo simpel was het, zo hield ik mezelf voor. Maar voor Mitzi en ons, haar gevolg, was dat verre van een geloofwaardige verklaring. Het was alsof de aardbol gestopt was met draaien. Ik verwachtte dat er elk moment kikkers uit de lucht zouden vallen en dat de sprinkhanen klaarstonden voor de aanval.

'En hij vond jou leuk?'

'Ja.' Ik grijns als ik terugdenk aan mijn grootste overwinning, de glans onaangetast door de latere gebeurtenissen. 'Het ligt alleen iets ingewikkelder – althans, dat leek toen zo.'

'Toe dan, vertel. Stond die trut van een Mitzi tussen jullie in?'

'Nee, nee, niet echt. Een beetje. Niet expres, dat kan ik me niet voorstellen. Zij heeft me nooit verteld dat Joel mij leuk vond, maar ik neem aan dat ze hem niet goed had begrepen en dacht dat ik zijn type niet was. Denk ik. Ik weet niet eens zeker of ik zelf ooit precies heb uitgezocht wie wat had gezegd en wat er was gebeurd. Joel en ik werden een stel, en dat was het enige wat er toen toe deed.'

Dat was nog jarenlang het enige wat ertoe deed. Als ik het soms even moeilijk had of de slaap niet kon vatten, dacht ik aan de manier waarop wij elkaar hadden leren kennen en dan begon het weer te stromen. Het werd, wat een vriendin noemde, mijn 'resetgedachte', die nu was vervangen door Rufus' eerste lachje of die dag in het ziekenhuis met een uitzonderlijk mooie pasgeboren Gabe in mijn armen en een oudere broer die hem zachtjes over zijn nog zachte hersenpan aait, in plaats van hem te smoren, zoals veel oudere broertjes of zusjes vaak schijnen te doen.

Het feit dat ik me nooit had afgevraagd welke rol Mitzi had gespeeld in onze vereniging – of beter gezegd: bijna-niet-vereniging – was niet aan de orde. Ik wilde haar er toen niet op aanspreken, deels omdat ik zo verliefd was dat ik niet de logica of wrok kon opbrengen die dat zou vereisen, en deels – minder nobel – omdat ik wilde dat ze zag hoe goed wij bij elkaar pasten.

'Weet je, Lily?' zeg ik. 'Er is niets geheimzinnigs aan mij en Joel. Een redactie, twee mensen, veel alcohol. Zo vergaat het zoveel mensen, toch?'

Op die manier klonk het heerlijk eenvoudig. De waarheid is ingewikkelder, maar stukken mooier. Ons 'hoe wij elkaar ontmoetten'-verhaal bevat al de misverstanden en verwikkelingen van een roman van Hardy zonder de landelijke achtergrond, of Shakespeare zonder tweelingen en verkleedpartijen. Of misschien was het ook wel een slechte romantische komedie, afhankelijk van je culturele opvoeding. Op het moment zelf was het een vage, omslachtige kwestie, maar in de loop der jaren hebben we het verhaal een nieuwe draai gegeven. Toen we eenmaal samen waren, deden we niets liever dan elkaar vertellen hoe wij dachten dat het gegaan was. Keer op keer vertelden we elkaar 'ons verhaal', en elke keer mooier en met aandoenlijke details, tot het een prachtig drieluik was geworden.

Hoe het begon. Joel liep de redactie op en zag mij. Ik was een plank aan het ophangen, omdat de armlastige televisiemaatschappij geen middelen beschikbaar had voor nieuw meubilair en ik de handigste medewerker in het team was. Vol overgave stond ik op een bureau te demonstreren hoe handig ik was met een drilboor. Ik kwam naar beneden om hem een hand te geven en zette mijn daad kracht bij door een extra draai aan de boor te geven. Ik had rode wangen van inspanning. Later, toen we samen in bed lagen, zei Joel: 'Dat laagje zweet en die blos op je wangen deden me denken aan hoe je er waarschijnlijk uit zou zien na het vrijen. En ik had gelijk.' Hij beweert dat hij toen ter plekke verliefd op me is geworden. Joel heeft echter een hele lijst van momenten waarop hij 'toen ter plekke verliefd op me werd': toen ik een Guinness bestelde, toen hij erachter kwam dat ik een boek van Ursula had gelezen, toen hij zag dat ik met alleen handbagage op vakantie ging.

Ondanks Joels beginnende buikje en altijd ongeschoren kop, vielen de meiden op kantoor als een blok voor hem, waardoor ze zich als bouwvakkers gedroegen en hij dan de rondborstige blonde voorbijgangster was en zij nog net niet bewonderend tussen hun tanden door floten. Ik zie dat nu niet meer, maar af en toe word ik eraan herinnerd als ik van een afstandje zie welk effect hij nog steeds op vrouwen heeft. Het heeft iets te maken met het contrast tussen zijn uiterlijk en zijn gedrag. Hij had – heeft – een zeer mannelijk voorkomen, niet in de zin van de gebronsde adonis, maar meer de behaarde reus. Aan de andere kant is hij een bijzonder gevoelig type dat over zijn emoties kan praten. 'Hoe is het met je?' vroeg hij, niet uit beleefdheid, maar omdat hij echt graag wilde weten hoe het met je ging, en niet alleen lichamelijk, maar echt hoe je je voelde... 'Nee, hoe je je écht voelt; vertel maar, vertel me alles.' Hij kwam weg met afgezaagde frases als: 'Oeh, meid, kom maar op met die Manolo's', doordat hij ze uitsprak met die chocoladebruine stem à la James Mason. Hij kon de voor- en nadelen van verschillende hakhoogtes bespreken, terwijl hijzelf op een paar versleten schoenen door het leven ging. Het is een man met politieke betrokkenheid en principes die ook vrouwenbladen leest en kan meepraten over de sterren en de bizarre kindernamen waar zij hun nageslacht mee opzadelen.

'HOT, hot,' zei Mitzi na een paar dagen, en de andere meisjes verborgen hun teleurstelling over de rode stip die zojuist op het meest begeerde kunstwerk uit de expositie was geplakt.

'Het lijkt wel of hij vrouwen echt begrijpt,' zei ze nadat ze hem op een ochtend het kantoor uit had weten te smokkelen voor een kop koffie.

'Let op,' zei ze nadat ze hem had meegelokt voor een drankje na het werk.

'Hij is homo,' verklaarde ze toen ze terugkwam na hun vierde lunchafspraak.

'Echt waar?' vroeg ik. Ik zou toch zweren dat hij met mij had geflirt, maar later bleek dat iedereen dat had gedacht. Oogcontact is een van Joels sterke punten, en zijn tweede zoon heeft het geërfd. 'Heeft hij dat gezegd?'

'Mm-mm,' zei Mitzi. 'Hij is twee keer naar Chicago geweest, in de schouwburg.'

'Maar deed hij wat homo's doen – dat ze zo vroeg mogelijk in het gesprek iets laten doorschemeren door dingen te zeggen als "mijn vriend" of "wij homo's" of zoiets?'

'Hij vertelde dat zijn ideale zondag bestaat uit naar de boerenmarkt gaan om aparte kaasjes uit te zoeken voor de lunch met zijn moeder.'

'Ah, wat lief. Wist jij dat zijn moeder Ursula Tennant is, de feministische schrijfster? Maar dat hoeft natuurlijk niets te betekenen.'

'Hij weet het verschil tussen merinowol en kasjmier.'

'Denk je niet dat jij nogal een bekrompen beeld hebt van homoseksuelen, Mitzi? Hij ziet er niet uit als een mietje.'

'Ha, over bekrompen denkbeelden over homo's gesproken: het is een echte beer. Superpopulair tegenwoordig; al mijn homovrienden willen er een. Eerlijk waar, Mary, denk je dat ik niet kan zien of iemand homo is?'

Tegen het eind van de dag hadden alle vrouwen op kantoor in elk geval een of meer van de volgende zinnen voor zich uit gemompeld: 'Eeuwig zonde', 'Alle leuke mannen zijn homo', of: 'Ik wist wel dat het te mooi was om waar te zijn'. Hij was nog steeds populair, maar nu alleen voor kledingadvies of haartips.

'Had je niet door dat iedereen dat dacht?' vroeg ik Joel toen we net samen waren. 'Al die meisjes die je vertelden dat ze je geweldig vonden en hoe jammer het was dat je niet beschikbaar was?'

'Ik dacht dat ze allemaal wel wisten dat ik alleen maar jou zag.'

'Maar Karen heeft zelfs een keer gevraagd wat de beste manier was om iemand te bevredigen.'

'Ik dacht dat ze dat vroeg als ontvanger, niet als ontvanger en uitvoerder tegelijk.'

Mitzi en hij bleven gezellig samen lunchen en Mitzi bleef ons voeden met verhalen over zijn neiging tot mannenliefde. Zijn homostatus gaf mij de vrijheid om toe te geven aan de aantrekkingskracht die hij ook op mij had. Het voelde weinig orgineel om me aan te sluiten bij zijn fanclub van vrouwelijke collega's, omdat ik er zo trots op was dat ik altijd al fan was van de band vóór ze hun eerste hit scoorden. Het feit dat hij homo was bespaarde me een verloren strijd met Mitzi. Het was heerlijk puberaal om verliefd te zijn op een homo. Mijn jeugdige George Michael-obsessie duurde nog tot lang nadat hij uit de kast was gekomen, zijn onbereikbaarheid voor alle vrouwen werkte eerder intensiverend. Natuurlijk was Joel veel en veel irritanter dan George Michael – zo arrogant en betweterig om op kantoor rond te lopen en dingen te zeggen als: 'Mijn stiefvader, het hoofd van Kanaal 4', en: 'Toen ik in Californië op school zat.' Nu ik niet langer indruk op hem hoefde te maken plaagde ik hem als hij zulke dingen zei, wat hij heel goed kon hebben. Ik genoot van de weinige momenten die we samen hadden, vooral omdat ik wist dat Mitzi hem niet kon claimen. Opgegroeid zonder broers en gevormd door een meisjesschool had ik de neiging om of agressief, of onhandig te reageren op heteroseksuele mannen.

'Wist jij,' zei hij op een ochtend tegen me toen we elkaar voor de zoveelste keer in de keuken troffen, 'dat mijn beste vriend en ik op school helemaal verzot waren van de prerafaëlieten? We noemden onszelf de Broederschap en hingen altijd rond in de negentiende-eeuwse vleugel van de National Gallery en het Victoria & Albert, waar we stiekem het William Morris-behang aaiden.'

'Tjonge,' zei ik. 'Hoe oud was je toen?'

'Eerste klas middelbare school, weet je wel – dertien.' Toen begreep ik dat hij op zo'n dure school had gezeten die pas begint met dertien, niet elf. Alsof ik dat niet had kunnen vermoeden van een jongen die fan was van de prerafaëlieten.

'Volgens mij ging ik toen meer voor Wham! en haaraccessoires,' zei ik. 'Maar wist je dat Millais en een haarclip met een vlinder erop best veel met elkaar gemeen hebben?' Hij lachte. Ik hield ervan hem aan het lachen te maken.

'Ergens in het huis van mijn moeder heb ik nog een doos ansichtkaarten, met buddy's op de achterkant.'

'En wat is er met de Broederschap gebeurd? Die van jullie?'

'Dat is niet zo goed afgelopen. Tom, mijn vriend, wilde kunstenaar worden, maar raakte op de kunstacademie verslaafd aan cocaïne. Ik weet niet hoe het nu met hem gaat. Ik ben hem uit het oog verloren toen ik met de band begon en het enige wat er nu nog van de Broederschap over is zijn de ansichtkaarten en mijn voorkeur voor roodharigen.'

Ik bloosde en ging onwillekeurig met mijn handen door mijn haar. Hij is echt wel homo, zei ik tegen mezelf. Waar ik opgegroeid was interesseerden puberjongens zich niet voor de oude meesters.

Ik hield van die gesprekken. Ze leken de gebruikelijke trivia en 'Wat heb jij gisteravond gedaan?' te overstijgen. Hij was de enige die je vroeg wat je gelezen had in plaats van wat je gezien had op televisie. P.G. Wodehouse, antwoordde ik op een dag, en hij reageerde blij verrast.

'Niet te geloven,' zei hij. 'Volgens mij heb ik nog nooit een meisje ontmoet dat P.G. Wodehouse leest.'

Ik maakte een gebaar en zei: 'Ze hebben het waarschijnlijk te druk met de schrijfsels van Nancy Mitford. De sukkels.'

'Dat zou ik niet zeggen, ik vind haar zo slecht nog niet. En het werk van een aantal van haar zussen ook niet.'

'Volgens mij heb ik nog nooit een man ontmoet die Nancy Mitford leest.'

'Voilà,' zei hij. 'De man die van Mitford hield en de vrouw die Wodehouse las: een gouden combinatie. We zouden op vakantie maar half zoveel boeken mee hoeven nemen.'

Op een zekere maandagmorgen kwam er een eind aan deze ontspannen onderonsjes. 'Hoi, Joel,' zei ik vrolijk. 'O, hallo,' zei hij, en hij liep verder. Ik zou zweren dat ik afgesnauwd werd.

Rond lunchtijd kwam ik hem tegen in de rij voor de broodjes. 'Heb je een goed weekend gehad?' Dit doe ik altijd als ik iemand leuk vind: dan klink ik als iemands moeder. Als ik niet oppaste ging ik hem zo meteen nog vragen waar hij gestudeerd had.

'Fantastisch. Ik ben nóg aangeschoten. Twee broodjes ham met alles erop, alstublieft.' Later ontdekte ik dat Joel de extreme voorliefde voor vlees heeft die alleen voorkomt bij voormalige vegetariërs.

'Wat heb je gedaan?'

Hij keek verbaasd. 'Ik heb een feest gegeven. In het huis van mijn moeder. Die is aan het toeren in Amerika.'

'Een feest?' Ik probeerde vrolijk te blijven klinken. Misschien was het een mannending. 'Waren er veel mensen?'

'Ja, massa's.'

O. 'Super.' Ik weet nog dat ik dacht dat hij wel lef had om op te scheppen over zijn fabelachtige drukke feest tegen iemand die niet uitgenodigd was. Ik voelde me warm worden van verontwaardiging. Ik zag dat hij zag dat ik rood was geworden en even flitste er een ondefinieerbare uitdrukking over zijn gezicht, waarna hij er snel vandoor ging, zijn calorierijke buit stevig vasthoudend.

'Ben jij naar Joels feest geweest?' vroeg ik Mitzi toen ik weer achter mijn bureau zat.

'Ja, jammer dat je er niet was. Hij wilde niet iedereen van het werk uitnodigen. Het was niets bijzonders.'

'Oké.' Eikel. Stomme, brallerige, intellectuele, verwende, omhooggevallen eikel. Dat was het dan, besloot ik. Geen aardigheden meer voor hem.

Ik hield mijn *froideur* één week vol. Kilheid is niet mijn sterkste eigenschap en vanbinnen brandde het. Tegenwoordig kan het me geen bal schelen of ik wel of niet word uitgenodigd voor een feestje, hoewel ik voor mijn kinderen nog weleens stevig in de bres kan springen. Vorige week nog was Rufus niet uitgenodigd voor Flynns zesde verjaardagspartijtje, terwijl ze aan dezelfde leestafel zitten. Ik fantaseer er nog steeds over om de kleine dwerg met driewieler en al omver te duwen.

De maandag erna zaten we met een man of tien rond de tafel voor een brainstorm. Joel mocht ondanks zijn lagere functie ook aanzitten, omdat hij verre familie was van de manager.

'Is al gedaan,' zei ik over Joels eerste idee.

'Zo'n format is heel duur om uit te voeren en levert weinig op,' zei ik over het tweede.

'Nah,' kon ik bij het derde ternauwernood uitbrengen.

Na de bijeenkomst ging ik de keuken in, om er vervolgens achter te komen dat hij en ik de enige twee mensen in de kleine ruimte waren. Ik kon moeilijk weglopen, maar het water leek maar niet te willen koken. Hij is homo, hij is homo, hij is homo, herhaalde ik in gedachten. Hij is bovendien verschrikkelijk. Hij is homo en hij is verschrikkelijk. Hij is zelfs homo en verschrikkelijk, en hij vindt jou niet leuk genoeg om je uit te nodigen voor een feest met 'al zijn vrienden'. En hij is dik. Ik voelde mijn hele lijf warm worden. 'Hoe gebruik jij je thee?' Hoe 'gebruik' jij je thee? Het leek wel of ik opeens in een kostuumdrama was beland. Straks vroeg ik hem nog hoe hij het weer vond voor de tijd van het jaar, om eraan toe te voegen dat ik het zelf hoogst aangenaam vond. Hoe meer ik bloosde, hoe amusanter hij het leek te vinden. Later vertelde hij dat die houding zijn afweermechanisme was, zoals boosheid dat bij mij is.

'Melk en één schepje suiker,' zei hij.

We gingen allebei voor dezelfde beker; onze handen raakten elkaar. Dat had het moment kunnen zijn waarop we elkaar in de ogen keken en zagen dat het goed was, maar in plaats daarvan pakte ik snel een beschadigde beker met een vrouw in bikini erop, die omlaagzakte als je er iets warms in schonk.

We staarden allebei naar het nog steeds niet kokende water. 'Heb je iets tegen mij?' vroeg hij op een manier die suggereerde dat er nog nooit iemand ooit iets tegen hem had gehad.

'Nee.' Ik trok een gezicht dat mijn ontkenning moest ondersteunen. Nee, niet nog roder worden. 'Sorry hoor, ik snap niet waarom je dat zou denken.'

'Daarnet. In de vergadering – je kraakte al mijn ideeën af.'

Eindelijk kookte het water en ik keek toe hoe hij suiker in zijn thee deed. Tot op de dag van vandaag herinner ik me het kringetje van suikerkorrels dat op het versleten tafelzeil achterbleef. 'Misschien waren ze niet zo goed.'

'Dat kan,' zei hij. 'Nou, ik zie je wel weer.'

Niet als ik jou eerst zie, dacht ik, met het idee dat ik me nog liever op de wc verschuilde dan nog zo'n ongemakkelijk gesprek te moeten voeren.

Ik zocht bevestiging bij Mitzi, die koeltjes antwoordde dat ze hem nog nooit iets negatiefs over mij had horen zeggen. 'Wat kan het je eigenlijk schelen?'

Ik slaagde erin Joel te ontwijken, totdat we een paar weken later na het werk met z'n allen in de kroeg terechtkwamen. Daar probeerde ik zijn aanwezigheid te negeren, maar ik merkte dat ik maar al te bewust was van waar hij zat, naast wie en wat hij te zeggen had. Af en toe verwisselde de groep van plek als er iemand opstond om drankjes te halen, maar ik leek niet dichter bij hem te komen; hij leek wel een gigantische wolkenkrabber die je van overal in de stad kunt zien, maar die je nooit echt kon bereiken. Er werd veel gedronken, vooral door mij. De groep werd groter en luidruchtiger, wat storend was voor de rest van de gasten, maar was overtuigd van de eigen charme en hilariteit. In die tijd rookten we nog en was dat algemeen geaccepteerd, en ik stond op om een nieuw pakje te halen. De sigarettenautomaat was in een ranzig gangetje waar ook de herentoiletten op uitkwamen, die doordrenkt waren van de ammoniaklucht uit donkere steegjes. Nog jarenlang riep de geur van geconcentreerde mannenurine de spannende herinnering aan die avond bij me op. Tegenwoordig irriteert het me mateloos en spoel ik de wc zo snel mogelijk door.

'Kut,' zei ik toen het apparaat mijn muntjes opat en weigerde een pakje uit te spugen.

'Hulp nodig?' zei Joel, die net uit het herentoilet kwam. Ik ving nog net een glimp op van de wondere wereld der urinoirs.

Ik was inmiddels aardig dronken. 'Oké, Handige Harry.'

Hij keek even bedachtzaam naar de automaat en gaf er toen een harde, goedgemikte klap op. Hij schreeuwde geluidloos en schudde als een mimespeler overdreven met zijn hand. Ik pakte de sigaretten die hij met zijn actie los had weten te krijgen.

'Dankjewel.' Ik lachte naar hem. De gang was smal en we stonden dicht bij elkaar. Ik was te dronken om nog boos op hem te zijn en ik was blij dat hij mijn sigaretten eruit had weten te rammen.

'Jij vindt mij niet leuk, hè?'

Ik haalde mijn schouders op. 'Maakt dat jou wat uit, dan?' Ik was heel erg dronken. 'Alle anderen wel. Iedereen houdt van Joel.'

Hij knikte. 'Ik word graag aardig gevonden. Wat vind jij dan leuk, Marietje van me?'

'Zo heeft nog nooit iemand me genoemd. Een koele tante, zo noemt iedereen mij.'

'Rooie rakker. Nee, dat klinkt niet goed. Je haar is prachtig.' Hij maakte een gebaar alsof hij met zijn hand door mijn haar wilde woelen, maar stopte halverwege. 'Wat vind jij dan leuk?'

'Ik hou van...' Ik kon met de beste wil van de wereld niet bedenken waar ik van hield. Nou ja, behalve dan dit gevoel van zijn lichaam dicht tegen het mijne, waardoor ik warm en dicht tegen de automaat aan werd gedrukt. 'Regen op rozen.'

Hij lachte. 'En slagroom op soezen.'

Ik knikte en probeerde te zeggen: 'Fluitende ketels', maar mijn keel zat dicht. Ik kon alleen maar met open mond naar hem staren en wachten tot ik mijn stem had hervonden.

In plaats van woorden die mijn mond verlieten voelde ik lippen dichterbij komen. Hij is homo, dacht ik nog. Ik voelde een heerlijk contrast tussen de stoppels op zijn kin en zijn verrassend zachte lippen. Ondanks mezelf merkte ik dat ik me meteen voorstelde hoe dit contrast elders op mijn lichaam zou aanvoelen. Hij stapte achteruit en keek me aan.

Eindelijk hoorde ik mezelf weer iets zeggen zonder dat ik echt doorhad dat ik het was. De woorden kwamen als vanzelf. 'Dit vind ik leuk.'

Hij lachte en zoende me opnieuw. Hij is minder homo dan ik dacht. Ik zoende hem terug, hard. Ik wilde hem opeten, zo heerlijk smaakten zijn lippen naar rook en chips en bier en hemzelf. Ik dacht dat we eeuwig zo zouden blijven staan zoenen, maar we moesten stoppen omdat we zo hard lachten. We keken elkaar aan en lachten tot de tranen over onze wangen biggelden. Daarna glipten we door de nooduitgang naar buiten naar de steeg, waar de lege vaten en vuilniszakken werden gestald. Daar leunde ik tegen de muur en zoenden we verder – zoenen, lachen, zoenen, lachen. Ik voelde hem hard tegen mijn luchtige jurkje, en nog harder toen ik mijn benen om zijn brede taille sloeg. Ik was zo dronken dat ik hoopte dat hij mijn rok omhoogtrok en mijn zeegroene panty en degelijke onderbroek van me af zou scheuren om me daar ter plekke te nemen. Dat was misschien ook wel gebeurd als er niet een barman van de kroeg naar buiten was gekomen om een vuilniszak naar buiten te gooien, die ons bijna raakte, waarop hij ons toebeet: 'Neem toch een hotel.' We lachten en gingen weer naar binnen, los van elkaar. Los, maar met ongemakken van hetzelfde soort, want mijn natte broekje en brandende dijen maakten het moeilijk om gewoon te lopen.

Rond de tafel in de kroeg beleefde ik het meest tenenkrommende uur van mijn leven. Wij deden zo hard ons best om te doen of er niets gebeurd was dat ik me begon af te vragen of dat ook zo was. Maar dan keken we elkaar weer aan en lachten we naar elkaar op de manier die net zo schuldig was aan de verleiding als het zoenen was geweest. Ik voelde me gesterkt en streelde zijn nek toen ik langs hem liep op weg naar de bar.

Toen ik weer bij de tafel kwam, waren verschillende mensen weer van plaats gewisseld en vond ik een plekje tegenover hem. Ik voelde een kousenvoet in mijn schoot. Hij droeg altijd mooie sokken en deze keer was het een gestreept zijdeachtig paar. Zijn grote teen woelde in het rond en ik voelde dat ik nog vochtiger werd, en mijn mond ging onwillekeurig een beetje open van genot. De teen ging door. Ik wilde niets liever dan de sok uittrekken en die tenen in mijn mond nemen. In plaats daarvan stak ik een vinger in mijn mond en keek hem aan. Hij draaide zich half om en begon met zijn telefoon te frunniken. Een tel later lichtte mijn telefoon op. In het sms'je stond één woord: 'BUITEN.'

Ik zorgde ervoor dat ik niet naar hem keek en sms'te terug: 'NU.' Ik probeerde het vraagteken te vinden, maar gaf het op en ging voor de gebiedende wijs.

Hij stond op en nam afscheid van iedereen, licht zwaaiend op zijn benen. Ik telde tot zestig en deed hetzelfde. Ik haastte me naar buiten en vond niemand. Het was een grap. Natuurlijk was het een grap. Hij is homo, hij mag me niet eens. Mitzi en hij staan me nu te bespieden en denken: arme, verwarde, dronken Mary. Toen voelde ik een paar armen om mijn middel.

'Snel, voordat er nog iemand naar buiten komt.'

'Over ergens voor naar buiten komen gesproken...' Ik werd onderbroken door de perfect getimede komst van een taxi.

'Waarheen?' vroeg Joel.

'Ik heb een huisgenoot,' zei ik.

Hij gaf de taxichauffeur een adres in een wijk waar ik dolgraag wilde wonen, maar nooit genoeg voor zou verdienen. Opgewonden en dronken konden we niet van elkaar afblijven op de achterbank – iets wat taxichauffeurs waarschijnlijk dagelijks mee moesten maken – en we lieten elkaar pas los toen we stopten voor een groot pand van rode baksteen.

'Mijn moeders huis.'

'Ze is niet thuis, hoop ik.'

Hij lachte. 'Nee, ze is weg. Ik heb trouwens ook mijn eigen kamer.'

We liepen door een grote hal met antiek uitziende vazen en staande lampen met kappen met franje. Ik werd verscheurd door de lust om hem te volgen en de kans om rond te neuzen in deze sprookjesachtige kamers en de vele interessante en prikkelende voorwerpen nader te inspecteren. Er was een keuken met ingelijste cartoons uit de krant aan de muren en stapels oude gietijzeren pannen, een studeerkamer vol boeken en een oude versleten rookstoel, een woonkamer met een exotische dranktafel op wieltjes. Het was allemaal zo anders dan in het huis van mijn jeugd; hier geen kamerbrede vloerbedekking, maar verweerde Perzische tapijten.

Hij leidde me een wenteltrap op en daarna nog een verdieping hoger naar een ruime kamer met een keukentje in de ene hoek en een matras in de andere. De gekreukte lakens wonden me net zoveel op als dat ze me achterdochtig maakten. Een kleine deur ging open naar een kleine douchecel onder het schuine dak. Ik keek uit het raam en zag de lichtjes van de stad onder ons in het donker van de nacht. Het voelde als midden in de nacht omdat we om vijf uur begonnen waren met drinken, maar het was pas negen uur. Hij flanste een omelet in elkaar met kruiden uit een bak die op het dak stond. Ik schrokte mijn eieren naar binnen omdat ik niet dronken genoeg was om niet te begrijpen dat ik iets moest eten, maar eigenlijk wilde ik alleen hem proeven.

Ik vermoed dat ik wel even gedacht moet hebben dat het misschien wel heel snel ging allemaal, maar ik was te dronken en opgewonden om echt aandacht aan deze gedachte te besteden. Normaal gesproken was dit het moment dat ik me begon te schamen, maar Joel maakte dat ik me helemaal thuis voelde. Sterker nog: het huis voelde aan alsof ik er altijd al had moeten wonen, overtuigd als ik er als tiener van was geweest dat deze saaie mensen me geadopteerd hadden en dat mijn echte ouders kunstzinnige liberale types waren die levendige discussies voerden in exotische wereldsteden.

We zoenden en lachten en zoenden nog meer. Toen dronken we en praatten, over al die vreemde kleine details van onze levens die plotseling onnoemelijk interessant leken. Ik wilde hem en zijn woorden verorberen. Toen wilde ik gewoon nog iets eten, dus we gingen naar beneden naar de keuken van zijn moeder, waar we oude pinda's en kookchocolade aten. Door de snacks kwam ik enigszins bij mijn positieven en ik overwoog nog even om niet meteen met hem in bed te duiken, maar ik denk dat ik eigenlijk wel wist wat er die avond ging gebeuren.

Het was fantastisch. Hij gleed heel soepel bij me naar binnen, met precies de juiste frictie. Ik wilde dat hij voor altijd in me bleef, ik wilde tegelijk dat hij in en uit bewoog. Hij kwam prachtig klaar, het was heel mooi om te zien: naakt met één sok en een condoom. Ik was nog niet klaargekomen, maar dat werd ruimschoots goedgemaakt in de ogenschijnlijk luttele seconden nadat hij naar beneden was gedoken en met een druipende kin weer naar me opkeek. In de tijd dat ik nog rookte verheugde ik me soms al op de volgende sigaret als ik nog met een halve peuk in mijn hand zat. Zo voelde ik me die avond toen ik klaarkwam: ik kon niet wachten om hem weer hard te maken en in me te voelen, of hem zachtjes tegen me aan te voelen, tot ik hem smeekte weer in me te komen. Zelfs na de derde of vierde keer fantaseerde ik erover hoe goed de seks later zou zijn, aangezien we zo veelbelovend waren begonnen, terwijl de eerste nacht gewoonlijk een nacht was die je zonder al te veel rampen probeerde te doorstaan.

Ik bekeek mezelf: een rode gloed over mijn hele lichaam en schuurplekken aan de binnenkant van mijn dijen. Ik bekeek de kamer, die al net zo overhooplag als ik, met rode wijnspetters op de muur, het laken half op de grond, een oude zitzak met de kuil van mijn achterwerk waar Joel me in had geduwd met hem erbovenop.

Ik had me nog nooit zo gelukkig gevoeld.

Map: privéadmin

Documentnaam: Huishouden april

Tegoed april: 2 per dag, 60 totaal

Totaal minpunten april: 82

Categorieën van overtredingen: 12 keuken; 7 badkamer; 7 was; 8 slaapkamer; 15 dagelijks leven; 11 opvoeding; 7 milieu; 9 algemene tekortkomingen; 6 geld.

Overtreding van de maand: Zeggen dat ik de droger niet moet gebruiken, 'voor het milieu'. Ik zei dat we hem juist wel daarvoor moesten gebruiken, omdat ons milieu dan niet werd vervuild door natte spullen over alle radiatoren. 'Maar het is zo'n mooie dag.' 'Oké, de droger blijft uit als jij de was ophangt.' Dat deed hij natuurlijk niet; de natte lading bleef in de machine tot ik een volgende was aan wilde zetten, waardoor ik toch weer degene was die de was ophing met de boodschap dat hij dan tenminste de was moest opvouwen als die droog was (en hard, zoals wasgoed van de lijn komt in plaats van uit de wasdroger, die de was zo warm en zacht maakt dat ik mijn neus erin wil verbergen, zoals zo'n raar wijf uit een wasverzachtercommercial). Vervolgens haalde hij de was niet binnen om die op te vouwen en begon het te regenen en werden de kleren nat, om uiteindelijk weer in de wasmachine te belanden en daarna in de droger.

Waarom zijn alle hulpmiddelen voor het huishouden die bedoeld zijn om het vrouwen makkelijker te maken slecht voor het milieu of ethisch onverantwoord? Effectieve schoonmaakproducten kan ik niet gebruiken zonder de aarde schade toe te brengen. Ik kan geen schoonmaakster uit een ontwikkelingsland betalen omdat ik haar weleens zou kunnen uitbuiten.

Compensatiepunten: 5. Drie briljante verhalen over gemeenschappelijke ex-collega's en 1 compliment, en het feit dat hij niet heeft geklaagd dat zijn tandenborstel is gebruikt om Rufus' schoenen schoon te maken. Niet dat ik dat verteld heb.

Totaal minpunten april: 17 (82 min april tegoed van 60 en 5 compensatiepunten)

Totaal minpunten februari, maart, april: 59

Totaal overige punten: 41 voor de komende 3 maanden (100 min 59)

7

Mensen in glazen huizen

Subsectie E [dagelijks leven] nummer 5) *Laat het inpakken volledig aan mij over. Nou ja, niet al het inpakken: hij pakt zijn eigen koffer in (klein, versleten, van zijn opa geweest en beplakt met schreeuwende Cunard Cruise- en ouderwetse Pan Am-stickers) met een paar onderbroeken en een tandenborstel.*

E6) *Roept: 'Ik ben klaar' als hij klaar is,* **E5)** *en gaat vervolgens zuchtend zitten wachten tot ik klaar ben met het inpakken voor twee kleine kinderen en alles wat we verder nodig hebben.*

E7) *Zegt: 'Tjonge' als hij ziet hoeveel spullen ik verzameld heb voor de reis: snacks voor onderweg, luiers voor Gabe, het potje, vier sets kleding per dag, kleding voor warme en koude dagen, het dekbed waar Rufus niet zonder kan. 'Ik weet nog dat jij veertien dagen weg kon met alleen handbagage,' zucht hij dan.*

I [algemene tekortkomingen] nummer 12) *Laat de laden van zijn nachtkastje gevaarlijk openstaan. Leest hij al die verhalen in de krant over bizarre-ongelukken-onder-kleuters-met-dodelijke-afloop niet? Over onthoofdingen door elektrische autoramen, stikken in gedroogd fruit en doorboringen door rechtopstaande messen in open afwasmachines?*

'Help je even deze spullen in de auto zetten?' roep ik te midden van een collectie koffers en rugzakken in verschillende soorten en maten, inclusief een paar plastic tassen voor de spullen die er niet meer in pasten. Wat is dat toch met inpakken? Het begint een paar dagen van tevoren met krabbels op kleine stukjes papier en gebruikte enveloppen om sommige zaken vooral niet te vergeten. Maanden later vind ik nog geheimzinnige cryptische omschrijvingen op de kaft van een kinderboek zoals 'monitor' of 'konijn'. Ik probeer verder de kleding die mee moet in de week voor vertrek al apart te leggen, maar het eindigt er toch meestal mee dat ik de dag voor vertrek alle favoriete kledingstukken nog moet wassen, vergeet ze in de droger te stoppen en het hele zaakje nat in een plastic tas meeneem. Dan worden ze in het gunstigste geval in de auto opgehangen om te drogen (we lieten ze altijd uit het raam wapperen door ze tussen de ramen te klemmen, totdat Gabe ontdekte hoe hij de raampjes open kon draaien en een vlucht natte slipjes over de snelweg liet ontsnappen), of ze blijven in de plastic tas zitten, waar het weer vrij spel heeft.

In mijn dromen is inpakken een kwestie van de inloopkast in stappen en stapeltjes strak gevouwen kleding naadloos van de kast naar een vijfdelige kofferset op wieltjes transporteren. Ooit, neem ik me voor, ben ik het soort vrouw dat haar schoenen in de originele dozen bewaart met foto's aan de buitenkant, zodat je ze niet hoeft open te maken om te weten wat erin zit.

Mitzi beweert dat ze het inpakken voor het tweede huis volledig gestroomlijnd heeft en alles en iedereen 'binnen twee minuten vertrekklaar in de auto heeft'. Mijn idee is dat zij makkelijk praten heeft omdat ze alles dubbel heeft aangeschaft, zoals houten fietsjes en favoriete autootjes, waardoor ze niet zoals wij met een achterbak als een speelgoedwinkel op pad hoeft.

Gabe slaat zijn oudere broer met een houten lepel. Rufus rolt zich overdreven dramatisch om en begint te huilen, een vaak gehoord geluid. Een televisiefilmploeg zou tijdens elk willekeurig uur van de dag genoeg materiaal kunnen verzamelen voor een complete aflevering van zo'n programma waarin opvoeddeskundigen bij disfunctionele gezinnen langsgaan om de boel weer op de rails te krijgen: 'De familie Tennant vindt het niet altijd gemakkelijk om met twee levendige jongetjes de dag door te komen.'

'Alsjeblieft!' roep ik naar Joel. Dit soort beleefdheden gebruiken wij exclusief op tamelijk onaardige toon.

'Kunnen we niet net doen of we ziek zijn?' zegt hij.

'Niet weer, hè? Het wordt hartstikke leuk.' Dit zeg ik op dezelfde opgewekte toon die ik aansla als ik de kinderen vertel dat we gaan logeren in een chic huis.

'Het wordt ongeveer zo leuk als een botulismecocktail met een antraxshot.'

'Had je een alternatief voor de voorjaarsvakantie?'

'Ik wou dat het een weekendje was. Waarom heb je in 's hemelsnaam gezegd dat we tot woensdag blijven?'

'Zie het maar als een lang weekend.'

'Een lang, lang weekend.'

'Het is vakantie. Heb jij een beter idee?'

'Ik blijf met liefde gewoon thuis.'

'Je weet dat we elkaar binnen een dag in de haren zitten en dat jij dan opeens heel nodig naar kantoor moet. Zie het nou maar als een gratis vakantie.'

'Je weet dat niets gratis is bij Mitzi.' Hij zucht. 'We worden op z'n minst geacht om lyrisch te zijn over... ach, wat zal ik zeggen... de geweldige originele details, en wat ontzettend goed dat je een schoorsteenmantel hebt die gemaakt is uit de botten van originele biologische weeskinderen, en een door duizend hindoepriesters handgebreide badkuip tot de rand toe gevuld met wijwater uit de Ganges.'

'Dat is het minste wat we kunnen doen, toch? Weet je wat een huisje kost in het hoogseizoen?'

'Al die verschrikkelijke vrienden...'

'Becky zit ook in de buurt en heeft beloofd om langs te komen. Dan heb je in elk geval iemand die je begrijpt.'

'Godzijdank.'

'Kom op, laten we de spullen inladen.'

'Ik dacht dat we een paar nachtjes gingen logeren. Daar hebben we onze complete inboedel toch niet voor nodig?'

'Heel grappig. In de auto nu, voordat ik je achterlaat.'

'Dat klinkt goed.'

We zijn het punt voorbij waarop we als gezin nog zonder risico op geweldpleging in de auto kunnen zitten. Joel en ik hebben ruziegemaakt over muziek of een praatprogramma op de radio; de jongens hebben ruziegemaakt over wie de draagbare dvd-speler mag vasthouden.

'Hoe lang zei Mitzi dat het rijden was?' Joel is zelden uitgesproken chagrijnig, maar een lange autorit naar een onbekende bestemming laat zelfs hem niet onberoerd.

'Een paar uur.'

Hij snoof. 'We zitten al tweeënhalf uur in de auto. Waarom vinden mensen met tweede huizen het altijd nodig om te liegen over de afstand?'

'Misschien nemen zij een sluiproute.'

'In hun teletijdmachine.'

'Eerder in Michaels Ferrari.'

'Dat is het natuurlijk. Michael heeft één keer, om één uur 's ochtends en door alle maximumsnelheden te overschrijden, de rit in tweeën-half uur gedaan en nu denkt Mitzi dat het volkomen gerechtvaardigd is om te kwelen dat hun schattige huisje op het platteland "maar op een paar uur rijden" ligt. Dat doen mensen met buitenhuisjes. Dat, en zeggen dat het je met de trein maar een uur kost en dat het soms lan-ger duurt om "van de ene naar de andere kant van Londen te komen". En als ze definitief verhuizen naar het platteland zeggen ze altijd: "Jul-lie moeten echt eens komen logeren. Je zult zien dat we dan meer van elkaar zien dan we nu doen." Dat zijn de drie wetten van de natuur als je buiten de M25 gaat wonen.'

Joel heeft oneindig veel meer ervaring met mensen met tweede huizen dan ik, aangezien de meeste vrienden van zijn moeder wel ergens een 'buitenhuisje' hadden dat ze geërfd hadden of voor een habbekrats op de kop hadden getikt in Suffolk, Sussex of Dorset, in de tijd dat intellectueel-zijn blijkbaar een zeer lucratieve zaak was.

Een volle drie uur en drie kwartier na vertrek arriveren we bij een grote stenen schuur met rieten dak midden in de weilanden, waar-achter de duinen beginnen en daarachter de zee. De landelijke char-me wordt slechts enigszins verstoord door de opzichtige zonnepa-nelen, een windkrachtcentrale en het wagenpark op de oprit ter waarde van ongeveer een half miljoen pond. Dat, en het geluid van twee huilende jongetjes op de achterbank van onze gare Volkswagen Golf en mijn diepe zucht bij de aanblik van de Gabes natte broek.

Mitzi komt naar buiten in een schipperstrui, superstrakke jeans en smetteloze kaplaarsen. Ze wordt op de voet gevolgd door twee van haar nakomelingen, gekleed in de kinderversie van dezelfde outfit, op hun beurt gevolgd door een labrador en een terriër. Ik realiseer me in een flits dat ik noch mijn kinderen de juiste garderobe noch de juiste huisdieren hebben voor een pied-à-terre aan de kust.

'Sorry dat we zo laat zijn. Het was verder rijden dan we dachten.'

'Bijna vier uur, om precies te zijn,' voegt Joel eraan toe. Het gebrui-kelijke gekibbel tussen die twee barst meteen los.

'Zijn jullie via Schotland gekomen of zo?' zegt Mitzi.

'Nee hoor, gewoon via dat goeie ouwe tijd-en-ruimtecontinuüm waar de rest van de mensheid in leeft.'

'Nou ja, als je had helpen inpakken waren we waarschijnlijk wat eerder vertrokken, zodat we niet in die vakantiefile met al die cara-vans terecht waren gekomen.'

'Ik had niet verzonnen dat we maar twee uur onderweg zouden zijn.'

'Het is hier geweldig,' zeg ik terwijl ik me demonstratief tot Mitzi wend.

'Ja, hè? Zullen we een rondje lopen?'

'Ik heb trek,' mompelt Joel.

'Let maar niet op hem. Volgens mij heeft hij een iets te lage suiker-spiegel. Pak maar even wat mueslirepen voor jou en de jongens uit de auto.' Ik zucht. 'Je kent dat wel, elke twee uur moeten er wat kool-hydraten en/of suiker in.'

'Dus toen hebben we de hal uitgebouwd om de entree te verrui-men en er meteen een eetkamer van te kunnen maken,' begint Mitzi. 'En die keuken was natuurlijk niets meer, dus die hebben we er hele-maal uit gehaald.' We lopen een enorme lichte ruimte in met uitzicht op de gigantische vlakte van lucht en weilanden.

'Wauw, wat een mooie steen,' zeg ik, strelend over een kookeiland met een oppervlak dat groter is dan de meeste complete keukens.

'Geen steen, maar tachtig procent gerecycled glas. En de vloer waar je op staat is van omgesmolten en gevlochten autobanden ge-maakt. Prachtig, vind je ook niet?'

'Moet je het uitzicht zien,' zeg ik, hoewel ik eigenlijk mijn ogen niet van de vier meter hoge schuifpui af kan houden die ons van de buitenwereld scheidt. Die moet een klein fortuin hebben gekost. 'Dit is vast geen simpele verbouwing geweest.'

'Nee, dat kun je wel zeggen. Het hout van deze kastjes komt van victoriaanse apothekerskasten en de trap is gemaakt van de planken van aan deze kust gestrande schepen. De Aga is nieuw, dat wel, maar is het geen heerlijk babyblauw? O ja, de glazen tussenmuur is ge-maakt van oude melkflessen.'

Achter het matte gerecyclede glas is een ruimte vol met luxueuze zachte banken rond een grote glazen salontafel.

'Het is heerlijk om een bijkeuken met douche te hebben, zodat de kinderen zich na het duinklimmen of spelen met modder hier kun-nen afspoelen.' De douchecel alleen al is groter dan onze badkamer. Laarzen, emmers en scheppen staan in een lange rij langs de muur en de haken hangen vol met bijpassende truien en zeiljacks. 'Willen jullie je kamer zien? Of kamers, eigenlijk?'

Ik knik. Ik kan van jaloezie geen woord uitbrengen. Ik wil mijn eigen spullen niet, ik wil deze spullen. Ik wil mijn leven ook op kleur gesorteerd, ik wil ook voor alles een eigen plek. Voor Mitzi voelt het heel natuurlijk om geld te hebben; het lijkt of dat zo moet zijn en of haar afkomst erdoor ontkend wordt. Het feit dat ze nog nooit van haar leven een dag gewerkt heeft om haar brood te verdienen. Zou ze er nooit eens bij stilstaan hoe het zou zijn als ze met iemand anders getrouwd was, iemand als Joel bijvoorbeeld? Dan zou ze nu niet bezig zijn om de beste privéscholen en milieuvriendelijke binnenhuisarchitecten uit te zoeken, maar een leven leiden dat naar normale begrippen behoorlijk comfortabel was, maar in de verste verte niet leek op haar leven nu.

'Omdat we graag andere mensen te logeren vragen hebben we deze vleugel ingericht als gastenverblijf met eigen opgang. Het idee van de open trappen hebben we overgenomen uit de scheepvaart.'

'Ja, dat dacht ik al.' Ik volg haar naar boven over wat waarschijnlijk de achtertrap heet, die overigens groter is dan de normale trap van de meeste mensen die ik ken. We komen uit bij twee grote aan elkaar grenzende slaapkamers en een grote badkamer.

'Ik vond het leuk om vanuit de badkamer het beste uitzicht te hebben, zodat de gasten heerlijk vanuit een schuimbad van de etherische oliën en de weilanden kunnen genieten.'

'Het is prachtig.' Ik stel me voor hoe het zal zijn om in een bad te zitten dat niet lauw is en gedeeld moet worden met een kind en een verzameling badspeeltjes waar schimmel uit komt als je erin knijpt.

'Het bad zelf is gemaakt van gerecyclede remschijven. En de spatwand van oude petflessen.'

'Wauw.' Ik ben afgeleid door de planken vol dure schoonheidsproducten en de twee zachte badjassen die aan de deur hangen. Mitzi rangschikt de flessen op merk, shampoo en conditioner, wascrème en lotion. Ze staan gehoorzaam en netjes naast elkaar op de planken. Het is alsof we in zo'n exclusief hotel logeren dat we ons onmogelijk kunnen veroorloven. Ik kijk uit het raam, waar Marlowe en Mahalia aan het vliegeren zijn, terwijl de tweeling op hun loopfietsjes over het terras racet, met op de achtergrond een fotograaf die met een enorme lens alles vastlegt op de gevoelige plaat.

'Hij is van de fullcolourbijlagen,' legt ze uit.

'Aha.'

'Ze maken een item over vakantieverblijven bouwen die niet onbetaalbaar zijn of de aarde vernaggelen. Het leek me wel goede publiciteit.'

'Waarvoor?'

'Je weet toch dat ik erover denk om een eigen bedrijf op te richten? Stijlvolle, duurzame producten voor in huis. Ethisch verantwoord geproduceerd in het buitenland. Ik heb al een domeinnaam en dat soort dingen, zodat er in het stuk dat komend najaar gepubliceerd wordt een link naar mijn site kan worden opgenomen.'

Ik staar naar de fotograaf, die de kinderen aanmoedigt om afgemaaid gras als een soort confetti naar elkaar toe te gooien. 'Zijn ze bijna klaar?' vraag ik. 'Ze willen toch geen foto's van jullie gasten, hoop ik?' Terwijl ik het vraag weet ik het antwoord al. In het artikel zal er ongetwijfeld aan gerefereerd worden dat 'Michael en Mitzi hun huis graag openstellen, zodat hun vrienden en familie er net zo van kunnen genieten als zij'. Ik kijk omlaag naar mijn kleren, die er versleten uitzien en dan niet op een artistieke manier. 'Moeten we onze leuke vintage jurkjes dan niet aantrekken?'

'Hmm,' doet ze quasiserieus.

'En moeten we ons netjes gedragen?'

'Ben je mal, ik verwacht van jullie niet dat je je netjes gedraagt. Ze hebben gisteren al binnen foto's genomen. Nee, vandaag willen ze foto's van een grote familielunch op het terras...'

'Aandoenlijke peuters die wilde bramen in hun mond proppen, lachende volwassenen die karaffen wijn aan elkaar doorgeven, grote schalen met simpele, maar verrukkelijke pastaschotels – dat soort dingen?'

'Er zijn nog geen bramen.'

'Mijn god, Mitzi, ik snap niet hoe je het doet. Hoe kun jij een compleet tweede huis inrichten terwijl ik het niet eens voor elkaar krijg de muren van mijn enige huis een nieuw verfje te geven? En dan heb je ook nog tijd om een landelijk feestmaal te bereiden voor een woontijdschrift.'

Ze maakt een luchtig gebaar met haar hand en als ik naar buiten kijk zie ik niet alleen hun nanny uit Londen, maar ook de reserve-au pair, terwijl een stevige vrouw met een blozend gezicht de houten tafel dekt die ongetwijfeld gehouwen is uit de boeg van een beroemd galjoen. Ik herinner me Mitzi's eerste vakantieregel: ga nooit op reis met minder hulp dan je thuis hebt, wat in haar geval betekent dat er minimaal één bediende per gezinslid mee moet. We komen beneden, waar Michael duidelijk maakt dat Joel geen slechtere route vanuit Londen had kunnen kiezen en grapjes maakt over de vervallen toestand van onze auto.

'Je had gelijk. Ze zijn inderdaad supermilieuvriendelijk,' zegt Joel tegen mij als we ons ongeorganiseerde ratjetoe van tassen en koffers pakken uit de auto die door Michael zojuist nog getypeerd werd als het soort barrel waar alleen twintigjarige peuterleidsters in rondrijden. 'Zelfs de gesprekken zijn gerecycled.'

We overleven de lunch, waar ook een aantal bekenden van de gastvrouw uit de omgeving bij aanschoven, een stel waarvan de vrouwelijke helft toevallig een zeer fotogenieke Afrikaans-Amerikaanse is, met hun superschattige dochtertje. Mijn zoons dragen plotseling vrolijke gestreepte badjasjes van Mitzi's kinderen, waarin ze er een stuk geschikter uitzien voor de foto's dan in hun Pokémon-T-shirts. De journalist, stylist en fotograaf van het blad zijn vertrokken en ik zou zweren dat ik een zucht van verlichting hoorde omdat we niet langer een ideaal plaatje hoefden neer te zetten.

'Kan ik een kop thee voor mezelf maken?' vraag ik Mitzi. 'Verder nog iemand?'

'Rooibos?'

'Nee, gewone graag.' Ik zet de waterkoker aan, maar word onderbroken door Michael.

'Altijd nieuw water pakken als je thee gaat zetten, anders kook je telkens hetzelfde water,' legt hij uit. 'En gebruik de Aga, daar is hij voor.'

'Oké.' Ik pak de waterkoker uit zijn houder en loop richting de Aga.

'Niet die koker op de Aga zetten, idioot!' roept hij. 'Dan sloop je de boel. Gebruik de ketel. Heb je nog nooit op een Aga gekookt of zo?'

'Nee, toevallig niet, nee.' En noem me geen idioot. 'Ik hield je voor de gek, man. Ik ga toch geen waterkoker op een kookplaat zetten? Pff.' Ik vind een chromen ketel met een fluit en begin hem te vullen.

'Niet die kraan. Dat is drinkwater,' zegt hij.

'Goed, goed.' Hij blijft rondhangen en op mijn vingers kijken. Ik zet drie bekers op het aanrecht en sta op het punt om in elke beker een theezakje te hangen als Michael me weer onderbreekt.

'Theepot. Thee maak je altijd in een theepot. Proef jij het verschil niet tussen thee uit een mok en thee uit een pot? Hij moet getrokken worden van losse blaadjes en uit porseleinen kopjes genuttigd worden.' Hij wacht tot ik weer iets verkeerd doe als ik de theepot met de grote stippen pak. 'Mary, je moet hem eerst opwarmen.'

Dit is het langste gesprek dat ik ooit met hem heb gehad en het gaat over theezetten.

'Michael is erg precies over hoe hij zijn thee wil,' zegt Mitzi terwijl ze de keuken in komt. Er klinkt geen enkel waardeoordeel door in haar stem. Ze heeft me al eens een preek gegeven over hoe belangrijk het is om je echtgenoot niet te kleineren of uit te lachen. 'En het smaakt echt anders. Door jou weet ik precies hoe ik een goede kop thee moet zetten,' zegt ze tegen Michael met een kus op zijn welgevormde Romeinse neus. Ik had de ketel met kokend water waarschijnlijk allang over het hoofd van mijn echtgenoot leeggegoten en ik bedank hem stilletjes voor het feit dat hij mij niet probeert te vertellen hoe ik zijn heilige thee moet serveren. Mitzi daarentegen staat klaar met een Sorbo-doekje om alles wat ik tijdens dit tergende proces eventueel gemorst heb netjes weg te poetsen.

Michael is het soort man dat in een restaurant met grootse gebaren de sommelier wenkt om de eigenschappen van de verschillende jaargangen Châteauneuf-du-Pape te bespreken. Ik wist alleen niet dat hij aan zijn thee ook zulke hoge eisen stelde. Hij ruikt even aan het kopje dat ik hem geef en neemt een klein slokje. Ik verwacht half dat hij hem in zijn mond rond zal laten walsen om het daarna uit te spugen in de gootsteen, maar mijn brouwsel lijkt de test te doorstaan. Ik zorg dat hij niet ziet dat ik sojamelk in mijn kopje doe, want dat zal ongetwijfeld in strijd zijn met de eerste regel van het theebereidingsproces. Ik vraag me af of Joel misschien gelijk had dat sommige prijzen inderdaad te hoog zijn voor een gratis weekendje weg. Mitzi pakt mijn kopje op en veegt de bodem af met het doekje voordat ze het neerzet op het aanrecht van gerecycled glas.

'Heerlijke lunch,' zeg ik tegen Mitzi. 'Dankjewel.'

'Mm-mm,' zegt ze, afgeleid. 'Vond je niet dat er iets te veel rood en paars in zat, dat het een beetje vloekte? Je weet wel: aubergines én kool én granaatappel?'

Tot zover is ons bezoek allesbehalve ontspannen. Ik weet niet over wie ik me het meest zorgen maak, over Joel of Gabe. Over Rufus niet; op Rufus ben ik trots, omdat hij zijn rekenkunsten vertoont en zijn vergaande begrip van de vaardigheden delen en vermenigvuldigen waarover Michael altijd vraagt of hij dat op de 'openbare' leert, en de Afrikaanse schoonheid informeert of ik me weleens heb afgevraagd of hij misschien autistisch is.

Gabe slaagt erin elk object uit de natuur om te toveren in een vuurwapen of zwaard, wat de tweeling met afgrijzen beziet. Joel moedigt ze aan door een spel te bedenken dat bestaat uit het arrangeren van dennenappels op een muurtje en ze er met stenen en stokken af te gooien, onder het slaken van woeste oorlogskreten. Daar gaat Ursula met haar eeuwige verbod op speelgoedwapens. Ik scharrel achter hen alle drie aan om te zorgen dat we nergens troep achterlaten behalve in de veilige privésfeer van onze slaapkamers, die er inmiddels uitzien als een vluchtelingenkamp voor ontheemden in afgedankte C&A-outfits.

Na een rondje naar boven om onze bezittingen terug naar de basis te brengen neem ik een kijkje in de andere slaapkamers van het huis. Rufus doet hetzelfde, onder het toeziend oog van Mahalia.

'Je mag niet in Marlowes kamer,' zegt ze. 'Als je met zijn speelgoed gaat spelen zet je het vast niet op de goede plek terug.'

'Echt wel,' zegt hij. 'Ik wil gewoon even spelen.'

'Speelgoed is niet om mee te spelen,' verklaart ze met een welgemikte harde tik op zijn hand als hij het houten vliegtuig uit de jaren vijftig dat artistiek aan het plafond hangt een zetje probeert te geven.

Het wordt een lange dag. Ik ben vergeten wat je ook alweer wordt geacht te doen op het platteland. Dit soort weekends gaat meestal gepaard met een uitstapje naar een of ander wildpark of vogelreservaat, denk ik, waar ongeveer een uur of drie voorbereiding voor nodig is. Ik ben opgegroeid aan de rand van een dorp met aan de andere kant slechts weilanden en een rivier, maar ik herinner me totaal geen Enid Blyton Avontureneiland-achtige activiteiten, meer een allesverterende verveling en de ontdekking dat de tijd een stuk sneller leek te gaan als je de hele middag lezend doorbracht.

'Waarom gaan we niet even wandelen?' zeg ik opgewekt als de blozende huishoudster uit de regio een van Rufus' Thomas de Treinlaarzen oppakt en naar de bijkeuken brengt, waar ze nogal uit de toon vallen bij de keurig in rijen opgestelde en op elkaar afgestemde collectie laarzen en klompen van Mitzi en de haren.

'Waarheen?' vraagt Rufus, die verbannen is uit de sprookjesachtige heiligdommen van Mahalia en Marlowe.

'Dat weet ik niet. Gewoon wandelen. Naar de zee?'

'Kan ik daar een tijdschrift kopen?'

'Nee, er zijn geen winkels bij de zee.'

'O.' Er klinkt teleurstelling door in zijn stem. 'Mag ik dan op de Wii?' De niet-educatieve elektronische amusementspellen, was me al opgevallen, lagen in een kleine kamer zonder ramen die niet meegenomen werd in de rondleiding noch werd gefotografeerd voor de bladen.

'Het is zo mooi buiten.' Ik hoor het valse uitroepteken in mijn hoofd en – nog veel erger – de veelgehoorde woorden van mijn moeder. Hoezeer haatten wij de onvermijdelijke krachttoeren om zo veel mogelijk van het mooie weer te genieten door wilde planten te gaan plukken om te drogen of op zoek te gaan naar bootsmannetjes of kikkers in de rivier. Ondanks alle discussies over de verschillen tussen de kinderen nu en de vorige generatie, sta ik versteld van het aantal keren dat ik mezelf dezelfde gesprekken hoor voeren met mijn eigen kinderen als ik destijds met mijn moeder: de 'Maar ketchup is van tomaten gemaakt'- en 'Chips zijn gemaakt van aardappelen'-discussies. Ik heb het unheimische gevoel dat zij bezit heeft genomen van mijn lichaam als ik buk om de zwemvleugeltjes van mijn kind op te blazen als hij ze al om heeft, of het parkeerbonnetje in mijn mond steek terwijl ik achteruit inparkeer in de garage van een groot warenhuis. Het vreemde van kleine jongetjes is dat ze precies doen wat je van ze verwacht en wat ze altijd al gedaan hebben: ze springen in modderplassen, schoppen tegen bladeren, steken hun hoofd door een hek en hun handen in hun broek. Zelfs de dingen waarvan ik dacht dat ze puur aan het karakter van het kind lagen, zoals dat Rufus geobsedeerd postbode-elastieken begon te sparen, bleken een tic van alle jongetjes uit onze buurt te zijn, die ze als lange rode slangen door hun spaken vlochten.

Joel helpt met het aankleden van de kinderen in toepasselijke buitensportoutfits, grotendeels geleend van Mitzi, en Mitzi doet hetzelfde met Marlowe en Mahalia, die gelukkig net zo hard om de Wii zeuren als Rufus. Als we op het punt staan te vertrekken struikelt Merle, het meisje van de tweeling, over de poot van Michaels leunstoel en bezeert haar knie. Hij doet niets. Het lijkt wel alsof hij haar niet hoort huilen, alsof ze op die ene frequentie zit, zoals een hondenfluitje, die alleen wij kunnen horen. Uiteindelijk komt de au pair aangesneld, die Merle in haar korte Bulgaarse armen neemt, terwijl Michael onverstoorbaar door blijft lezen in precies die katernen van de krant die ik altijd oversla.

'Doet Michael veel met de kinderen?' vraag ik Mitzi als we over de vlakte naar de zee en de zeehonden lopen en zij zeewier verzamelt in een platte mand. 'Waarom wied jij de wijde, blijde buitenwereld?'

'Dit is zeevenkel. De asperges van de zee. Het is nog niet helemaal het seizoen, maar het is echt heerlijk met gesmolten boter, en het mooie is nog wel dat het helemaal natuurlijk en gratis is. Ik ben helemaal *into* verzamelen op het moment.'

'O ja, daar heb ik over gelezen. Het enige wat ik in onze contreien zou kunnen verzamelen zijn winkelwagentjes, platgetrapte kauwgum en lege bierblikjes. Hoe ziet wilde knoflook er eigenlijk uit? En hoe zie je het verschil tussen een champignon en een andere paddenstoel?'

'Dat weet je gewoon,' zegt Mitzi. 'Net als bij je partner.'

'En Michael? Hij lijkt me nogal afwezig.'

'Wat betreft huiselijkheid en luiers en zo heb je wel gelijk,' zegt ze. 'Hij werkt hard en verdient zoveel dat het niet eerlijk zou voelen om hem te vragen ook maar iets bij te dragen aan het huishouden. Hij is wel erg betrokken bij de school van de kinderen.'

'Hij betaalt.'

'Nee, meer dan dat. Hij stond erop dat Mahalia en Marlowe konden lezen voordat ze naar school gingen, en een paar woorden Frans spraken. Dat vindt hij belangrijk.'

Nu ze het zegt, bedenk ik dat Mitzi met haar kinderen geen trap af kan lopen zonder hardop de treden te tellen, en de tweeling van twee wordt constant overhoord over kleuren en vormen.

'Maar andere dingen?' vraag ik.

'Nou ja, hij is niet zo'n vader die zijn baby in een draagdoek draagt en zijn peuter in de lucht gooit, als je dat bedoelt. We kunnen niet allemaal getrouwd zijn met de ideale vader, hoor. Jij hebt Joel.'

'Dat bedoelde ik niet.'

'We weten allemaal dat jij Joel hebt gekregen. Daar hoef je me echt niet de hele tijd aan te helpen herinneren.'

'Sorry, daar was ik me niet van bewust. Zal ik je helpen met zeewier plukken?'

'We kunnen een hele maaltijd verzamelen.' Mitzi praat nu op de bevlogen toon die ze vroeger voor drank en pillen reserveerde. 'We zouden krabben kunnen vangen voor erbij.'

'Zoals we vroeger mannen vingen.'

Ze giechelt, en zoals ze daar staat, zonder Michael en het personeel, is ze precies het meisje dat ik dertien jaar geleden leerde kennen. 'Zeg maar niets tegen Michael.'

'Denkt hij dat je nog maagd was toen jullie elkaar leerden kennen?'

'Nee, dat lijkt me niet, maar hij weet niet precies wat ik van mijn twintigste tot mijn dertigste allemaal heb uitgespookt. Dat was allemaal zo chaotisch.'

'Nee, dat was het niet,' zeg ik, terugkijkend. 'Die van mij waren minder spannend, maar veel chaotischer dan die van jou. Jouw avonturen leken heel gericht en uitgestippeld. Volgens mij heb je het me zelfs een keer verteld: dat je zo veel mogelijk plezier wilde maken en daarna met een rijke man zou trouwen. En dat is precies wat je gedaan hebt.'

'Dat heb ik nooit gezegd. Het is toeval dat Michael het zo ontzettend goed doet. Ik ben verliefd op hém geworden, niet op zijn geld. Het soort mannen waar ik op val, dominant en intelligent, is gewoon het soort man dat goed is in wat hij doet.'

'Misschien heb je gelijk, maar wat voor carrièreadvies zal hij Mahalia en Merle meegeven, denk je?'

'Wil je nu beweren dat mijn relatie met Michael een carrièremove was?'

'Nee, nee, natuurlijk niet.' Natuurlijk wel. Sinds Trotski is verwijderd van afbeeldingen van Rusland in de tijd van de revolutie heeft de geschiedenis zich niet zo openlijk herhaald. Mitzi ruilde vrije toegang tot eindeloze seks en lol in voor een huwelijk met een hork als Michael.

'Ik was op zoek naar zekerheid,' geeft ze toe. 'Niet per se financieel. Je kent het verhaal van mijn moeder. Dat wilde ik niet voor mijn gezin.'

De kinderen zijn zichzelf met modder aan het insmeren en kraaien het uit van de pret. Ze laten zich languit in het zand vallen, glibberend en botsend, zonder angst voor schrammen op hun bleke, volmaakte huidjes van de schelpen die onder de oppervlakte liggen. Ik wil dit moment vasthouden, dit moment waarop het – in elk geval voor een dag – lijkt alsof ik mijn kinderen de jeugd bezorg die ze verdienen. Heel af en toe heb ik zo'n moment als we allemaal meezingen met de radio en gekke teksten verzinnen, waarbij ik de namen van de jongens in de liedjes verwerk en zij ijzersterk zijn in het invoegen van woorden als 'poep' en 'kont'. Dat zijn de momenten waarop ik voel, in plaats van mezelf daarvan probeer te overtuigen, hoeveel ik van ze hou en hoe graag ik bij ze ben. Ik koester die korte intermezzo's van huiselijke volmaaktheid, zoals nu, kijkend naar hoe hun haar in dikke strengen vol Norfolkse modder langs hun gezichten hangt en hun magere armpjes en beentjes een kluwen van modder en klei worden. Ik kan wel janken van ontroering en vraag me af of dit voor Mitzi dagelijkse kost is: de eeuwige idylle, het leven waar we volgens het artikel over Mitzi's tweede huis meer dan dankbaar voor moeten zijn.

De ochtend na mijn eerste nacht met Joel werd ik strikt genomen niet wakker op de zolder van Ursula's huis, omdat we de hele nacht op waren gebleven. We vrijden en lachten en dronken, vielen een paar minuten in slaap en werden dan weer wakker om weer van voren af aan te beginnen. We ritsten onszelf aan elkaar vast met een laag plakkerig zweet ertussen en ik vervloekte het dat ik twee armen had, omdat er altijd een arm tussen ons in lag. Op onze eerste logeerpartij werd er minstens zoveel gegiecheld als achtjarige meisjes doen. 'Jij moet eerst gaan slapen.'

'Nee, jij.'

'Slaap je al?'

'Ik vond jou leuk vanaf de eerste keer dat ik je zag,' zei Joel toen het licht werd en we nadachten over een ontbijt. 'Daar was je, een heerlijke rooie op een tafel, en toen je met die hoogste planken bezig was zag ik een stukje blote huid tevoorschijn komen rond je middel... hier.' Hij boog zich voorover om mijn huid boven mijn taille te kussen en ik voelde me alweer nat worden. Het leek wel op zo'n serieuze verkoudheid waarbij je je afvraagt waar al dat vocht in 's hemelsnaam vandaag komt.

Ik bloosde. Ik had niet verwacht dat we het hier nu al over zouden hebben. Joel hoefde zich niet groot te houden. 'Maar...'

'Maar wat?'

'Ik dacht dat je homo was.'

'Sommige van mijn beste vrienden enzovoort, enzovoort, maar hoe kwam je daar in vredesnaam bij?'

'Dat zei Mitzi.'

Hij kneep zijn ogen tot spleetjes. 'Maar zij weet dat ik jou leuk vind.'

Ik bloosde van blijdschap zonder me af te vragen hoe het kon dat mij dit niet eerder ter ore was gekomen. 'Misschien heb ik het niet goed begrepen. Of Mitzi.'

'Ja, een vergissing zit in een klein hoekje. Er zijn zoveel jongens die Mary heten.' Zijn hoofd zakte weer naar beneden en hij likte me. Hij kwam weer naar boven om iets te zeggen. 'Ik ben blij dat Mary geen jongen is.' Hij verborg zijn gezicht weer tussen mijn benen.

'En ik ben heel blij dat jij er wel een bent,' zei ik, en ik trok hem omhoog en voor de zoveelste keer in me.

Zo hadden we de hele dag door kunnen gaan. Ik vroeg me af of ik een dringende en zeer interessante afspraak uit mijn duim moest zuigen die zaterdagochtend. Plotseling sprong Joel op.

'Stomme sukkel!' riep hij, overdreven paniekerig door de kamer dansend terwijl hij zijn onderbroek en broek aantrok.

'Wat is er?' vroeg ik. Dit is te mooi om waar te zijn, dacht ik: hij herinnert zich net dat hij een vrouw en kind heeft die thuis op hem wachten.

'Ik heb een lunchafspraak in Brussel. Ik heb met Ursula afgesproken. Waar is mijn treinticket?'

De kamer, die toch al niet bijzonder netjes was toen we binnenkwamen, zag er nu uit alsof er een bom was ontploft. Ik begon te hyperventileren. Ik heb een morbide angst om vliegtuigen en treinen te missen. Terwijl Joel als een bezetene spullen opraapte en weer neergooide, op zoek naar sokken, zijn paspoort en zijn ticket, probeerde ik te kalmeren door systematisch zijn bureau te doorzoeken. Hij moest die trein halen. Als hij hem miste was alles verpest. Dan bleef ik voor de rest van mijn leven het meisje door wie hij de trein miste, en geen gewone trein, maar de Eurostar. Wat een waanzin, dacht ik ondanks de paniek; die man vergeet dat hij weg moet, naar het buitenland en alles. Hij legt de avond tevoren niet zijn kleren klaar met op zijn lippen de paspoort-ticket-geldmantra, maar gaat in plaats daarvan uit en versiert nog even een meisje.

'Gevonden!' riep ik. 'Je ticket en paspoort.'

'Daarom hou ik van je,' zei hij, en hij kuste me. Het was geen officieel 'Ik hou van jou', maar gewoon een opmerking tegen iemand die jouw tickets en paspoort had gevonden. Toch voelde het alsof ik wist hoe het zou voelen als hij het echt zou zeggen.

Ik ook van jou, zei ik tegen mezelf. Ik hou ervan dat je zo ontzettend goed in bed bent, dat jouw vertrouwen mij beter maakt, dat je dingen kwijtraakt die ik voor je kan vinden, dat je geen verschil ziet tussen internationale treinen en lokale buslijnen.

Joel heeft het altijd over 'momenten waarop ik wist dat ik van je hield'; daar heeft hij er blijkbaar tientallen van gehad, maar toen hij me een sms'je stuurde om me te bedanken en liefs te wensen vanuit de trein naar Brussel, wist ik het ook.

Op het werk hadden we een zalige week, waarin we onze verliefdheid verborgen hielden en korte romantische ontmoetingen hadden op het invalidentoilet op de tweede verdieping. We mailden en smsten als we niet samen waren en zochten elkaar zo vaak mogelijk op. Ik maakte het hem niet moeilijk, ik was als was in zijn handen.

Toen betrapte iemand ons in het café om de hoek en wist ik dat het tijd was om het Mitzi te vertellen.

'Super,' zei ze toen ze het hoorde. 'Wat schattig.'

Ik was zo opgelucht dat ik niet eens goed hoorde wat ze verder nog zei. 'Hij is dus geen homo.'

'Nee,' zei ze. 'Nou ja, dat mag je hopen.' En dat was het dan. De vriendschap tussen Mitzi en mij bekoelde en ik werd een van haar vele discipelen, en zo is het tot op de dag van vandaag gebleven. Joel en Mitzi ontwikkelden hun eigen, steken-onder-water-manier van met elkaar omgaan, een haat-liefdeverhouding waarin geen van beiden precies weet hoe de ander erover denkt. Soms doet hij er alles aan om haar te ontwijken, waardoor ik een tegenovergestelde beweging ga maken. Ik vond dat hij zich aanstelde. Ongeveer een jaar later vond ze Michael en dat was de start van een romance die nooit eerder vertoonde epische vormen aannam, inclusief vakanties naar privé-eilanden in de Malediven en een bruiloft die de Oscaruitreiking deed verbleken.

'Zou je iets minder duidelijk kunnen laten merken dat je hier helemaal niet wilt zijn?' bijt ik Joel toe terwijl we de jongens afspoelen en van de Norfolkse modder ontdoen in de douchecel van gerecycled fietspad.

'Hmm, wat een lekker stukje kauwgom,' zegt hij tegen Rufus en Gabe terwijl hij net doet alsof hij een stukje van de kleiachtige modder in zijn mond stopt, wat ze prachtig vinden. 'Ik weet niet wat je nou eigenlijk van mij verwacht. Je zegt altijd dat je er een hekel aan hebt dat ik graag aardig gevonden wil worden. Wil je dan dat ik zou willen dat iedereen me een eikel vond?'

'Ik begrijp gewoon niet dat uitgerekend jij, die bij iedereen in de smaak wil vallen, zijn best lijkt te doen om je zo lomp en bot mogelijk te gedragen bij Michael en Mitzi. Is er geen middenweg?'

'Ik kan het niet goed doen, of wel? Of ik doe te veel mijn best om aardig te zijn, of ik doe bij bepaalde mensen niet genoeg mijn best.'

'Maak je geen zorgen; ze vinden je nog steeds gewéldig, en ik heb het verschrikkelijk met jou getroffen. Iedereen houdt van Joel.'

'Iedereen, behalve mijn vrouw. Die heeft blijkbaar een hekel aan me.'

'Ik heb geen hekel aan je.' Ik kijk nerveus naar de jongens, die druk bezig zijn zichzelf van top tot teen in te smeren met dure gezichtsreiniger. Joel kijkt sceptisch. 'Ik heb gewoon een hekel aan sommige dingen die je doet.'

'Becky, wat leuk je te zien.' Een gladgeschoren en gewassen Joel slaat zijn armen om haar heen. Ze zijn allebei lang en breedgeschouderd, met aanleg om dik te worden en armen om anderen te omhelzen. Ze fluistert iets in zijn oor en voor het eerst sinds we gisteren zijn aangekomen zie ik hem ontspannen.

'Hoe is het hotel?' vraag ik als ze klaar zijn.

'Prima.'

'Het is verrukkelijk,' voegt Cara eraan toe, en ze geeft me een kus die naar citroengras ruikt. 'Mitzi, wat heb je toch een neus voor mooie plekjes.'

'Ja, het is er echt hemels,' zegt Mitzi. 'Dat het daar zo fantastisch is heeft ons tijdens de verbouwing door die verschrikkelijke tijd van saaie tijdsschema's en ruzies met de aannemers gesleept waarvoor we om de haverklap hier moesten zijn.'

Mitzi's vakanties zijn altijd fantastisch in de overtreffende trap. Het is aan ons om niet alleen diep onder de indruk te zijn van het feit dat Michael dat allemaal kan betalen, maar ook van Mitzi's talent om overal de leukste, exclusieve hotelletjes en best bemande villa's, dus inclusief tuinman en tweede keukenmeid, te vinden. Dat zij en Michael af en toe een weekje zonder kinderen in een hotel met minimaal drie sterren op de Cariben doorbrengen is geen teken dat ze meer geld hebben dan de rest van de mensheid, maar dat ze meer smaak hebben, en bovendien verliefder zijn. Goede smaak is voor haar een morele kwestie. Zelfs als losbol van twintig had ze een natuurlijke hang naar lakens van Egyptische katoen en chocolade met 85 procent cacao en zeer droge wijn. Zij is zo iemand die yoga echt leuk vindt.

'Waarom logeren jullie niet hier?' vraag ik Becky. 'Er is meer dan genoeg ruimte.'

'Ha, Cara kijkt wel beter uit dan onder één dak te verblijven met een half dozijn kinderen van onder de acht die voor dag en dauw naast je bed staan. Ze slaapt met een oogmasker op en dat soort dingen.' Ik stel me Cara voor met een bleekgroen zijden oogmasker en bijpassend ondergoed. Ik denk aan de afgeknipte joggingbroek en het T-shirt waar ik in slaap.

'Daar zit wat in. Als ik jullie was zou ik ook niet met mijn familie op vakantie willen. Trouwens, als ik mij was zou ik ook niet met mijn familie op vakantie willen.'

We worden onderbroken door de komst van luie Daisy en haar zwijgzame echtgenoot.

'Ik wist niet dat jullie ook zouden komen,' zeg ik. 'Wat ontzettend leuk om jullie te zien.'

'Mijn schoonouders hebben hier verderop een huis. Dat hebben ze al jaren – zoiets als dit. Hoewel, ik zeg wel zoiets als dit, maar het is eigenlijk precies het tegenovergestelde. Meer puinhoop dan paleis.'

'Het is echt prachtig hier. Ik lijd aan ernstige huisnijd,' zeg ik. 'Mitzi, ik wil ook jouw huis.'

'O god, ik niet, hoor,' zegt Daisy jolig en iedereen kijkt om naar de vrouw die deze verderfelijke woorden durft uit te spreken. 'Het is zo'n gedoe om een tweede huis te hebben, zelfs al is het een bouwval, zoals dat van Roberts ouders.'

'*A country estate is something I'd hate,*' zingt Joel, waarmee hij voor de zoveelste keer aantoont dat zijn musicalkennis verder reikt dan gemiddeld, wat mogelijk bijgedragen heeft aan de geruchten over zijn vermeende seksuele voorkeur.

'Ik meen het,' zegt Daisy. 'Boilers die stukgaan en leidingen die springen en dat soort dingen. Wat een ellende. Ik kan één huis al nauwelijks aan.'

'Daar heb je gelijk in,' zeg ik. 'Dat gevoel heb ik ook vaak.'

'Hoewel ik wel het geheim van een gelukkig huishouden heb ontdekt,' zegt ze.

'Vertel.'

'De lat lager leggen,' lacht ze. 'Dat pas ik zelfs bij mezelf toe. En dat kun je dan weer prima combineren door alle spiegels in huis niet schoon te maken. En überhaupt geen spiegels op te hangen waarin je je onderste helft ook kan zien.'

Ik wou dat ik zo in het leven kon staan als luie Daisy.

'En veel alcohol,' gaat ze door. 'Ik kan wel een borrel gebruiken na de dag die wij hebben gehad.'

Alfamannetje Michael heeft – uiteraard – bardienst, en serveert ouderwetse sterkedrank in plaats van de blikjes bier en glazen wijn die bij ons thuis als aperitief dienen. Iedereen complimenteert hem uitgebreid met de manier waarop hij de fles gin hanteert. Het is ongebruikelijk warm voor de tijd van het jaar en ik merk dat ik mijn drankje naar binnen klok alsof het goedkope wijn is. Ik zie dat Becky er al precies zo aan toe is.

Na een paar glazen word ik licht in mijn hoofd. Ik ga op zoek naar de wc om te kijken of mijn wangen erg rood zijn.

'Meen je dat nou?' Becky verspert me de weg als ik weer naar buiten kom.

'Wat?'

'Wat je zei over niet bij je kinderen willen zijn?'

'Nee, natuurlijk niet. Niet echt. Ik zei maar wat.'

'Ben je gelukkig omdat je kinderen hebt?'

O god, daar gaan we. Waarom kan Becky nou nooit eens gewoon over televisieprogramma's en celebrity's praten? Ik voel me oppervlakkiger dan de kust van Norfolk bij eb.

'Ja, soms. En zenuwachtig. Onrustig, maar gelukkig – ja, meestal, denk ik. Ik weet niet.'

'Je moet het weten. Maken Rufus en Gabe jou, Mary, gelukkig?'

'Ik kan me geen leven zonder hen voorstellen. Mijn grootste angst is dat er iets met hen gebeurt. Ik zou nooit, nooit meer zonder ze willen. Ik zou mijn leven voor ze geven, maar tegelijk ben ik heel bang dat ik er niet meer voor ze kan zijn.'

'Maar maken ze je gelukkig?'

Ik denk aan hoe ik soms voor dag en dauw wakker word gemaakt en dan alleen maar kan denken dat het dertien lange uren zal duren voor ze weer in bed liggen. Aan dat ik nog liever mijn ogen uitsteek dan nóg een keer *Thomas de Trein* voorlezen. Aan dat de fijnste momenten van de dag vaak de momenten zijn dat ik niet bij ze ben – naar de bioscoop gaan, een kop koffie in mijn eentje, onderweg zijn naar mijn werk. Aan de eeuwigdurende, oneindige, niet te stuiten chaos.

En dan denk ik eraan dat ik vaak als ze eindelijk in bed liggen zou willen dat ze weer wakker werden omdat ik ze zo mis. Aan dat ik er maar niet over uitgepraat raak hoe mooi Gabe is. Het cliché dat alle baby's lelijk zijn en alle peuters mooi is niet ver bezijden de waarheid. Vooral mijn laatstgeborene, met Joels gebronsde huid en mijn lichte ogen. Ken je dat gevoel dat je een donkere bril op wilt zetten om ongestoord naar dat oogverblindende meisje te kunnen staren? Bij een peuter kun je ongestoord en zonder gêne staren en ze zijn allemaal onweerstaanbaar mooi.

Van de aandoenlijke ernst van Rufus, zijn grappige uitspraken en leergierigheid word ik blij. Ik geniet ervan dat hij de hele dag elk getal dat hij tegenkomt met honderd vermenigvuldigt om geen enkele andere reden dan dat hij dat leuk vindt. Ik geniet ervan dat hij te pas en te onpas 'eigenlijk' zegt, huishoudelijke voorwerpen tekent en dat hij de verhalen die ik verzin voor Gabe en hem als we geen voorleesboek bij de hand hebben mooier vindt dan welk verhaal ook. Ik geniet ervan dat ik door hem weet dat elke leeftijd volmaakt lijkt, maar dat het in feite alleen maar leuker wordt. Ik dacht dat een baby die rechtop kan zitten of een peuter die leert praten het leukste was wat er was, maar ik wist niet hoe leuk het kon zijn om een gesprek te voeren met je kind, dat ik daar net zo blij van werd als van die eerste verliefde, nachtenlange uitwisselingen van levensverhalen tussen Joel en mij.

'Je zult van een ouder nooit een eenduidig antwoord krijgen,' zeg ik ten slotte. 'Deze keus valt niet te rationaliseren, zelfs niet door jou. Ik ben blij dat ik ze heb, dat meen ik oprecht, maar ik denk niet dat mensen met kinderen per saldo gelukkiger zijn dan mensen zonder kinderen. Ik geloof dat ik zelfs weleens gelezen heb over een onderzoek dat dat bevestigt.' Ik moet dit wel tegen Becky zeggen, hoe ik er verder ook over denk, omdat ik weet dat er een redelijke kans is dat ze nooit kinderen zal krijgen. Ik zoek naarstig naar de juiste balans tussen haar aanmoedigen om ervoor te gaan en platitudes voor als het mislukt.

Ze zucht. 'Ik ben nog steeds aan het afwegen.'

'Je denkt te veel. Jij denkt altijd te veel.'

'Ik weet het.'

We gaan zitten voor een ouderwets Engels maal, met veel maggi en vage stukken vlees en de zeevenkel die we op het strand hebben gevonden. Ik vind het eerlijk gezegd nogal smerig, maar alle anderen zijn verrukt.

'Wat is dit?' vraag ik, prikkend in mijn custardvla-achtige dessert.

'Dat is citroenposset,' zegt Mitzi.

'Het lijkt verdacht veel op dat spul wat uit baby's komt als ze te veel gedronken hebben... je weet wel, zure melk.'

'Te veel drinken doen we allemaal weleens,' zegt Joel. 'En vergeleken bij wat er dan uit komt is zure melk een traktatie.'

'Nou, deze posset is een heerlijk oud-Engels recept met slagroom, citroen en suiker. Goddelijk, of niet soms?' zegt Mitzi.

'Wat jammer,' zeg ik. 'Zuivel.' Mijn bord wordt binnen een tel door Joel weggegrist, die voor het eerst in twee dagen blij lijkt te zijn.

'Ga je morgen mee racen?' vraagt Michael aan Joel.

'Waarmee?'

'Enterprises.'

'Sorry, is dat iets nieuws uit de stad?'

'Dinghy's. Het zijn tweemansbootjes, en ik heb me ingeschreven voor de Enterprise-klasse in de regatta van morgen. Jij bent prima als ballast.' Hij wijst op Joels uitpuilende posset-buik.

'Oké.' Hij haalt zijn schouders op. 'Dat is misschien wel leuk.'

'Leuk is het woord niet,' zegt Mitzi. 'De regatta wordt hier uiterst serieus genomen.'

'Ik waarschuw je, Michael: Joel mist het competitiegen. In het begin wist ik niet wat ik meemaakte. Hij verloor met tennis en feliciteerde me gewoon met een knuffel en alles. Hij stond er niet eens op dat we nog een potje zouden spelen, en nog één, tot hij een keer zou winnen, en gaf zelfs niet het racket de schuld van zijn nederlaag.'

'Betekent dat dat ik vroeg op moet?' vraagt Joel. Ik kijk hem even aan.

'Ik denk dat hij bedoelt te vragen of het betekent dat hij dan lang weg is en dus niet voor zijn kinderen kan zorgen.'

'Gun die arme kerel die lol nou,' zegt Michael. 'Ik zie hem altijd alleen maar voor zijn kinderen zorgen. Geen nood, onder-de-duimpje, de race start pas om één uur.'

'Natuurlijk ga jij racen,' zeg ik quasigrootmoedig. 'Dan doe ik 's ochtends wel iets zonder de kinderen en dan zijn ze bij jou. Dat is nou gedeelde zorg.'

'Er zijn een paar heerlijke winkeltjes in het dorp,' zegt Mitzi. 'Schattig ingericht, alles gestreept en geruit.'

'Veel te dure zakjes met toffees,' zegt Becky. 'Cara wilde er per se langs vanmorgen. Ze hadden een paar leuke deurstoppers in de vorm van met lavendel gevulde hondjes, maar die mocht ik natuurlijk niet kopen.'

'Ik ga als het eb is een wandeling over het eiland maken,' kondigt Cara aan. 'Heel vroeg, voordat de toeristen komen.'

'Landlopers, noemen we die hier,' zegt Mitzi. 'Vind je dat niet geweldig?' Ik vraag me af wanneer ze is begonnen te klinken alsof ze regelrecht uit een roman van Evelyn Waugh is weggelopen.

'Waarom loop je niet met me mee?' zegt Cara tegen mij. 'Dat lijkt me leuk,' zeg ik. Wat zal het wennen zijn om mijn eigen tempo te kunnen aanhouden. Om van de tocht te genieten in plaats van me de hele tijd zorgen te maken of de jongens de terugtocht nog wel zullen redden, of ik ze zal moeten dragen, of ze begrijpen hoe ver we nog moeten. Het waren de jaren van slikken en aanpassen. 'Hoe vroeg is vroeg?'

'Vroeg vroeg. Ik hou van de ochtend. Lekker efficiënt. Zeven uur?'

'Dat is praktisch middag. Prima. Jij ontbijt wel met ze, toch, Joel?' Een retorische vraag. Hij heeft zijn middagje toegeblaft worden door Michael; ik mag op ochtendpatrouille met Cara. Ik win.

Ik droom dat ik thuis een kast opendoe en dat er een hele extra vleugel achter zit, inclusief zwembad en sportzaal, waarvan we het bestaan niet kenden. 'Ik weet het,' vertel ik aan onze vrienden, die stomverbaasd om ons heen staan, 'we hebben gewoon geluk gehad.' Ik word wakker als ik net een golfje van stress voel opkomen over het schoonmaken van het zwembad, vooral omdat ik mijn badpak niet kan vinden.

'Wat doe je?' sis ik tegen Joel, die door de slaapkamer heen en weer banjert op zoek naar een T-shirt om boven zijn boxershort aan te trekken.

'Ik heb trek.'

'Nee, je bent dronken. Kom terug in bed.'

'Ik rammel. Kleine porties.' Hij heeft zijn T-shirt inmiddels aangetrokken.

'Je kunt niet naar beneden. Neem maar een mueslireep.'

'Nee, ik heb vlees nodig. Er ligt een hele ham in de kelder.'

'Je gaat niet alleen naar beneden.'

'Ik beloof dat ik niet met messen zal spelen.'

'Je laat vast een puinhoop achter. Jezus, Joel, waarom kun je nou nooit eens een nacht doorslapen zonder op te staan om te snaaien? Je bent nog erger dan een baby. Een of ander bizar carnivorenjong.'

We sluipen de trap af, langs de bijkeuken richting de keuken.

'Sst,' zeg ik. 'Wat hoor ik?'

'Het lijkt wel een geest.'

'Doe normaal,' snauw ik, maar het klinkt wel als een soort gekreun.
'Ga jij maar eerst.'

Ik doe de keukendeur open. Het gekreun klinkt nu als stemmen vanachter de gerecyclede glaswand tussen de keuken en de woonkamer. Joel komt naast me staan en hoewel we allebei weten dat we ons zouden moeten omdraaien en hier nooit meer over zouden moeten spreken, blijven we als aan de grond genageld staan kijken naar het schouwspel voor ons. Wij staan in het donker, maar de gestalten worden van bovenaf en onderaf belicht door Mitzi's bijzondere lampen. In de kamer die de 'familiekamer' wordt genoemd zien we ze als vage vormen door de oneffenheden in het handgegoten matte glas, als auto's op een door de hitte dampende weg, waardoor hun handelingen een wazige, droomachtige gloed krijgen. Eerst is het moeilijk om ze te herkennen, maar mijn ogen passen zich snel aan, alsof ik een bril op heb met glazen van de verkeerde sterkte en opnieuw moet focussen. De kronkels in het glas en de grote spiegel boven de haard versterken het bevreemdende, cabareteske karakter van het geheel. Een hoge filmische lamp uit de jaren dertig verlicht het tafereel – heel toepasselijk trouwens, omdat het veel weg heeft van een scène uit een pornofilm. Niet dat ik ooit een dergelijke artistieke variant heb gekeken.

Mitzi draagt slechts een paar rubber handschoenen en een schortje dat haar primaire noch haar secundaire seksuele activa verbergt. Ze heeft een waterpistool in haar hand met een felgele vloeistof erin. Michael draagt van boven een overhemd en stropdas, maar zijn onderste helft is volkomen onbedekt. Hij praat zacht, maar hij heeft, gewend om te oreren, zo'n ballerig accent dat ver draagt.

'Jij bent een vuile teef,' zegt hij tegen Mitzi.

'Wát zeg je?'

'En je weet hoe wij vuile teven straffen, hè?'

'We leren ze hoe ze moeten poetsen.'

Nu klimt Michael op de salontafel, terwijl Mitzi eronder gaat liggen. Ik ben bang dat hij erdoorheen zal zakken, maar die angst verbleekt bij de aanblik van wat er daarna gebeurt. Hij hurkt. Zijn gezicht vertrekt. Hij hurkt dieper.

'O mijn god,' fluistert Joel.

Ik geloof mijn ogen niet. Ik slaap nog. Ik wil wegkijken, maar het lukt niet; ik moet blijven kijken.

'Shit!'

'Inderdaad,' zegt Joel en hij onderdrukt een opkomende hysterische lachbui.

'Vertel me wat je ziet, smerige slet van me,' gebiedt Michael.

'Hij is prachtig. De grootste die ik ooit heb gezien,' antwoordt Mitzi, terwijl ze zich onder de tafel uit wurmt met een souplesse die enige oefening verraadt. Daarna haalt ze een vochtig doekje tevoorschijn en begint de anus van haar eega schoon te vegen.

'Ruik eraan,' gebiedt Michael.

Mitzi maakt een geluid alsof ze een vleugje Chanel No. 5 heeft opgesnoven.

'Schoonmaken nu.'

We kijken gebiologeerd toe hoe ze doet wat haar gevraagd is, als een hondenbaasje in het park, behalve dat zij tijdens de werkzaamheden af en toe met haar achterwerk draait als een Franse dienstmeid. Ze is meegaand. Een stuk blijer ook dan ik ben als ik de keuken opruim na een bak-en-braadsessie van Joel. Het zijn de details zoals de netjes klaargezette luieremmer voor de viezigheid die me het meest boeien.

'O mijn god, nee,' zegt Joel als we toekijken hoe Michael een grote M op de salontafel plast. 'Ze zetten echt overal hun monogram op.'

'Wat een smeerpoets!' zegt Mitzi. 'Nu moet ik een dweil halen om de boel op te ruimen. Die zal doorweekt zijn. Wat zal ik met de natte dweil doen?'

We krijgen het antwoord op deze vraag niet te horen, omdat ze koers zet naar de keuken en wij beseffen dat we ontdekt zullen worden. We proberen geluidloos achterwaarts de trap op te sluipen. Allebei houden we onze adem in, tot we goed en wel op onze kamer zijn, met de deur dicht. We duiken diep onder het dekbed en geven eindelijk toe aan een uitbarsting van net zoveel lol als afschuw. Telkens als we elkaar aankijken beginnen we weer te giechelen.

We liggen vijf minuten stil onder het dekbed met onze armen om elkaar heen, solidair door de gedeelde ervaring.

'O mijn god,' zeg ik uiteindelijk.

'Die heeft er niets mee te maken.'

'Goddelijkheid, properheid enzovoort, enzovoort.'

'Denk je dat God van lekkere sletjes houdt?' zegt Joel met de stem van Michael met zijn welopgevoede accent. We giechelen weer, zo zachtjes als we kunnen.

'Ik weet niet wat ik schokkender vind,' zeg ik. 'Dat Michael pervers is of dat Mitzi geen milieuvriendelijke schoonmaakmiddelen gebruikte.'

'Op de een of andere manier verbaast het me van geen van beiden.'

'Michael lijkt altijd zo keurig.'

'Keurig als een politicus, ja.'

'Oeh, echt zo'n parlementslid in een roddelbladscoop, vind je ook niet? Maar toch vind ik het schokkend, echt.'

'Ik was nog het meest onder de indruk van Mitzi's Hollywood.'

'Ik vind het te gek dat jij weet wat een Hollywood is,' zeg ik tegen Joel, en ik voel een onverwachte vlaag van genegenheid. 'Vind je het wat?'

'Echt niet. Waarom zou ik willen dat een vrouw eruitziet als een jong tienermeisje?'

Het beeld van Mitzi's haarloze geslachtsdelen en slanke, gestroomlijnde pilateslichaam doemt voor mijn geestesoog op. Ik kon haar ogen niet zien, maar ik vermoed dat ze enigszins droevig hadden gekeken. Of geamuseerd. Ik ken haar eigenlijk niet meer.

'Ze heeft me ooit verteld dat Michael een aantal sterke behoeftes had die bevredigd moesten worden of zoiets. Ik had alleen nooit gedacht dat het te maken had met... o god, ik kan het niet eens hardop zeggen. Overigens vertelde ze me toen ook dat ze nooit poept waar hij bij is, om het mysterie niet te bederven.'

'Ze mag alleen zijn drollen opruimen.'

'Hou op.'

'Ik weet het. Mijn ogen, mijn ogen.' Joel slaat dramatisch zijn handen voor zijn gezicht.

'We hadden daar nooit moeten blijven staan gluren. We hadden weg moeten gaan toen we ze zagen. Als zij pervers zijn, zijn wij het ook... voyeurs.'

'Maar we logeren hier. Wij zijn hun gasten.'

'Misschien hebben we daarom onze eigen kleine vleugel.'

'En het personeel?'

'Dat slaapt boven de garage.'

'Het is niet onze schuld dat we het gezien hebben. Ze moeten hebben geweten dat ze een risico namen. Misschien vonden ze dat wel extra opwindend. Het is hun schuld dat we hebben gezien wat we hebben gezien. We zouden ze aan kunnen klagen. Mensen in glazen huizen en zo. Sorry: duurzaam, gerecycled glas.'

'Wat nou? Mogen mensen in glazen huizen dan geen kinky seksuele spelletjes spelen?' zeg ik.

'Nou, nee. Ze mogen geen coprofilie beoefenen. Dat is de officiële benaming, als ik het goed heb.'

'Ik vind het niet te gek dat jij weet wat coprofilie is.'

'Homoniem,' zegt hij, zichzelf opeens voor het hoofd slaand.

'Ik denk niet dat hij homo is. Hoewel het geloof ik wel vaak van die machotypes zijn.'

'Nee, Maz. Dat is het woord waar ik vanavond niet op kon komen. Een woord met twee verschillende betekenissen. Zoals posset babykots kan betekenen maar ook citroenmousse.'

'Dat was nou echt smerig. Vooral nu ik weet wat Mitzi allemaal in haar handen heeft gehad. O god, Joel, hoe houden we het tot woensdag uit?'

'Jij hoeft niet met de poepmajoor te gaan zeilen. En ik wilde hier sowieso niet heen. Ik wist wel dat het de gratis bedden niet waard zou zijn. Alsof je naar de kerk gaat om je kinderen op een katholieke school te krijgen. Hypocrisie blijft nooit ongestraft.' Hij zucht. 'Het ergste is nog dat het mijn eetlust niet bedorven heeft. Ik verga nog steeds van de honger.'

'Jij gaat echt niet meer naar beneden voor die ham. Ik wil niet eens weten wat ze daar allemaal mee doen.'

Ik gooi een mueslireep naar hem toe. Hij trekt het papier eraf en kijkt met een blik vol afschuw naar de bobbelige bruine notenhap. We kijken elkaar aan en barsten weer in lachen uit.

Ik word verrassend uitgerust wakker. Het duurde uren voordat ik in slaap viel met een hoofd vol beelden – of moet ik zeggen tollend? – van wat we hadden gezien. Eerst hadden we geprobeerd in elkaars armen in slaap te vallen, voor het eerst in jaren, maar de slappe lach en het gedraai namen de overhand en we draaiden ons nog nagiechelend van elkaar af. Ik kijk naast me in het enorme bed, maar Joel is weg.

Onze slaapkamer heeft fantastisch dikke gordijnen die het midzomerlicht volledig buiten houden. Ik kijk op mijn mobiel, bang dat het pas vier uur is, maar zie tot mijn grote verbazing dat het al acht uur is. Ik knipper met mijn ogen. Ik kan me niet heugen wanneer ik voor het laatst zo lang geslapen heb. Ik zou op moeten staan, maar mijn benen zijn als lood. Acht uur. Er was iets vandaag, ik zou voor het ontbijt iets gaan doen.

Cara... Natuurlijk, Cara. Ik schiet mijn kleren aan en ga naar beneden, waar ik mijn manvolk in de keuken aantref waar ze een zeldzaam perfect gezinsmoment nabootsen, afgezien van hun rijkelijk met muesli bestrooide omgeving.

'Waarom heb je me niet wakker gemaakt?' zeg ik. 'Ik zou gaan wandelen.'

'Je sliep door Gabe en Rufus heen, dus heb ik je lekker laten liggen. Ik dacht dat je wel moe zou zijn.' Hij onderdrukt een lachje. 'Sorry, ik was vergeten dat je wilde wandelen. Ik had de wekker moeten zetten.'

'Sinds wanneer hebben wij een wekker nodig?' Ik kijk naar de stoppels op zijn kin en voel een golf van dankbaarheid voor het uitslapen en omdat hij niet Michael is. Maar hoe komt het, denk ik ook, dat de enige keer dat mijn echtgenoot mij laat uitslapen de keer is dat ik niet wílde uitslapen? 'Waar zijn onze gastheer en gastvrouw?'

'Het nageslacht is verplicht buitenspelen met de au pair en de ouders zijn nog nergens te bekennen. Ze zullen wel moe zijn.' We beginnen weer te proesten.

'Michael!' roept Joel een paar tellen later geforceerd vrolijk. Michael draagt een korte broek, polo en bootschoenen. Hij ziet er even onberispelijk uit als altijd, behalve dat ik hem deze keer voor me zie met een hoofdmasker terwijl twee gevangenisbewaarders hem met een zweep bewerken. 'Goed geslapen?'

'Zeker weten. Ben je klaar voor de regatta?'

Joel knikt. Praten lukt niet.

'Thee,' zeg ik. 'In een pot, en zo.'

Michael ruikt eraan en ik krijg meteen een visioen van zijn vrouw en het vochtige doekje. 'Je hebt zeker geen vers, nog niet gekookt water gebruikt?' Hij kijkt om zich heen naar de door de hele keuken verspreide ontbijtboel en de kommetjes met een sneldrogende, behangplakselachtige substantie van gedroogde ontbijtgranen. 'Waar is Radka? Waarom heeft ze niet opgeruimd?'

'Dit hebben wij gedaan,' zegt Joel. 'Sorry. We zijn smeerpoetsen, hè jongens? Vieze jongens. Foei, foei, foei.' Hij slaat op zijn pols. Laat hem alsjeblieft ophouden. Daarna pakt hij de pakken cornflakes en zet ze in de kast, en ik weet nu al dat Mitzi ze er weer uit zal halen om ze op grootte te sorteren. Ik zoek naar redenen om eerder weg te kunnen.

Mitzi stapt fris en fruitig de keuken in. Ik heb mijn tanden nog niet eens gepoetst. Net als ik denk dat het allemaal wel goed zal komen merk ik dat ik haar onmogelijk nog recht aan kan kijken. Ze maakt dat ik het gevoel heb dat wij de viezeriken zijn omdat we gekeken hebben, in plaats van zij omdat ze a) bizarre dingen doen, en b) bizarre dingen doen terwijl er gasten in huis zijn.

'Fijne wandeling?' zegt Michael.

'Heerlijk,' antwoordt ze.

We worstelen ons door de volgende dagen heen en dan verzint Joel een excuus – iets over werk – zodat we op dinsdag vertrekken, een dag eerder dan gepland. We doorlopen de gebruikelijke chaos van het bij elkaar zoeken van onze spullen en eindeloze kreten als 'Heb jij de camera?' en 'Jij hebt de oplader het laatst gebruikt'. De jongens hebben sinds onze aankomst gevraagd wanneer we nou eindelijk weer naar huis gingen en nu zeuren ze dat ze hun nieuwe vrienden, de labrador en de jack russel, niet willen achterlaten. Eindelijk gooien we de laatste ballast in de auto en bij de wegstervende klanken van Michaels goedbedoelde navigatietips halen we opgelucht adem.

'Vonden jullie het leuk, jongens?' vraag ik opgewekt. 'Het was heerlijk. Toch?'

'Jaaah,' zegt Rufus. 'Vooral de Wii.'

'Ik hield van de zee. Die was zo zout,' zeg ik.

'Oeh, Oscar Wilde, ik wou dat ik dat verzonnen had,' zegt Joel.

'Wat? Oscar uit mijn klas?' vraagt Rufus. Dat is ongeveer het niveau van onze gesprekken tijdens autoritten.

Het verlies van vrijheid van ouders neemt exponentieel toe. Als we alles in één keer over ons heen zouden krijgen zouden we onze baby's als kittens in een emmer verdrinken. Jonge ouders verbazen zich mateloos over de oneindige compromissen die ze moeten sluiten na de komst van de eerstgeborene, zonder enig benul van hoe erg het allemaal nog zal worden, dat er steeds meer stukjes vrijheid zo subtiel weggesnoept zullen worden dat je het niet eens doorhebt. Sterker nog: je werkt het zelfs in de hand door nog meer kinderen te krijgen. De verloren vrijheid waar ik momenteel van baal is de mogelijkheid om in de auto een gesprek te voeren zonder dat de kinderen me onderbreken of hardnekkig willen weten over wie we zitten te roddelen. Ik mag nog blij zijn dat Rufus achterloopt met lezen, waardoor we nu nog aardig uit de voeten kunnen door sommige verboden woorden te 'es-pee-ee-el-el-ee-en', zoals 'seks', 'vreemdgaan' en 'chocola'. Over een paar maanden zal dit ongetwijfeld niet meer afdoende zijn.

Eindelijk vallen Rufus en Gabe in slaap.

'Het is een wonder dat we het overleefd hebben,' zeg ik.

'Jij hebt makkelijk praten. Stel je eens voor hoe het voor mij was om samen met Michael op zo'n klein bootje vast te zitten. Elke keer die ingespannen kop als hij "Overstag!" riep.' Ter demonstratie trekt hij een gezicht alsof hij uit elkaar gaat ploffen.

'Wat brengt iemand ertoe om zulke dingen te doen? Heeft het te maken met zindelijkheid? Denk je dat zijn moeder hem te vroeg gepusht heeft? Of te laat? Heb ik te lang gewacht met Gabe? Of misschien heb ik er te veel aandacht aan besteed. Wat een toestand, ik dacht altijd dat Michael en Mitzi in de retentief-anale fase waren blijven hangen, maar hij is overduidelijk expulsief anaal gefixeerd. Wat betekent dat eigenlijk?' Joel zwijgt. 'Jouw moeder weet dat wel; ik zal het eens vragen. Is dat niet een ongeorganiseerd en ongeordend individu dat altijd alles kwijt is?'

'Zoals ik, bedoel je?'

'Ja.'

'En Michael aan de andere kant van het spectrum?'

'Er zal toch wel een gulden middenweg zijn?'

Hij zwijgt weer.

'De gulden middenweg voor de een is de ander z'n obsessie.'

'Wat wil je daarmee zeggen?'

'Wat jij normaal vindt met betrekking tot logistiek en netheid kan voor een ander overkomen als een serieuze anale fixatie. Meer niet.'

'Ik ben helemaal niet anaal, als je dat soms bedoelt. Mitzi en Michael, die balanceren op het randje van een compulsieve stoornis. Ik heb haar altijd bewonderd om haar ordelijkheid, maar toen ze de schoenen die ik bij de deur had gezet omwisselde zodat links links stond en rechts rechts begon ik er toch een beetje iebel van te worden.'

'En zoals ze na het eten meteen opstond om alles op te ruimen. En geen krant van een dag oud kon laten liggen.'

'Nee, Joel, dat is normaal.'

'Nee, dat is anaal.'

'Nou, dan ben ik inderdaad ook anaal.'

Hij zegt niets.

'Dat ben ik niet. Jij bent een slons. Denk jij dat ik anaal gefixeerd ben en jij normaal, of geef je toe dat ik normaal ben en jij een slons?'

'Ik zeg alleen maar dat het allemaal relatief is, zoals Daisy ook zei.

Ik ben ervan overtuigd dat Mitzi en Michael zichzelf volkomen normaal vinden. In elk geval op het gebied van orde en netheid. Verder denk ik dat zelfs zij niet geloven dat het normaal is om je gevoeg te doen op een glazen salontafel. En ik denk dat jij jouw houding ten opzichte van troep volkomen normaal vindt.'

'Als er al iets is, ben ik veel te tolerant. Ik ben in elk geval niet anaal gefixeerd. Het is bij ons thuis namelijk altijd een puinhoop.'

'Hoewel,' zegt hij, 'nu ik erover nadenk ben je de afgelopen tijd een stuk aardiger voor me. Veel toleranter.'

'Hoe bedoel je?'

'Ik weet niet, ik realiseer me nu net dat het zo is. Je bent de laatste tijd veel minder boos. We maken niet meer elke dag ruzie over de cornflakes en de wasmand.'

'Let nou maar op de weg.'

'Ja, je bent zonder meer aardiger voor me. Sinds een paar maanden, denk ik. Je zit niet meer overal meteen bovenop. Heb je het zelf gemerkt?'

'Ik heb niet gemerkt dat jij meer bent gaan doen in huis, nee.'

'Stom, had ik nou maar niets gezegd. Gewoon blij zijn dat de oude Mary weer terug is, mijn lieve, slonzige *pelirroja*.'

Hij geeft me een neerbuigend klopje op mijn knie.

'Mama!' klinkt een klein stemmetje vanaf de achterbank. 'Wat betekent "anaal"?'

'Zal ik een filmpje opzetten?' Als de kinderen veilig afgeleid zijn, stel ik Joel de vraag die me al negen jaar bezighoudt. 'Ik heb me altijd afgevraagd wat jij ervan vond dat Mitzi jou leuk vond toen je bij ons kwam werken.'

'Daar vond ik niets van. Moet dat dan?'

'Nee. Ik dacht dat je je misschien zou afvragen hoe het zou zijn.'

'Na gisteravond hoef ik me niets meer af te vragen.'

'Ik zou het je niet kwalijk nemen.'

'Wat niet?'

'Dat je erover na zou denken, bedoel ik. Niet dat je vreemd zou gaan.'

'Ik ga niet vreemd.' Hij buigt voorover om op de weg te kijken. 'Er worden hier veel dieren doodgereden, zie je dat?'

'Ik heb niet gezegd dat je vreemdging. Dat weet ik. Volgens mij heeft Mitzi haar handen vol aan Michael.'

'Mitzi is precies het soort vrouw dat vreemdgaat. Ze kan het niet uitstaan dat iemand iets heeft wat zij niet heeft.'

'Met ons had ze geen probleem. Daar was ik nog zo verbaasd over. Ik was in elk geval knap zenuwachtig om het haar te vertellen, maar ze reageerde heel rustig.'

Hij zucht. 'Ik heb geprobeerd het je te zeggen, maar je wilde het nooit horen. Ze was er helemaal niet rustig onder.'

'Hoe bedoel je?'

'Ze heeft iets geprobeerd.'

'Ja, dat weet ik. Zij vond jou eerst leuk.'

'Nee, toen jij en ik al samen waren.'

'Weet je zeker dat we toen al samen waren?'

'Ja, dat weet ik heel zeker.'

'Vertel.'

'Op een avond, ongeveer een maand na onze eerste nacht samen, zei ze dat ze iets met me wilde bespreken. Ik was zo stom om erop in te gaan, dus we gingen iets drinken. Ze legde haar hand op mijn knie – laag uitgesneden truitje, alle clichés waren aanwezig. Ik zei dat ik niet wilde, dat ik verliefd op jou was; zij zei dat jij niets hoefde te weten; ik zei dat ik toch niet wilde en toen hield ze op. Ze smeekte me jou niets te vertellen, had het over haar opvoeding en dat ze daarom onzeker was en liet me beloven dat ik niets zou zeggen.'

'Waarom heb je dat nooit verteld?'

'Omdat ik het beloofd had.'

'Joel, grote oen, zo'n belofte is toch niet bindend?'

'Ik weet het. Het is stom van me. Ik dacht dat je beledigd zou zijn als je het wist, dus hield ik het voor me, maar dat had ik niet moeten doen. Ik heb al die tijd moeten verbergen dat Mitzi en ik iets wisten wat jij niet wist en dat is niet leuk. Uiteindelijk dacht ik dat je het raar zou vinden dat ik het je niet meteen had verteld en was het gemakkelijker om gewoon mijn mond te houden.'

'Negen jaar lang?'

'Ik was eerlijk gezegd bijna vergeten dat het gebeurd was.'

'Maar hoe zit dat dan met al die geheimzinnige blikken tussen jullie en jouw antipathie jegens Michael?'

'Er zíjn geen geheime blikken. Het zijn meer fronsen. Michael mag ik niet omdat hij een eikel is. Waarom denk jij dat ik hem niet mag?'

'Geen idee. Na dit weekend zijn er wel meer eigenschappen van Mitzi waar ik even goed over na moet denken.'

Map: privéadmin

Documentnaam: Huishouden mei

Tegoed april: 2 per dag, 62 totaal

Totaal minpunten mei: 87

Categorieën van overtredingen: 19 keuken; 11 badkamer; 5 was; 7 slaapkamer; 8 dagelijks leven; 21 opvoeding; 6 milieu; 5 algemene tekortkomingen; 5 geld.

Overtreding van de maand: Maakte nadat hij voor zichzelf spareribs had gemaakt de van het vet druipende grillpan niet schoon, maar zette hem in de oven, zodat toen ik die aanzette om aardappels te poffen een doordringende stank van dubbel aangebrand lamsvet zich door het huis verspreidde.

Compensatiepunten: In de eerste drie weken van mei liepen de minpunten fiks op, maar de laatste week was uitsluitend positief. De dagen na die nacht in Norfolk was ik voortdurend dankbaar dat Joel a) niet Michael is, en b) zo grappig over Michael kan praten. Ik zal geen compensatiepunten op de Lijst zetten, maar eenmalig 10 procent aftrekken onder de noemer 'Is niet Michael'.

Totaal minpunten mei: 15 (87 min mei tegoed van 62 en de Is niet Michael-bonus van 10 procent aftrek)

Totaal minpunten februari, maart, april en mei: 74

Totaal overige punten: 26 voor de komende 2 maanden (100 min 74)

8

Met man en luis

Het voelt alsof de middeleeuwse pest is uitgebroken in huis. Ik ben in staat om Gabes vingerverf tevoorschijn te halen en een groot rood kruis op de voordeur te kladden om overal vanaf te zijn. Ik vat het persoonlijk op; het lijkt wel of zelfs ik bezeten en besmet ben. Jennifer, de therapeut in opleiding van de leesclub, zou zeggen dat ik 'toxisch' was.

Op het werk weet niemand dat ik de pest onder de leden heb. Zij hebben zo hun eigen aandoeningen: chlamydia, stickies en goedkope mixjes. We zijn allemaal besmet door de eigendunk die zich razendsnel verspreidt als er programmaopnames zijn; iedereen is dan in rep en roer en blaft elkaar af alsof ONS LEVEN ERVAN AFHANGT, terwijl het resultaat uiteindelijk de zoveelste puur op amusement gerichte realityshow zal zijn.

Met angst en beven open ik mijn inbox. Tussen nu en de laatste keer dat ik mijn mail checkte zijn er zeven nieuwe vergaderingen in de elektronische agenda bij gekomen, allemaal gemarkeerd als urgent. Ik heb 102 ongelezen mails, waarvan de meeste hoogstwaarschijnlijk niet voor mij bedoeld zijn en ik dus een van de twaalf gelukkigen in de cc ben als back-up voor de verzender. Het heeft allemaal zo weinig zin; het is het professionele equivalent van het aanrecht dat tien minuten nadat je het hebt opgeruimd weer een enorme puinhoop is.

'Je hebt een superavond gemist, Mazza,' zegt Lily, die een Hermès-sjaaltje om haar hoofd heeft gebonden alsof ze zo van Woodstock is weggelopen. Nog zo'n trend die aan mij voorbij lijkt te gaan en die ontegenzeggelijk een plekje verdient op de lange lijst 'Accessoires die bij Lily charmant en schattig staan en van mij onmiddellijk een verwilderde dakloze maken'. Ik ben trouwens bang dat mijn langgekoesterde gebloemde doorknoopjurkjes inmiddels in dezelfde categorie vallen, of een variant erop: vrijgezelle tante op bruiloft schuine streep uitgejouwde geschiedenisdocent.

'Waarom?'

'Het hele team is naar de kroeg gegaan om te vieren dat de eerste pilot supervet is geworden en Matt heeft de drankjes op de zaak gezet. Wat een moordgozer.'

Matt is van mijn leeftijd en heeft vijftig procent meer kinderen. Maar Matt is een man.

'Daar wist ik niets van.'

'Nee, jij was er ook niet. Je had vrij, toch?'

'Voorjaarsvakantie.'

'Ik wou dat ik voorjaarsvakantie had,' zucht ze. 'Ik ben gesloopt.'

'Ik ook. Omdat ik voorjaarsvakantie heb gehad.'

'Wat hebben jullie eigenlijk gedaan?'

'Ken je mijn vriendin Mitzi?'

'Mooie Mitzi die een oogje heeft op jouw man?'

'Dat heeft ze niet.'

'Had, dan.'

'We hebben bij haar gelogeerd. In haar tweede huis aan de kust.'

'Cool, een strandhuisje. Surfen?'

'Volgens mij wordt er in Norfolk niet gesurft. Ik heb in elk geval niemand gezien. En het is geen huisje. Het is ongeveer zo groot als vier normale eengezinswoningen. Haar pantry is groter dan de meeste keukens die ik ken.'

'Een pantry? Is dat een speciale kamer voor je panty's en maillots?' Lily woonde als kind in een grote pastorie in de provincie, dus ik vermoed dat zij donders goed weet wat een pantry is.

'Met een waskamer en dat soort dingen.'

'Wat een waskamer is weet ik ook niet. Ik vermoed dat het iets te maken heeft met bubbelbaden, champagne en Chanel-badjassen?'

Ze zucht. 'Ik zou wel een speelkamer willen hebben, waarin iedereen die binnenkwam gedwongen werd te chillen en helemaal niets te doen behalve muziek luisteren en met elkaar praten – echt met elkaar praten. Het lijkt wel of iedereen hier gek en overspannen wordt, snap je?'

'Ja, ik snap het helemaal.'

'Maar jij bent waarschijnlijk lekker uitgerust van de vakantie. Hebben jullie het leuk gehad?'

'Ja, hoor. Het was ongelooflijk. De kinderen hebben gezeild, gezwommen en dingen gezocht op het strand. Het was er heel licht en open. Je weet wel, van die prachtige luchten. Het was heerlijk.'

Ik denk niet dat ik me ooit zo verheugd had op de stinkende puinhoop van mijn eigen huis als toen we bij Mitzi vandaan reden. Ik kon niet wachten om mijn schoenen gewoon uit te schoppen en ze te laten liggen waar ze neerkwamen, en om mijn zonnebril neer te leggen zonder bang te hoeven zijn dat hij verplaatst zou worden. De ochtend nadat we hadden gezien wat we hadden gezien probeerde ik niet naar Mitzi te kijken, omdat ik het beeld van haar in haar pornopoetspakje niet meer van mijn netvlies kreeg. En toen merkte ik dat ik mijn ogen niet van haar af kon houden. Doorgaans ben ik zo verblind door haar stralende persoonlijkheid dat ze alleen maar een mistig waas van perfectie is, maar deze keer had ik het gevoel dat ik haar voor het eerst sinds haar trouwen zag zoals ze was.

Voorheen zag ik alleen de zwaan, maar de afgelopen dagen in Norfolk had ik ook de wanhopig trappelende voeten onder het gladde oppervlak gezien. Mitzi is altijd bezig met poetsen. Ze heeft genoeg personeel, maar is altijd iemand aan het vertellen wat ze moet doen, is zelf iets aan het poetsen of geeft jou het gevoel dat je iets moet opruimen. Ik zou denken dat een paar rubber handschoenen aantrekken om poep te scheppen wel het laatste was waar zij zin in zou hebben tijdens een robbertje erotisch rollenspel.

Als ze niet letterlijk aan het poetsen is, is ze haar leven wel aan het gladstrijken. Het gebulder van Michael over waarom het nooit eens pais en vree is in dit gekkenhuis goedpraten, en of de kinderen nu echt de hele tijd zo'n hels kabaal moeten maken, en waar is Birgita, Radka, of hoe ze dan ook heet? En het genoemde kwartet lijkt niet voor niets regelrecht weggelopen uit een catalogus voor outdoorkleding uit natuurlijke materialen en designboomhutten. Mitzi had te allen tijde een pakje biologisch afbreekbare snoetenpoetsers bij de hand om hun gezichtjes schoon te houden en liet bij de eerste kik om de PlayStation een au pair of nanny komen om de kinderen buiten gehoorsafstand te brengen.

Bovendien konden alle milieuvriendelijke schoonmaakartikelen nooit meer het beeld van haar en Michael uit mijn gedachten poetsen, noch de nieuwe informatie over hoe ze mij, haar vriendin, jaren geleden had verraden. Ik had dus gelijk gehad met mijn vermoeden dat Joel en Mitzi veelbetekenende blikken wisselden, maar ik had me vergist in wat er werkelijk achter die blikken zat.

Mijn blijdschap om weer thuis te zijn werd geëvenaard door mijn gevoel voor Joel. Ik riep zelfs een officieel moratorium uit voor de Lijst, waardoor ik toen hij de tassen achteloos in de gang liet staan niet toevoegde aan **D7** van de lijst: *Zal uiteindelijk zijn kleren uit de koffer halen, maar zal alle losse spullen erin laten zitten (camera's, boeken en toiletspullen) omdat niemand in het gezin, hijzelf incluis, ze nodig heeft.*

In de keuken was een achtergelaten halfopgegeten appel in onze afwezigheid een bijna-opgegeten appel geworden dankzij een team van topfitte mieren, waarvan de meeste leden nog ergens op de keukentafel of het aanrecht rondscharrelden. Het was niet bepaald het welkomstcomité waar ik op gehoopt had, maar het waren appeltaartbakkende grootmoedertjes vergeleken bij de volgende ongewenste gast die we mochten begroeten.

'Wat zijn dit?' vroeg ik Joel, wijzend op de zwarte korreltjes in het aanrechtkastje.

'Geen idee.'

Ik had dringend een shot suiker nodig na vier dagen leven op iemand anders' dieet, dus ik besloot mijn geheime voorraad paaseitjes van pure chocolade die ik mezelf twee maanden lang had ontzegd aan te spreken. Ik had ze achter in een kastje verstopt waar ze veilig waren voor kinderhandjes, maar niet, zo bleek, voor de dievenpootjes van ongedierte. Het meeste van de folieverpakking was eraf gegeten en overal stonden kleine tandafdrukken in mijn dure lactosevrije chocolade.

Met een vies gezicht liet ik de zak vallen. 'We hebben muizen.'

'Hoe weet je dat?' vroeg Joel. Hij probeerde rustig te blijven, maar ik wist dat hij veel banger voor ze was dan ik.

'Die dingetjes waren muizenkeutels. Gabe, laat liggen en ga onmiddellijk je handen wassen! En ze hebben van mijn chocola gegeten.'

'Chocola!' riepen de jongens in koor.

'En wie weet waarvan nog meer. Het is afschuwelijk. Ik voel me heel vies.'

Joel begon te giechelen. Ik vroeg me af wanneer zijn pavlovreactie op het woord 'vies' uitgewerkt zou zijn.

'Wat gaan we eraan doen?' Hij haalde zijn schouders op.

'Ik zal maar eens op internet gaan kijken en dit klusje op me nemen, want ik heb toch niets te doen.'

'Misschien kun je dan meteen kijken wat je tegen mieren moet beginnen?'

Hij werkte me op de zenuwen, maar ik was nog steeds mild gestemd door wat we samen hadden gezien. Eenmaal thuis hoefde ik me Mitzi maar voor te stellen met rubberen handschoenen om me weer warm en bevoorrecht te voelen. Dat gevoel bleef de hele eerste dag thuis hangen, ondanks de muizen en de mieren. Die nacht hadden we seks (gewone seks, uiteraard) en ik begon me af te vragen of ik ons huwelijk toch niet weer op de rails kon krijgen.

Toen ging Joel weer aan het werk, terwijl ik vrij nam om de laatste dagen van de vakantie voor de jongens te zorgen, en begon het hele circus weer van voren af aan: de kleren op de grond, de constante verzoeken en algemene acceptatie van mijn domesticale dienstbaarheid.

'Ik heb maandagochtend mijn pak nodig voor een vergadering,' zei Joel die eerste ochtend tegen me.

'Oké.'

'Haal je het even op bij de stomerij?'

'Ja hoor, waar is het bonnetje?'

'Geen idee.' Hij maakte het welbekende hulpeloze legezakkengebaar. 'Er werkt een aardige kerel. Je hebt geen bonnetje nodig, hij kent mij wel.'

'Waarom doe jij het dan niet?'

'Ik moet rennen.'

Samen met de aardige man in de stomerij zocht ik een uur lang naar het pak, terwijl Gabriel plastic tasjes over zijn hoofd zat te trekken en Rufus aankondigde dat school nog minder saai was dan dit.

'Misschien was het niet die stomerij,' zei Joel. Hij zocht in zijn portemonnee. 'Hier is het bonnetje. O, het is die stomerij helemaal niet. Het is er eentje bij mijn werk. Laat maar,' zei hij joviaal, 'ik haal het zelf wel op.'

Vervolgens, toen het maandagochtend mijn beurt was om ook weer aan het arbeidzame leven deel te gaan nemen, waren Joels afscheidswoorden: 'Misschien moet je even naar de kinderen kijken. Rufus zit de hele tijd te krabben.'

'Verdomme,' riep ik tegen zijn weglopende rug. 'Het lijkt hier wel een loopgraaf uit de Eerste Wereldoorlog.'

'Daar kan ik ook niks aan doen,' riep hij terug, en hij zette het op een lopen.

Ik keek vluchtig op Rufus' hoofd en wist mezelf ervan te overtuigen dat ik niets zag springen en dat de grondige kambeurt wel tot na werktijd kon wachten. Had ik een keus? Ik stelde me voor hoe Matt zou reageren als ik Rufus thuis zou houden, Gabriel niet naar de oppas zou brengen en niet op het werk zou verschijnen, vooral na wat mijn baas altijd 'al die vrije dagen' noemde.

Mijn laatste beeld van Rufus was dat van een moeder die hem achterdochtig bekeek, terwijl hij fanatiek op zijn hoofd krabde. Ik voelde me al even schuldig als kwaad. Waarom was dit niet Joels probleem? Ik probeerde mijn negatieve gevoelens af te wentelen door aan de Mitzi-en-Michael Show te denken, maar die methode was niet langer afdoende om Joel voor mijn toorn te behoeden.

Ik heb drie minuutjes tussen twee vergaderingen door en die gebruik ik om mijn mail te openen om te kijken of er iets urgents of juist totaal overbodigs tussen zit. De telefoon op mijn bureau gaat over.

'Verdomme, wat nu weer?' mompel ik onverstaanbaar voordat ik opneem.

'Hallo.'

'Hallo, Mary.' Een stem met de smaak van komkommer in een karaf ijskoude Pimm's.

'Cara, hallo. Ik wist niet dat jij mijn werknummer had.'

'Ik had onthouden waar je werkte.'

Dat vleit me. 'Het spijt me van die wandeling in Norfolk. Ik had me er echt op verheugd.'

'Dat geeft niet, hoor.'

'Ik kom nooit zomaar niet opdagen op een afspraak. Zeker niet als ik me erop verheug.'

'Ik zei toch dat het niet erg was?'

'Vond je het leuk in Norfolk? Ik bedoel, het is mooi daar, vind je ook niet?' Ik ratel. 'Mitzi's huis is waanzinnig, wat jij?'

'Ze heeft een heel aparte smaak.'

'Ja, dat zeker.'

'En hoe is het met Becky?'

'In Newcastle.'

'Ach ja, dat is waar ook – die zaak. Hoe lang gaat het nog duren?'

'Een maand, misschien twee.'

'Ja, dat vertelde ze al, afhankelijk van of ze een schikking konden treffen. Arme Becky, dat is vast niet makkelijk voor haar. En voor jou

201

ook niet, zeker, hoewel het een heel leuke stad is, dacht ik... Nou ja, ik ben er jaren niet geweest, maar het was er altijd heel leuk en dat is vast nog steeds zo. Heel vriendelijk, dat zeggen ze altijd, toch? Maar het is niet thuis, dat is het 'm. Deze keer had ze geloof ik wel een gemeubileerd appartement, toch? Ga je haar nog een keer opzoeken?'

'Misschien. Ze komt elke vrijdag thuis.' Er valt een stilte. 'Ik vroeg me af of je zin had om een keer iets te gaan drinken. Jouw kantoor is hier toch vlakbij?'

'Ja, dat klopt. Dat lijkt me leuk. Dat lijkt me heel leuk.' Iets heel kouds in een spierwitte omgeving in plaats van een kop thee in een smerige, overvolle keuken.

'Vanavond?'

Een doordeweekse dag, en geen vrijdag of zaterdag? Ik denk aan de netenkam en ik heb de neiging om ja te zeggen, maar ik weet dat Joel al heeft gezegd dat hij niet voor achten thuis is. 'Vanavond gaat me niet lukken. Morgen?'

'Nee, morgen kan ik niet.'

'Het weekend?' Als Becky er ook is.

'Nee. Een ander keertje.'

Ik denk aan alle keren dat Joel pas thuis is gekomen als de kinderen al in bed liggen en dat dat altijd maar gewoon is, dat het geen probleem is omdat ik de pineut ben, degene die altijd thuis is, tenzij ik speciale toestemming heb om te vertrekken. Na deze redenering sta ik op het punt om op Cara's voorstel in te gaan, maar ik ben te laat: ze heeft opgehangen. Ik voel me schuldig, alsof ik haar beledigd heb en het bijzonder bot is om niet beschikbaar te zijn voor een drankje als het niet meer dan een halve dag van tevoren aangevraagd is. Ik vraag me af of ze me ooit weer gaat bellen.

Het kammen van de haren van de jongens is hypnotiserend. Naast de bank een metalen netenkam met lange tanden, een bak water en een fles goedkope conditioner. We doen niet meer aan chemische middelen, niet omdat wij van die ouders zijn die inentingen mijden en dol zijn op homeopathie, maar omdat de kleine etters resistent zijn geworden voor alle mogelijke soorten vergif. Daar bedoel ik de neten mee, niet mijn jongens. Ik ervaar de gebruikelijke tegenstrijdige gevoelens van aan de ene kant vurig hopen dat je niets vindt en aan de andere kant op zoek zijn naar het 'hebbes'-gevoel als je een paar levende te pakken hebt.

'Stil blijven zitten, Rufus, alsjeblieft.' Over het algemeen is een volle kop met haar fijn om te hebben, maar in dit geval zou een bosje dunne piekharen de boel een stuk vergemakkelijken. In onze wijk vinden de ouders van een bepaalde klasse het nodig om zich van de rest te onderscheiden door de haren van hun zoons tot feminiene lengtes te laten groeien. Hoe bekakter, hoe langer. Rufus en Gabe hebben haar dat bijna in hun ogen en op de schouders hangt. Het maakt niet uit of je vader een pak draagt en minstens één keer in de maand naar de kapper gaat. Mitzi's zoontje Marlowe heeft bijna sprookjesachtige krullen.

De netenkam ploegt moeizaam door het rode haar van Rufus en de bijna zwarte coupe van Gabriel. De opbrengst is elf levende krioelende beestjes, een scheepslading eitjes en een paar dode neten. Tevreden kijk ik in de kom waar mijn buit in drijft en meteen daarna zakt de moed me in de schoenen als ik bedenk dat ik dit de komende week elke dag mag herhalen, met steeds minder opbrengst. Pas daarna zal zich de dag aandienen dat er niets meer te vinden is, maar we zullen nooit weten of dat komt doordat de vijand volkomen is uitgeroeid of doordat we elke dag een stukje minder secuur te werk gaan.

Ik zet de televisie uit en zak achterover op de bank. De jongens verdwijnen naar de badkamer. Ik weet dat ik achter ze aan zou moeten gaan, of in elk geval gebruik zou moeten maken van dit korte intermezzo om de kom met neten uit te spoelen of de Playmobilridders en schilden op te ruimen, maar ik kan het niet opbrengen. Het huis is stil. Ik koester de stilte.

Ik zou de stilte nooit moeten koesteren.

'Mama, mama!' gilt Rufus. 'Gabe heeft een enorme poep gedaan en nu zit het overal.'

Ik sprint naar boven. 'Waar? Waar?' Ik stap de badkamer in en tref een ranzig protest in celblok H aan. Gabriel gebruikt een keiharde, langwerpige homp van zijn eigen uitwerpselen als krijtje en tekent op de muren. Ik moet toegeven dat hij een betere beheersing en greep vertoont dan hem ooit is gelukt met viltstiften. Hij zet zijn vinger op zijn wang en laat een veeg achter, waardoor hij eruitziet als de jarige die dolgelukkig is met zijn chocoladetaart.

'Stop daarmee, hou onmiddellijk op!' schreeuw ik.

'Dat zei ik al, mama, dat zei ik al. Mama, ik zei al dat hij moest stoppen, echt waar, ik zei het de hele tijd. Dat mag niet. Dat is vies.'

'Laat maar, Rufus. Ga maar wat meer doekjes voor me halen. Leg die poep eens neer, Gabriel. Leg die poep neer.'

Hij lacht en schiet langs me heen.

'Nee!' gil ik. Niet op de vloerbedekking. Ik grijp hem zo stevig beet dat er rode afdrukken in zijn bovenarm blijven staan. Ik ben blij dat het me gelukt is hem tegen te houden. Ik schuif hem terug de badkamer in en zet hem met kleren en al onder de douche, terwijl ik het poepkrijtje in de wc gooi en als een dolle de muren en vloeren schrob. Ik haal hem er weer onderuit en hij maakt met zijn kleren tegen hem aan geplakt, de hele vloer nat. Hij schreeuwt en huilt. Ik worstel met zijn kleren en wikkel hem in een droge handdoek.

'Blijf staan, verroer je niet!'

Ik ga op zoek naar een pyjama en kom net op tijd terug om te zien hoe hij een fles zelfbruiner over zichzelf leegknijpt, zodat zijn mollige lijfje helemaal onder de oranje vegen zit. Het is precies de evolutietheorie van de Rode Koningin: hoe harder je rent, hoe harder de grond in de tegengestelde richting gaat draaien, zodat je uiteindelijk geen centimeter opschiet. Ik kan zo snel niet opruimen of mijn kinderen hebben er alweer een puinhoop van gemaakt. Ik zet Gabe weer onder de douche.

'Ik deed niet zulke stoute dingen toen ik klein was,' zegt Rufus.

'Kun jij alsjeblieft je pyjama gaan aantrekken?'

'Mama, je moet Gabe wel straf geven. Zeg maar dat ik nooit zo stout was toen ik klein was.'

'Je bent nog steeds klein.'

'Niet waar, ik zit in groep drie.'

'Oké, goed dan. Shit, geen luiers meer. Rufus, kun jij een luier halen uit de keuken?'

Hij zakt als een lappenpop in elkaar op de vloer. 'Ik ben moe. Waarom moet ik hier altijd alles doen?'

'Goed, goed, ik ga wel.'

Als ik terugkom is Gabe weer onder de douche uit gekomen en de gang in gelopen, om daar een plas te doen op de vloerbedekking in plaats van op de tegels in de badkamer, wat mijn voorkeur had gehad. Het lijkt wel zaterdagavond met Michael, maar dan zonder het erotische tintje.

'Nu is het genoeg. Naar bed, allebei.'

'Maar we zijn niet gedoucht en we hebben ook geen verhaal gehad.'

'Gabe heeft gedoucht en jij bent schoon, dus we doen lekker de pyjama's aan. Gabe, waarom heb jij jouw pyjama in het water gegooid? Kom op, naar de slaapkamer.'

'Maar ik wil een verhaal, we krijgen altijd een verhaal.'

'Daar had je broer dan aan moeten denken voordat hij de badkamer onderpoepte.'

'Maar dat is niet eerlijk...'

'Het leven ís niet eerlijk,' snauw ik.

Gabe begint te gillen. Geef hem een keus, denk ik, geef hem het idee dat hij zelf iets mag bepalen. Ik hurk om op zijn hoogte te komen, zoals ons altijd geleerd is.

'Kom maar, lieverd, laten we een droge pyjama gaan uitzoeken.'

Hij doet alsof hij een exemplaar aanpakt, maar gooit hem dan terug, alsof ik wel gek zou zijn als ik dacht dat hij die zou aantrekken. Dat gaat ook zo met de tweede en derde die ik hem aanreik. Het lijkt wel of er een vloek over hem is uitgesproken die alles wat hij aanpakt onmiddellijk verandert in het ding dat hij het meest op de hele wereld haat. Als een metafoor voor de consumentenmaatschappij waarin de keuzes die we hebben ons steeds ongelukkiger en ongelukkiger maken.

Oké, denk ik, geen keus dus. Ik hou hem stevig vast en trek hem met zachte dwang een blauwgestreepte aan. Hij schreeuwt alsof de pyama van prikkende brandnetels is gemaakt.

'Niet deze! Gatver. Nee, nee, nee.'

'Jawel,' roep ik, vastbesloten om over te gaan in de strengemoedermodus, aangezien de geduldigemoedermodus niet bleek te werken. 'Je houdt deze aan.'

Nadat ik eerst twee benen in dezelfde pijp heb geprobeerd te stoppen krijg ik hem eindelijk aan, waarna hij hem in een flits weer uittrekt. Dat is extra frustrerend omdat hij doorgaans hardnekkig beweert dat hij zichzelf niet kan uitkleden. Het geluidsniveau is inmiddels bijna ondraaglijk en het zou me verbazen als de hele straat niet inmiddels met gespitste oren door de gordijnen onze kant uit gluurt.

Rufus houdt theatraal zijn handen voor zijn oren en klaagt: 'Waarom moet ik naar dit lawaai luisteren?'

'Ik vind het ook niet leuk,' roep ik boven het gebrul uit. Ik wil op FAST FORWARD drukken tot op het punt dat ze allebei slapen en ik een groot glas wijn in mijn handen heb. Ik weet niet hoe ik dat punt moet bereiken. Er staat een dikke muur van weerstand, driftbuien en tandenpoetsen tussen mij en de pais en vree van mijn avond.

'Kom op!' Ik grijp ze elk aan een arm en trek ze mee naar hun kamer. Ik trek te hard, maar ik overtuig mezelf ervan dat dat de enige manier is om ze daar te krijgen. Ik schuif ze in hun bedden en hou de deur stevig dicht. Ik forceer een soort trance om hun gehuil en gebonk op de deur niet te horen. Eindelijk houdt het op en ik voel een kort gevoel van triomf, dat onmiddellijk plaatsmaakt voor schaamte.

Ik ga naar beneden om dat verdomde glas wijn in te schenken. Het is een halfuur later dan ik gepland had om ze in bed te hebben, een halfuur van mijn kostbare avond, tijd die besteed had kunnen worden aan het opruimen van willekeurige plastic onderdelen, eten koken, een lunchpakketje maken voor Gabe die morgen naar Deena gaat of gedachteloos voor de televisie zitten. Ik schenk een glas in en zak neer op een stoel in de keuken. Ik zweer dat ik een muis zie wegglippen, maar ik ben te uitgeput om me erover op te winden. Het beeld van het knaagdier wordt verdrongen door het beeld van de rode afdrukken op de armen van de jongens door mijn te stevige greep, een beeld dat bovendien vergezeld gaat van de soundtrack van mijn geschreeuw, van mijn verschrikkelijke, inconsequente opvoeding, die heen en weer schiet tussen flemen en ongecontroleerde woede. Ik voel het verdriet als een grote bal omhoogkomen door mijn lichaam, opborrelend vanuit mijn maag en mijn mond in. Het heeft de bittere smaak van gal.

Tijdenlang staar ik naar de muur, totdat Joel binnenkomt. Het is negen uur geweest. 'Een wijntje, wat heerlijk,' begroet hij me. Hij ruikt alsof hij er zelf al een paar op heeft. 'Liggen de jongens al op bed? Jammer, ik had wel even zin om ze te zien. Heb je een goede dag gehad?' Ik kan geen woord uitbrengen. Ik kan niet eens ja knikken of nee schudden. Ik neem nog een grote slok merlot. Het lijkt hem niet op te vallen dat ik geen antwoord geef, of het kan hem niet schelen. Door mijn hoofd raast de angstaanjagende gedachte dat er overal in huis geheime camera's zijn verborgen, waardoor de hele wereld binnenkort te zien zal krijgen hoe ik mijn geliefde zoons zo hard aan hun armen meesleep dat die elk moment uit de kom kunnen schieten. In hun kamer zou een camera het gebonk van hun kleine vuistjes op de deur registreren, smekend om eruit te mogen. Zullen de buren aangifte doen bij de kinderbescherming? Dat zou ik wel doen als ik zulke geluiden uit hun slaapkamer hoorde komen.

Joel kijkt naar de kom met de aan de oppervlakte drijvende ver-dronken luizen. 'Heb ik het ontluizen gemist? Jammer, dat heeft al-tijd iets heel bevredigends. Van wie zouden ze ze hebben?'

Ik haal mijn schouders op.

'Vast van de kinderen van Mitzi,' zegt hij.

De schok van deze beschuldiging wekt mij in één klap uit mijn door schaamte ingegeven apathie. 'Dat betwijfel ik. Mitzi's kinderen hebben geen luizen.'

'Hoe weet je dat zo zeker? Luizen houden toch van schone haren?'

'Dat zeggen ze gewoon, zodat ouders zich beter voelen. Ik zal Mit-zi maar even zeggen dat ze haar kinderen controleert. Michael zal wel een opmerking maken over hoe Gabe en Rufus de plaag van de armenschool hebben meegenomen.'

'Hoe weet je nou of onze bloedjes het niet van haar kinderen heb-ben gekregen?'

'Op particuliere scholen zijn geen neten.'

Joel kijkt in de kom met water. 'Nou, deze dragen anders gestreep-te jasjes en ze pesten de sloebers die geen tweede huis op het platte-land hebben, dus ik denk toch van wel.'

Ik borrel van irritatie dat hij wel op tijd thuis is om lullig commen-taar te hebben, maar niet om te helpen met de jongens als ik hem nodig heb. Hij gaat naar boven en ik volg hem. Ik wil hem straffen omdat hij er vanavond niet was, omdat hij zoals altijd te laat thuis-komt, omdat hij het jammer vindt dat hij ze niet meer ziet, terwijl ik vandaag veel te veel van ze gezien heb. Ik wil hem straffen omdat ik nu gedwongen werd om me op de jongens af te reageren; ik zou aan zijn armen moeten trekken, niet aan die van hen. Ik kijk hoe hij onze slaapkamer in gaat, wetende dat zijn thuiskomstritueel gelijkstaat aan minstens drie minpunten op de Lijst, mijn enige strafmaatregel.

De eerste is zo klaar als een klontje.

Subsectie C [was] nummer 1) *Gooit zijn sokken in een balletje zo'n beetje richting de wasmand. Nooit erin.*

Dan gaat hij richting zijn nachtkastje. Toe maar, Joel, je weet hoe het gaat. Ja! Daar gaat hij:

Subsectie E [dagelijks leven] nummer 3) *Leegt zijn zakken met kleingeld op zijn nachtkastje (en de keukentafel, schoorsteenmantel, het plankje bij de deur voor de post enzovoort, enzovoort, waardoor overal in huis kleine hoopjes munten liggen).*

Als hij al het kleingeld uit zijn zakken heeft gehaald gaat hij verder met de troep die er nog meer in zit. Ongetwijfeld een paar bonnen die nooit opgevoerd zullen worden, een paar metrokaartjes, zakdoekjes. Hij stopt en kijkt om naar mij. Dan doet hij iets wat bijna net zo erg is als de salontafelavonturen van Michael en Mitzi.

Hij raapt het hoopje kleingeld op, kijkt er even aandachtig naar en stopt dan alle muntjes in zijn portemonnee. Hij legt de bonnen netjes in de bovenste la. Daarna pakt hij de zakdoekjes die hij uit zijn zakken heeft gehaald en loopt langs me heen om ze weg te gooien in de badkamer.

Ik kijk hoe hij wegloopt. Het lijkt wel of de Lijst werkt, door een of andere onverklaarbare magie of osmose. Ik ga de kinderkamer in, streel de slapende jongens over hun voorhoofd en fluister mijn nederige excuses tegen hun slapende koppies.

'Kop dicht, poepkrijtbaby,' zegt Rufus tegen Gabe als wraak voor zijn geknijp.

'Dat is niet lief,' zeg ik.

'Maar hij heeft mij geknepen.' Hij spreekt het woord 'geknepen' uit met een bekakt shakesperiaans accent.

'Gabe, niet knijpen,' zeg ik plichtmatig. Ik ben moe, omdat ik in slaap was gevallen op de vloer in de kinderkamer en niet meer in slaap kon komen toen ik me naar het huwelijksbed had gesleept. Ik had de jongens uitgebreid en hartelijk begroet toen ze voor zessen aan ons bed stonden. Ze keken nogal angstig en mijn eerste gedachte was dat ze last hadden van het beeld van hun schreeuwende, aan armen trekkende moeder, maar het kon ook goed de schok zijn van mijn liefdevolle ontvangst op dit vroege uur. Ik zei dat het me verschrikkelijk speet en zij haalden hun schouders op. Er was een psycholoog voor nodig om te analyseren of dit goed of slecht was.

Ik neem me heilig voor dat ik ze van nu af aan zal opvoeden alsof er door het hele huis camera's staan. Geduldig en consequent. Ik zal niet chatten op mijn mobiel, mijn mail checken of de krant lezen als zij in de buurt zijn. Ik zal, zoals ze zeggen, in het nu leven. Het helpt niet dat onze dag begint met het ontbijt, het meest ontvlambare maal der maaltijden. Al die rondvliegende cornflakes, onvindbare brooddozen en haastige spoed.

Ik neem me heilig voor dat ik ze van nu af aan zal opvoeden zoals ik van ze hou. En ik hou heel veel van ze, echt waar; alleen vind ik ze soms, als ik moe ben, gewoon niet zo heel erg leuk.

'Waarom noem je hem poepkrijtbaby?' vraagt Joel aan Rufus met een grijns.

'Moedig hem nou niet aan,' zeg ik.

'Gabe had gepoept en gebruikte zijn poep om mee te tekenen.'

'Wat?!'

'Niets. Hij zei dat het monsters waren, maar het leek meer op lelijk gekras. Ik kan veel beter tekenen.'

'Nee, ik bedoel: waarop?'

'De muren bij het bad.'

Joel draait zich om naar mij. 'Is dat waar?'

'Ja, dat is waar.'

Hij kijkt alsof hij in lachen gaat uitbarsten. 'Waarom heb je dat niet verteld?'

'Ik vond het niet bepaald leuk.'

'Maar dat is het wel. Moeten we nu blij zijn dat zijn fijne motoriek zo goed ontwikkeld is?'

Ik maak een gebaar.

'Gaat het wel?' vraagt hij.

'Ja hoor.'

'Wel raar dat je het niet verteld hebt. Het is niet bepaald een creatieve uitspatting die je snel weer vergeet. Normaal gesproken zou je er toch even over klagen als ik thuiskwam.'

Ik ga door met het schoonschrapen van de plastic bakjes waaruit we cornflakes hebben gegeten.

Ik begin me voor te stellen dat Joel en ik niet meer deelnemen aan het gewone leven, dat de Lijst alles bepaalt. Het lijkt of die de enige waarheid van ons huwelijk belichaamt, en of wat daarbuiten gebeurt of gezegd wordt slechts een ingebeelde werkelijkheid is. Hij had gelijk toen hij zei dat ik aardiger voor hem ben. Niet dat we nu de beste vrienden zijn, maar we maken minder ruzie. Ik kanaliseer mijn woede en hij is steeds vaker weg en minder thuis om mij op de zenuwen te werken. Als hij thuis is, is hij anders dan vroeger. 'Jolig' is de ouderwetse term die ik zou willen gebruiken. Hij is zo'n joviale man geworden die zijn handen in elkaar slaat en 'Goed dan' zegt.

Terwijl het totaal langzaam de honderd nadert, merk ik dat ik me steeds vaker voorstel hoe de apotheose zal zijn als ik zeg: 'Joel, ik wil scheiden.'

Ik probeer hoe het klinkt als je het hardop uitspreekt. Mijn maag draait zich om. Dit is niet wat ik wil. Ik wil weer wat we vroeger hadden, vóór de kinderen, maar dan mét de kinderen natuurlijk. Ik weet alleen niet of de manier waarop we toen van elkaar hielden te combineren is met de jongens. We waren zo vol van onszelf. Je denkt dat je onbaatzuchtig van iemand houdt, maar in feite ben je verliefd op de reflectie van je voordeligste zelf in de spiegel die de ander je voorhoudt. Het warhoofd Joel en efficiënte ondergetekende waren een perfecte match toen er nog geen kinderen waren, maar onze jongens blijken een factor die, hoe verrukkelijk ook, de hele balans verstoort.

Ik probeer me uit alle macht voor te stellen dat Joel zo verandert dat ik hem net zo hulpvaardig vind als verleidelijk in onze beginjaren. Als hij zijn toegekende limiet aan minpunten op de Lijst niet overschrijdt zal ik er alles aan doen om een paradijselijk gezinsleven te scheppen, hoewel dat waarschijnlijk niet bestaat. En als hij wel te hoog scoort zie ik maar één alternatief.

Ik probeer de woorden nog eens uit en de kracht van de herhaling heeft het misselijkmakende effect verzacht.

'Joel, ik wil scheiden.' Ik kijk zelfs in de spiegel terwijl ik het zeg en probeer me zijn reactie voor te stellen.

Hij zal schrikken en mijn tekst stelen en zeggen: 'Maar dat is niet eerlijk.'

O, maar dat is het wel, zal ik zeggen, en ik zal hem de Lijst overhandigen als onomstotelijk bewijs van mijn recht van spreken. Ik zal punt voor punt toelichten, en hij zal beseffen dat ik onverbiddelijk ben geweest. Misschien moet ik zelfs foto's gaan maken met mijn telefoon als bewijsmateriaal.

Ik realiseer me dat het raar is om je een voorstelling te maken van het moment dat je je man meedeelt dat je wilt scheiden. Het is een soort ultieme antifeelgoodfilm. Een *feelbad*, zeg maar. Over een huwelijksaanzoek dromen is volkomen normaal, maar begin niet over een scheidingsverzoek.

Toen we een tijdje samen waren, voordat we trouwden, heb ik zelfs een poos gedroomd over hoe hij me zou vragen. Ik moet er nu niet aan denken. Met Joel als de koning van de romantiek waren de verwachtingen hooggespannen. Hij zou zich er nooit toe verlagen, dacht ik, een ring in een gelukskoekje te verstoppen, een viooltrio in een restaurant te regelen of het bed te bestrooien met rozenblaadjes. Joel zou – dat wist ik wel zeker – mij het aanzoek doen dat alle andere aanzoeken deed verbleken.

Zes gênante maanden lang hield ik hem nauwgezet in de gaten om niet door zijn aanzoek te worden overvallen. Mijn gezicht stond constant op standje dankbare aanvaarding en voor de zekerheid was ik altijd opgemaakt, alsof ik een Oscar in ontvangst moest nemen. Ik vulde de stiltes die vielen als hij bedachtzaam voor zich uit staarde niet op. Ik liet hem bedenken waar we heen gingen.

Na een halfjaar begon mijn onnatuurlijke passieve gedrag me te vervelen. 'Wil jij dan niet trouwen?' zei ik op een ochtend aan het ontbijt, slechts gekleed in de resten van de make-up van de vorige avond en een oude pyjama. 'Heel graag, liever,' zei hij, met die enorme grijns van hem. 'Ik dacht dat je het nooit zou vragen.' En dat was het dan, het kortste aanzoekverhaal ooit. We lachten en zoenden en begonnen plannen te maken, en het voelde – ongelogen – alsof ik het mooiste aanzoek had gehad wat ik had kunnen wensen.

Aangezien ik degene was die had voorgesteld om te gaan trouwen, was het logisch dat ik ook degene zou zijn die de beëindiging ervan voor zou stellen.

De laatste twee maanden zijn ingegaan. Twee dozijn punten over en het aftellen is begonnen.

Er volgen nog een paar onmogelijke voorstellen en korte gesprekken met Cara voordat ik eindelijk op haar stoep sta. Het verbaast me dat iemand met haar volmaakte voorkomen alleen maar aan last-minute afspraakjes doet, maar deze keer heb ik op Joels voicemail ingesproken om hem te vragen of, of beter gezegd: te vertellen dat ik na mijn werk een afspraak heb en dat hij de jongens bij Deena kan ophalen en dat hij onder geen beding te laat mag zijn. Daarna nam ik me voor niet op te nemen als hij zou bellen, om te voorkomen dat hij roet in het eten zou gooien door een veel belangrijkere afspraak te hebben.

Cara's stem zweeft door de intercom. Ik kan hem bijna ruiken. Een soort Givenchy, maar dan alleen verkrijgbaar in een parfumerie in een achterafstraatje in Parijs. Ik weet dat Becky nog in Newcastle is, hoewel haar naam niet genoemd is.

'Kom binnen.' Ze draagt groen. Ik stap onhandig naar binnen op mijn hakken. Ik was er even tussenuit geknepen om ze te kopen in een van die rare winkeltjes vlak bij mijn werk die het altijd hebben over de 'eclectische mix van vintage en design' van hun collectie. Vroeger had ik precies het soort getrainde kuiten dat prima overweg kon met hoge hakken, maar tegenwoordig lijken ze te zijn teruggeschoten in hun puberale vorm en zitten alleen platte schoenen me nog lekker.

'Hallo, hoe is het? Sorry nog voor die wandeling, in Norfolk, weet je nog? – en dat het niet eerder lukte om langs te komen.'

'Geen enkel probleem.'

'Wat woon je prachtig. Wat is het wit. Hier zou een ijsbeer nog verdwalen.'

'Dankjewel, denk ik.'

'Nee, ik meen het. Wit is mooi. Was een witte huid vroeger niet een teken van geld omdat het betekende dat je niet op het land hoefde te werken? Met een witte bank is het eigenlijk ook zo, omdat dat betekent dat je niet bang hoeft te zijn dat iemand hem vies zal maken, of voor vieze vingers of stomerijrekeningen.' Nu moet ik mijn mond houden. 'En deze meubels. Is dat nou jaren vijftig?'

'Sommige dingen, ja. Dat is de Barcelona van Mies van der Rohe.' Ze wijst naar een gladde stoel waar ik waarschijnlijk subiet vanaf zou glijden.

In een parallel universum woon ik in een huis als dit. 'En het is ook zo stil.' Ze helpt me niet. Ik vraag me af waar Becky en zij het altijd over hebben. Ik zie niets van Becky in deze kamer. Het is moeilijk te geloven dat ze hier woont. Het is moeilijk te geloven dat ze hier weleens op bezoek is geweest.

Cara staat in de roestvrij stalen hoek van de open ruimte. 'Wil je iets drinken?'

'Ja, graag.' Ik vraag me af of ik moet zeggen wat ik wil drinken. Wijn? Of moet ik een cocktail noemen? De enige die ik ken hebben grappige namen als Sex on the Beach. Ik peins er niet over om er zo een te vragen.

'Ik neem een martini.' Natuurlijk neemt zij een martini.

'Dat klinkt heerlijk.'

'Ik drink hem superdroog met een twist.'

'Precies hoe ik ze graag heb.' Ik zie hoe ze ze klaarmaakt met het gemak waarmee andere mensen de ketel op het vuur zetten.

Ik neem een slokje. Tjessus, waarom spuiten ze de pure gin niet direct in je bloed? Dat zou hetzelfde effect geven. Mijn mond brandt van de alcohol. Ik wil mijn neus dichthouden om het door te kunnen slikken. Ik giet het hele glas naar binnen om de smaak zo snel mogelijk weg te spoelen. Cara trekt een wenkbrauw op. Zij is een meester in de enkelewenkbrauwlift.

'Ik had dorst.' Het gebaar van het in één keer achteroverslaan van de inhoud van het kegelvormige glas voelt aangenaam filmisch. Ik voel me gesterkt, door de alcohol of door het gebaar. 'Wat leuk om hier te zijn. Heel leuk.' Nog steeds geen reactie. Ik weet niets te zeggen, dus ik zeg het eerste wat er in me opkomt: 'Waarom heb je me uitgenodigd?'

'Nou, jij windt er ook geen doekjes om.'

'Sorry.'

'Nee, dat geeft niet. Nou..' Een verlengd woord. 'Ik wil je graag leren kennen.'

'Echt? Waarom?'

'Omdat ik volgens mij niemand anders ken die zo boos is als jij.'

'Dan ken je zeker niet zoveel boze mensen?'

'Ik vraag me af waarom je zo boos bent.'

'Nergens om. Ik ben gezond, mijn gezin is gezond, we wonen prima. Echt waar, ik ben niet boos.'

'Heb je een goed huwelijk?'

Wie windt er hier nou geen doekjes om? 'Ja hoor, prima.' Ik kijk rond in de woonmachine die Cara's huis is en naar hoe perfect zij erbij past. 'Hoezo? Heeft Becky iets gezegd?'

Cara schudt haar hoofd en ik heb meteen spijt dat ik Becky's naam heb genoemd. Ik probeer de boel te redden door een bekentenis te doen. 'Mijn huwelijk is niet volmaakt of zo. Mijn leven is een zootje en ik weet niet goed wat ik eraan kan doen. Het stikt van de losse eindjes. Of opladers waarvan ik niet weet waar ze voor zijn. Dat is mijn leven. In het echt en in figuurlijke zin, als je begrijpt wat ik bedoel.'

'Niet echt. Het klinkt verschrikkelijk.'

Neemt ze me in de maling? 'Ik weet het, ik weet het: Joel is geweldig en ik mag in mijn handjes knijpen.'

'Dat is vast niet zo als jij zo ontevreden bent.' Zij is een van de weinige mensen die ik ooit heb horen twijfelen aan het wonderkind Joel. Ik kan wel janken. 'Het komt vast door hem dat jij zo bent. Je wordt niet boos geboren.'

'Dat kun je wel zeggen.'

'Je zou gelukkig moeten zijn, en als je dat niet bent dan moet je er iets aan doen. Je bent een intelligente, volwassen vrouw – doe iets. Ik neem geen genoegen met dingen die me niet honderd procent bevallen.'

213

'Ik denk inderdaad dat ik iets moet doen. Dankjewel. Ik heb het gevoel dat ik langzaam gek word. Maar weet je, als je zo oud bent als ik, als wij, is het niet meer zo makkelijk. Het is niet meer zoals het was toen je jong was en je man of vrouw kon dumpen en je baan kon opzeggen om de wereld rond te reizen. Veranderingen gaan niet meer zo gemakkelijk. Ik bedoel, ik zou mijn jongens voor geen goud willen missen. En ik heb echt geluk gehad. Er zijn een heleboel vrouwen die geen kinderen kunnen krijgen, dus ik mag blij zijn dat ik ze heb. En dat ben ik ook. Dat is een deel van het probleem, denk ik... Er zijn zoveel vrouwen die geen kinderen kunnen krijgen dat ik niet wil klagen. En ik klaag ook niet.' Cara rilt terwijl ze nog een martini voor me maakt. Het is waarschijnlijk te laat om haar te vertellen dat ik het een walgelijk drankje vind en dat ik veel liever een glas wijn zou hebben in een willekeurige kleur. 'Zou jij eigenlijk een kind willen?' Ik denk aan Becky en zet haar daarna weer uit mijn hoofd.

'O god, nee.'

'Heb je dat altijd geweten? Dat je geen kinderen wilt, bedoel ik.'

'Ja, altijd. Ik heb nooit met poppen gespeeld en ze zogenaamd flesjes gegeven. Terwijl de andere meisjes handdoeken om zich heen wikkelden en net deden of ze de bruid waren bouwde ik prachtige huizen van lego. Ik heb mezelf altijd als alleenwonend gezien.'

Maar je woont niet alleen, dacht ik. 'Vreemd genoeg had ik dat ook. Ik wilde altijd in een groot landhuis wonen met heel veel katten en een liefdevol verzorgde tuin. Dat hoeft niets te betekenen, lijkt mij.'

'Ik wist het, ik heb het altijd geweten. En ik had gelijk, omdat ik nu te oud ben.'

'Echt waar? Zo zie je er niet uit.'

'Dank je.' Dat moet ik toch eens leren: dankjewel zeggen als iemand je een compliment geeft, het accepteren alsof je het verdient. Cara is de vleesgeworden elegantie.

Ik neem een tweede martini en sla die net zo snel achterover als de eerste. Mijn keel ligt open. Ik hunker naar iets te eten, nootjes of zoiets, maar die zouden misstaan in deze omgeving. Sashimi, dat heeft ze vast; dat is een versnapering die bij Cara past. Er komt echter niets. Ik wieg zachtjes heen en weer op mijn hakken, dus ik ga voorzichtig op een met zijde beklede chaise longue zitten. Die is niet gemaakt om op te zitten, maar meer om te loungen, dus dat doe ik.

'En heb je het ook altijd geweten?' vraag ik.

'Wat?'

'Dat je nooit zou trouwen.'

'Dat ik van vrouwen hou, bedoel je?'

Ik knik.

'Ja, altijd. Tenminste, voor zover ik me kan herinneren. Misschien daarvoor al.' Typisch dat zij die verwarrende periode van ongemakkelijke, onhandige seks met mannen die Becky heeft gehad heeft overgeslagen. Natuurlijk hadden wij allemaal ongemakkelijke, onhandige seks met mannen, met of zonder seksuele verwarring.

Twee drankjes en ik zit te tollen. Dat is pathetisch – twee stomme drankjes! Misschien zat er wel iets in. Hoewel, met martini valt er waarschijnlijk weinig toe te voegen, omdat het van zichzelf sterker is dan wat dan ook. Behalve rohypnol. 'En wat doen jullie dan zoal?'

'Pardon?' Weer die opgetrokken wenkbrauw.

'Wat jullie eigenlijk doen – je weet wel, in bed?' Ik ben nu echt dronken.

'Weet jij niet wat lesbische seks is?'

'Jawel. Nee, ik weet natuurlijk wel wat vrouwen doen, theoretisch gezien, maar tegelijk voelt het een beetje alsof ik een vegetarische maaltijd aan het koken ben en geen idee heb waar ik het vlees mee moet vervangen. Ik weet wat jullie doen, maar als ik erover nadenk weet ik niet precies hoe het er werkelijk aan toegaat.'

'En denk je er veel over na?'

'Nee, nee, nooit. Nou ja, niet nooit. Maar niet vaak. Soms. Hoe gaat het dan? In welke volgorde? Ik kom van het platteland,' leg ik uit.

'Wat doe ik? Wat doen wij?' zegt ze peinzend. 'Dat hangt ervan af.'

'Waarvan?'

'Van wie ik voor me heb, in wat voor bui ik ben, waar ik ben. Of ik zin heb in een snelle wip.' Ik knipper met mijn ogen bij het nonchalant uitgesproken woord. Ik gebruik vaak seksueel getinte termen, maar dan in een andere context. Ik knipper zelfs twee keer, ten eerste omdat de seks als zodanig benoemd wordt, en ten tweede omdat het woord gebruikt wordt om seks zonder penetratie te beschrijven. Of ís het wel zonder penetratie? Gebruikt zij zo'n... hoe heet het ook al weer... voorbindgeval? Ik zie echt niet voor me hoe twee vrouwen het doen. En dan kan ik opeens nergens anders meer aan denken, en ik vouw mijn benen over elkaar omdat het zweet me uitbreekt. Cara gaat door. 'Een vluggertje of loom en langzaam.' Ze houdt de 'm' van 'langzaam' lang aan.

'Vandaag, bijvoorbeeld,' gaat ze door, 'voel ik me lui en relaxed. Echt zo'n lome dag, vind je ook niet? Vandaag zou ik zo lang mogelijk mijn kleren aanhouden. De spanning opvoeren. Bijna onschuldig blijven. Bijna, maar niet helemaal.' Ze glimlacht in zichzelf.

Mijn mond is gortdroog geworden, maar ik wil niet dat het ophoudt doordat ik opsta om een glas water te halen. Cara ziet er zoals altijd fris en schoon uit, terwijl bij mij het zweet uit mijn poriën gutst.

'Als ik vandaag iets zou doen, zou ik beginnen met een vinger langs haar nek.' Ze laat bij zichzelf zien wat ze bedoelt. 'Vooral het decolleté. Het decolleté wordt vaak vergeten, vind je ook niet?' Ik zou met mijn vinger naar beneden glijden, maar niet zo ver, tot hier ongeveer.' Ze stopt op het plekje precies tussen haar twee kleine borsten. 'Dan zou ik over haar gezicht gaan en met mijn vinger langs haar lippen strelen en hem dan in haar mond steken.' De vinger waar het om gaat heeft een volmaakt gemanicuurde bleekroze nagel en is lang, zoals bij een pianist. 'Dan zou ik dezelfde route volgen met mijn tong, zodat ze zou weten wat er komen ging, tot ik haar kuste. Maar heel lichtjes, heel vluchtig langs de lippen... Zelfs al zou ze wanhopig proberen me naar zich toe te trekken, dan nog zou ik weer afstand nemen.'

Mijn mobieltje gaat. Het is Joel. Ik druk op de rode knop. 'En dan?' hijg ik.

Ze kijkt me met ogen als spleetjes aan. 'Daarna zou ik denk ik naar de borsten gaan, maar dan door de kleding heen. Ik zou ze beetpakken en strelen, maar met kleren aan. De wrijving is heerlijk. Haar tepels zouden hard worden onder de stof van haar jurk, ik zou ze voelen knappen. Daarna zou ik net als daarvoor alles wat ik met mijn handen deed nu met mijn tong doen. Nu zonder kleding ertussen. Heel langzaam lik ik de bovenkant van haar borsten en terwijl ik dat deed zou ik' – ze kijkt even mijn kant op; ik draag een doorknoopjurkje – 'haar knoopjes losmaken. Nu zijn haar tepels zo hard en opgewonden dat ze bijna zelf naar mijn mond bewegen, zo hunkeren ze naar mijn aanraking.' Ze wrijft met haar handen over haar eigen borsten, die zich duidelijk aftekenen onder de dunne stof.

'Dan zou ik pas langzaam omlaagzakken, zodat ze gaat fantaseren, hopen, dat ik verderga, maar dan zou ik stoppen.' Ze stopt met praten. Ik ben bang voor het geluid van mijn ademhaling, omdat het weleens als hijgen zou kunnen klinken. 'En het overslaan en doorgaan met de dijen, totdat ze huilen van frustratie.'

Ik schuif op mijn stoel en voel duidelijk dat ik nat word. Willekeurige gedachten buitelen door elkaar in mijn hoofd. Ze noemt het borsten, als een borstvoedingsconsulent. De mijne hebben een ware evolutie ondergaan, van tieten voordat er kinderen waren tot memmen daarna. Memmen: grappig, aseksueel, knuffelbaar, ongevaarlijk. Ik vraag me af welk vocabulaire ze bezigt als ze er eenmaal is. Laat het alsjeblieft snel zijn.

'Strelen, strelen, strelen. Heel licht. Dan' – ze houdt stil en begint harder en sneller te praten – 'zou ik mijn vinger in haar kut steken, hard.'

Ik deins terug, alsof ze het echt gedaan heeft. Dus zo noemt ze het. Ik denk aan de mijne. Joel heeft niets met vaginale snoeimethodes. Hij zegt dat hij een vrouw het liefst zo natuurlijk mogelijk ziet. Vroeger droeg ik bikini's en liet ik mijn bikinilijn harsen. Nu draag ik de bikini van de postnatale vrouw, de tankini, met pijpjes, en laat ik niets meer harsen. Heeft Becky niet eens gezegd dat Mitzi van getrimde tuintjes houdt? Het mijne is dat niet. Dat van Mitzi wel. Mitzi heeft haar Hollywood. Dat weten wij.

'Dan stoot ik mijn vinger naar binnen, en nog een keer. Dan trek ik net zo makkelijk mijn hand weer terug en laat ik haar achter in opperste verwarring of dat wat ze dacht dat er gebeurd was ook echt gebeurd was, terwijl ze tegelijkertijd niets liever wil dan dat het weer gebeurde.'

Ik wil het, ik wil dat allemaal. Maar ik wil eerst geharst worden en ingesmeerd met een dure bodylotion en exclusieve lingerie aanhebben. Dit past niet bij mij. Ik ben hier niet goed genoeg voor. Ik wil het, maar ik wil heel hard wegrennen. Zeg alsjeblieft niets meer, ik ontplof bijna. Zeg iets alsjeblieft, ga door, praat, raak me aan, doe die dingen bij mij. Cara staat op.

'Dan streel ik met diezelfde vinger de bovenkant van haar dijen en beschrijf cirkeltjes, tot ik onder haar navel uitkom – natte cirkels die steeds kleiner worden, steeds dichterbij. Tot ik eindelijk ben aangekomen en precies het goede plekje masseer. Ik vind altijd het goede plekje. Een fractie hoger dan de rest en een fractie subtieler. Ik ben beter dan zijzelf.'

De telefoon gaat weer. Het is Joel. Ik druk hem weer weg, maar voordat ik de kans krijg mijn toestel uit te zetten belt hij weer. 'Wat is er?' bijt ik hem toe.

'Er is iets met Gabe. Hij gloeit helemaal.'

'Heeft hij verhoging?'

'Ik weet niet waar de thermometer is.'

'In het badkamerkastje.'

'Daar heb ik gekeken, maar daar waren helemaal geen pleisters en zo. Wel het meetlint.'

'Het meetlint? Misschien moet je dan even gaan kijken op de plek waar het meetlint hoort te liggen?'

'Waar is dat?'

'In het kastje boven de wasmachine. Bel zo maar terug.'

Ik kijk naar Cara en zie dat ze teleurgesteld is. Niet zozeer persoonlijk, maar wel in mij. Alsof ik mezelf tekort heb gedaan. 'Sorry. We komen er wel uit. Hij belt zo even terug.' We zeggen niets meer. Ik voel hoe ik vanbuiten en vanbinnen opdroog.

De telefoon gaat.

'Heb je hem gevonden? Wat heeft hij?'

'Veertig. Wat is dat op die andere?'

'Verdubbelen en er dertig bij optellen. Honderdtien. Dat klopt niet. Zet het knopje om naar Fahrenheit.' Kom op, kom op. 'Honderdvier? Dat klopt niet. Heb je hem al een aspirientje gegeven?'

'Dat heb ik geprobeerd.' De paniek klinkt door in zijn stem. 'Hij hield het niet binnen. Hij is heel slap.'

'Heeft hij ergens uitslag?' Zeg alsjeblieft nee.

'Weet ik niet, ik zie niets. Ik kijk even. Hij heeft uitslag op zijn buik.'

'Doe dat ding met dat glas,' zeg ik zo kalm mogelijk. 'Rol het er overheen.'

'En dan?'

'Dan verdwijnt het.'

'Het glas?'

'Nee, de uitslag. Als het weggaat is het goed, dacht ik. Jezus, Joel. Kijk dan in een van de babyboeken of zo. Of op internet.'

'Dat heb ik gedaan, maar ik snapte er niets van.'

'Heb je de huisartsenpost gebeld? Ga op je gevoel af, denk je dat hij echt ziek is?' Stilte. 'Nou?'

'Ja.'

Ik haal diep adem. Ik moet kalm blijven. Het heeft geen zin om me op te winden. Het moet, voor Gabe. 'Bel een taxi, breng Rufus naar de buren en ga met de taxi naar de Eerste Hulp. Ik zie jullie daar. Probeer hem nog maar een aspirine te geven. Neem je telefoon mee. Ga maar snel.'

Ik pak mijn tas en mompel iets tegen Cara. Ik weet niet wat precies. Ik durf haar niet eens aan te kijken. Het is mijn schuld. Gabe heeft meningitis of meningokokken of zoiets en het is mijn schuld. Ik ben een slechte moeder. Ik word gestraft omdat ik martini's drink en luister naar de sekspraatjes van een verleidelijke vrouw. Ik word gestraft omdat ik het lekker vond.

'Daar ben je.' Ik ren naar Joel en Gabe, die op een bed zitten op de kinderafdeling van de eerstehulppost.

'Hoe is het met hem?' Gabe slaapt op Joels schoot. Ik wil hem uit zijn armen rukken en dicht tegen me aan houden. Ik zorg voor de kinderen als ze ziek zijn. Ze vallen op mijn schoot in slaap.

'Hij slaapt. Hij moet niet slapen, toch?' Joels stem breekt en hij heeft tranen in zijn ogen. Ik wou dat ik kon huilen, maar dat kan ik niet, en ik ben er jaloers op dat hij het wel kan.

'Het is acht uur. Normaal gesproken zou hij nu ook slapen. Is er al een dokter bij hem geweest? Hebben ze zijn uitslag gezien? Waar is iedereen?'

'Een zuster heeft hem onderzocht en zei dat ze iemand ging halen.'

Op dat moment komt er een jonge vrouw binnen. Ze is precies zo'n actrice met van dat natuurlijk glanzende haar, losjes naar achteren gekamd in een paardenstaart, die een dokter speelt op een drukke eerstehulppost, waardoor ze een volkomen ongeloofwaardige echte dokter is op een eerstehulppost.

'Ik ben dokter Harcourt, de kinderarts. Dit is vast Gabriel.'

'Hebt u zijn uitslag gezien? Hij heeft uitslag,' zeg ik. 'Heb je ze verteld over zijn uitslag?' vraag ik Joel.

Hij staart me sprakeloos aan.

Dr. Harcourt temperatuurt mijn slapende jongste en kijkt daarna naar zijn uitslag.

'Is het meningitis?'

'Dat is mogelijk, maar onwaarschijnlijk,' zegt ze, en ik voel me niet serieus genomen. 'We moeten er wel zeker van zijn dat het niet zo is, dus zullen we een ruggenprik en een aantal bloedtesten doen.'

'Ruggenprik?' Ik word misselijk.

'Dat is minder erg dan het klinkt. Ik kom zo terug.'

'Was dat goed of slecht?' vraagt Joel.

'Geen idee. Misschien goed. Waarschijnlijk goed.'

'Ursula zegt dat meningitis de meest voorkomende zelfverzonnen diagnose is waarvoor mensen naar het ziekenhuis komen.'

'Wat bedoel je daarmee? Waarom heb je het daarover gehad met Ursula?'

'Ik heb haar gebeld.'

'Waarom in godsnaam?'

'Toen ik jou niet te pakken kon krijgen. Waar was je eigenlijk?'

'Weg.'

'En je telefoon stond uit?'

'Dus dit is mijn schuld?'

'Nee.'

'Je had wel wat eerder naar het ziekenhuis kunnen gaan.'

'Dus het is mijn schuld?'

'Dat heb ik niet gezegd maar je had zijn temperatuur wel even kunnen opnemen.'

'Niet als ik geen thermometer kan vinden.'

'Daarom zeg ik ook altijd dat je alles moet terugleggen op de plek waar je het gevonden hebt. Dan kunnen we die spullen later ook weer terugvinden.'

'En jij legt altijd alles terug?'

'Bijna altijd, ja.'

We zeggen niets meer. Gabriel ligt scheef en slap op Joels schoot. Zijn wimpers trillen op zijn wangen. Hij moet gezond zijn. Natuurlijk is hij gezond. Zo gaat dat. Hij kreunt zachtjes.

'Hij zei maar steeds dat zijn hoofd zeer deed. Hij wilde dat het donker was,' zegt Joel.

Eindelijk mogen we een kamer in gaan, waar Gabriel wakker wordt en gênant vrolijk lijkt, hoewel het lachen hem snel vergaat door de ruggenprik en bloedtesten. Als ik zijn arm stevig beetpak wanneer de naalden dichterbij komen zie ik in een flits de vorige keer voor me dat ik hem zo stevig beetpakte en ik voel een golf van schaamte. Als de naald naar binnen gaat lopen zijn mooie ogen vol van de pijn, die blik die woordeloos zegt: 'Hoe kun je me dit aandoen?', terwijl zijn volle lippen zich verbijten. Zijn lichaam wordt vastgepind op de behandeltafel terwijl er geprikt wordt in de inmiddels bijna verdwenen uitslag en er met zaklantaarns in zijn ogen wordt geschenen. Zijn protest is niet meer zwijgend; het galmt door de gangen. Het is allemaal mijn schuld, denk ik weer. Mijn schuld.

Uiteindelijk doet de dokter de veelvuldig gebezigde medische uitspraak: 'Het is maar een virus,' gevolgd door de bekende mantra:

'Veel vocht geven, elke vier uur een paracetamol en alert zijn op afwijkend gedrag.'

'Weet u zeker dat het geen meningitis is?' vraag ik.

'Voor zover wij kunnen zien is dat hoogst onwaarschijnlijk,' zegt dr. Harcourt.

'Maar kan hij vannacht niet beter hier blijven? Ter observatie?'

'Ik denk echt dat het beter voor hem is om thuis te zijn dan in het ziekenhuis. Jullie wonen niet ver en kunnen zo weer terugkomen als je je toch zorgen maakt.'

'Maar al die verhalen uit de krant dan? Dat ouders naar de arts stappen en dat de arts zegt dat het een gewone verkoudheid is en dat ze telkens weer terugkomen en dat het uiteindelijk wel hersenvliesontsteking is.'

'Mijn vrouw is geobsedeerd door dit soort berichten,' zegt Joel. Op dit moment haat ik hem.

'Zoals ik al zei...' zegt de dokter, die haar haar nu los heeft gedaan voor het volledige dansende effect. 'Kom zeker terug als je je zorgen maakt, maar we zijn er zo goed als zeker van dat Gabriel een virus heeft dat vanzelf overgaat.'

'Dank u wel,' zegt Joel.

'Ja,' echo ik, wazig. 'Dank u wel.'

Gabriel ligt in ons bed en wij zitten in de keuken. Ik heb hoofdpijn en voel me alsof de kater zich vast aankondigt. Ik ben hondsmoe, maar voel me tegelijk alsof ik een meter espresso naar binnen heb zitten gieten en nooit van mijn leven meer kan slapen. Ik kijk naar mijn telefoon. Geen berichten. Ik denk aan Cara en schaam me dat ik aan haar kan denken na wat er vanavond gebeurd is. Ik weet dat ik nooit meer iets van haar zal horen. Ik heb haar teleurgesteld.

'Hij heeft niets, Maz. Laten wij ook maar gaan slapen.'

Ik schud mijn hoofd. 'We moeten om de paar uur even bij hem kijken.'

'Oké, dat doen we. Ik zet de wekker wel als je je zorgen maakt.'

'Natuurlijk maak ik me zorgen. Onze zoon werd vanavond geveld door een mogelijke hersenvliesontsteking.'

'Maar hij is in orde. Je hebt gehoord wat de dokter zei. Ik snap niet waarom je niet gewoon blij bent.'

Ik sta op het punt om even fel van leer te trekken, maar de woorden komen niet. In plaats daarvan hoor ik een ongewoon geluid en beginnen mijn ogen te prikken. Ik begin te huilen, te snikken zoals ik in geen jaren heb gedaan. Naar adem happen, snot – alles erop en eraan. Ik probeer iets te zeggen om de tranen tegen te gaan, maar ik kan niet praten. Ik huil niet, schreeuw ik inwendig, ik ben geen huilebalk. Maar ik ben het duidelijk wel. Ik huil, en ik praat niet. Dit ben ik niet.

De tranen blijven komen. Ik vraag me af waar al dat water vandaan komt. Hoe kan ik op één dag twee keer zo nat zijn van mijn eigen lichaamssappen op twee zulke verschillende manieren? Joel lijkt even te schrikken en staat dan op om zijn armen om me heen te slaan. Ze zijn heerlijk warm. Ik voel me even klein en hulpeloos als Gabe er in het ziekenhuis uit had gezien met zijn hoofd in Joels schoot.

Het lijkt wel of de tranen die de laatste twintig jaar niet geplengd zijn er nu eindelijk allemaal uit komen. Ik ben een overvolle waterput, een overstromende rivier, een tube tandpasta die Rufus uitknijpt. Ik ben zo moe. De in zes jaar steeds groter wordende vermoeidheid wreekt zich en ik zal me nooit meer uitgerust voelen. Daar huil ik nog wat meer om. Joel houdt me vast, brengt me naar boven en legt me naast mijn zoon in bed, waar we samen om het hardst slapen tot de volgende ochtend.

Die nacht wordt de Lijst niet bijgewerkt. Toch gek dat ik op geen van mijn lijstjes een minpunt voor mezelf heb toegevoegd met de tekst: *Overwoog seks te hebben met een hippe brunette.*

Map: privéadmin

Documentnaam: Huishouden juni

Tegoed juni: 2 per dag, 60 totaal

Totaal minpunten juni: 89

Categorieën van overtredingen: 14 keuken; 15 badkamer; 11 was; 4 slaapkamer; 14 dagelijks leven; 15 onzichtbare vrouwen; 12 opvoeding; 4 algemene tekortkomingen.

Overtreding van de maand: Tandenpoetsen, bedtijd, is er nooit.

Joels compensatiepunten gecorrigeerd met mijn minpunten: Martini-meningitisdag. 20 punten voor Joel.

Totaal minpunten juni: 9 (89 min juni te goed van 60 en 20 compensatiepunten)

Totaal minpunten over februari, maart, april, mei en juni: 83

Totaal overige punten: 17 voor de komende maand (100-83)

9

Ruskins trouwdag

Ik lig op de bank met mijn laptop het totaalaantal minpunten te berekenen. Honderd minpunten voor zes maanden had ik Joel gegeven, boven op de twee punten per dag die hij cadeau kreeg. Zonder de twintig punten die ik hem had gegeven voor wat er die ene nacht was gebeurd, of bijna was gebeurd, zou hij dat totaal al ruim hebben overschreden. Op een bizarre manier zou je dus kunnen zeggen dat mijn bijna-slippertje met Cara of Gabriels bijna-fatale toestand ons huwelijk had gered.

Er is nog niets concreets gebeurd, maar het gaf wel wat lucht. Er is nog een maand te gaan en er zijn niet veel punten te vergeven. Hij nadert in rap tempo zijn limiet. Soms maakt het me bang en verdrietig. Dan voel ik me weer blij opgewonden omdat er in elk geval eindelijk iets gaat veranderen. Er moet iets veranderen.

Ik ben vooral opgelucht dat er geen levensbedreigende infectie bij een van de kinderen voor nodig was of een vleesgeworden lesbische seksfantasie van mij met de vriendin van mijn beste vriendin. En ik weet zeker dat ik, wat er ook gebeurt, geen toenadering van Cara meer hoef te verwachten.

'Wat zie je er leuk uit,' zegt Joel, die de woonkamer binnenkomt. Ik kijk verbaasd omlaag naar mijn oude spijkerbroek en oude T-shirt. 'Jij ziet er *au naturel* heel goed uit,' gaat hij door. Is 'au naturel' een eufemisme voor onverzorgd, vraag ik me af, zoals rond hetzelfde is als dik? 'Zal ik je voeten masseren?' vraagt hij dan.

'Graag. Heb je iets van me nodig of zo?'

'Nee hoor. Kan ik de voeten van mijn vrouw niet gewoon masseren?'

'Natuurlijk kan dat. Mmm, dat is lekker.' De laptop ligt hoog op mijn borst en ik zorg ervoor dat hij niet op het scherm kan kijken.

'Ik heb sintjakobsschelpen meegenomen van de visboer bij mijn werk. Ik dacht die vanavond in de pan te bakken met spekjes erbij.'

'Heerlijk. Waarom zeggen ze dat er altijd bij: in de pan? Waar moet je ze anders in bakken?' Ik kijk op mijn scherm en zoek in de legenda van positieven op de Lijst en noteer de codes van complimentjes, voetmassages en goed koken – **P1**, **P3** en **P8** – bij de datum van vandaag. Voor de eerste keer lijkt Joel een dag te hebben met meer compensatiepunten dan minpunten, een klimaatneutrale dag. Alsof ie in één keer een heel regenwoud heeft aangelegd. Ik zet de laptop uit, geniet van de massage en verheug me op het beloofde maritieme avondmaal.

'Laten we buiten gaan zitten,' zegt Becky. 'Ik ben aan het roken.'

'Je ziet er stralend uit,' zeg ik.

'Haha, leuk! Ik zie er niet uit.' Het is waar. Becky schommelt tussen beeldschoon en excentriek, en een simpele verkoudheid of een *bad hairday* kan genoeg zijn om haar naar de minder aantrekkelijke kant te doen omslaan.

'Sinds wanneer rook jij weer? In Norfolk rookte je niet, toch?'

'Nee.'

'Ben je in Newcastle weer begonnen? Was het werk te doen?'

'Nee, ik ben juist weer begonnen toen ik terug was. Hoe lang hebben we elkaar niet gezien?'

'Meer dan een maand. Nee, langer nog. Norfolk was eind mei.'

'Wat is er met onze vaste lunchafspraak op maandag gebeurd?' vraagt ze.

'Jij was de hele tijd weg voor zaken. Ik ben hier, zoals altijd.'

'Nu ben ik er weer.'

'Ja, nu ben je er weer. En je rookt.'

'God, hou op, zeg. Je lijkt Cara wel. Ze kan het niet uitstaan dat ik rook. Nou ja, misschien is het het roken waar ze niet tegen kan, maar het kan ook zijn dat het mijn persoon als geheel is die ze niet uit kan staan.'

'Wat wil je hebben? Ik ga wel iets halen. Blijf maar zitten, het is vast mijn beurt om te trakteren.'

'Verras me maar.'

Ik verras haar met een zogenoemde 'Supersalade'. Ik vermoed dat ze wel een shot van de Schijf van Vijf kan gebruiken, en een glas groentesap erbij.

'Nou ja, dan neem ik vanmiddag wel weer koffie en taart', zegt ze met een sceptische blik op de taugé op haar bord.

'Is het nog hectisch op je werk?' vraag ik.

'Dat valt mee.'

'Iedereen heeft een beetje last van slapte op het moment. Zijn er bij jullie ook zoveel mensen verkouden? Ik balanceer ook al weken op de rand van een griepje.'

'Ik heb nergens last van.'

'We hebben het nog niet eens over Norfolk gehad. Dat lijkt al zo lang geleden.' Ik twijfel of ik haar zal vertellen wat Joel en ik die nacht hebben gezien. In mijn voorstelling begint het verhaal met onze strooptocht naar de keuken, maar als ik bedenk hoe ik moet beschrijven wat er daarna gebeurde realiseer ik me dat sommige 'onschuldige' vergrijpen het roddelcircuit overstijgen.

'Het was wel oké.'

'Wat vond je van Mitzi's huis? Ongelooflijk, vind je ook niet? Ze heeft een geweldige smaak.'

'Dat vindt Cara ook.'

'Echt? Ja, we kunnen unaniem concluderen dat Mitzi een uitzonderlijk goed ontwikkelde smaak heeft.'

'Ik vind het stom. Haar huis is stom en pretentieus, en er zit een hypocriet luchtje aan.'

'Hypocriet?' vraag ik.

'Om te beweren dat een tweede huis een geweldig ecologisch geschenk is voor de aarde, terwijl het natuurlijk precies het tegenovergestelde is.'

'Dat zegt Joel nou ook.'

'Misschien moeten we van vrouw ruilen.'

Ik lach zenuwachtig.

Ze steekt een sigaret op, terwijl ze eigenlijk aan haar avocado zou moeten beginnen, en zucht. 'Maar ik vermoed eigenlijk dat het al te laat is.'

'Hoe bedoel je?' Ik probeer luchtig te klinken.

'Ik denk dat Cara vreemdgaat.'

'Hoe dat zo?'

'Ze is zo afwezig. Het lijkt wel of ze niet eens doorheeft dat ik terug ben. We doen het nooit meer. Ik dacht dat we doordat ik doordeweeks weg was in de weekends tenminste weer een geweldig seksleven zouden hebben. In het begin dacht ik dat onze seksuele relatie gewoon doodgebloed was – de lesbische dood in de pot, zeg maar –, maar ik denk dat er meer aan de hand is. Ze is opgewekter dan ooit. Ze is weer zoals ze met mij was in het begin. Ze doet het absoluut met iemand, alleen niet met mij.'

'Trek je niet te snel conclusies?'

'Het is mijn werk om mensen te vertellen dat ze niet te snel conclusies moeten trekken.'

'Precies.'

'Maar dat een conclusie snel getrokken word betekent niet dat het niet waar is.'

'Eet je je salade nog,' vraag ik, 'of moet ik die koffie met taart voor je gaan halen? Volgens mij telt worteltaart ook als groente.'

Ze krabt stevig op haar hoofd.

'Gaat het wel?' vraag ik.

'Ik heb jeuk op mijn kop. Volgens mij komt dat door de stress. Ik denk dat het direct voortkomt uit mijn besluiteloosheid over een heleboel dingen die op dit moment in mijn leven spelen.'

'Wat naar voor je, Becks.' Solidair krab ik ook aan mijn hoofd. Ik hoop dat ik geen luizen heb.

'Hè?'

'Dat je het zo moeilijk hebt. Maar ga nu geen rarigheid op Cara projecteren omdat je het moeilijk hebt met andere dingen. Er is waarschijnlijk helemaal niets gebeurd. Misschien heeft ze er alleen maar aan gedacht?'

'Dat is net zo erg.'

'Vind je?'

'Misschien niet. Maar geloof mij maar dat ze die geile blos niet krijgt van er alleen maar aan denken.'

'Heb je het gevraagd?'

'Jaja, ik weet het: ik moet gewoon met haar praten. Vragen waar ze mee bezig is. Maar ik ben bang.'

Ik zeg niets. Ik voel mijn Supersalade weer naar boven komen.

'Ze is getrouwd,' zegt Becky.

'Cara?'

'Nee, die trut waar ze het mee doet.'

'Hoe weet je dat?'

'Zo heeft Cara ze het liefst. Hetero, geloof ik, in elk geval bischierig, heteroflex – wat dan ook. God, hoeveel vrouwen er niet verliefd op haar zijn. Dat zijn er bosjes, en ze willen allemaal van bil met mijn vriendin. En zij met hen. Vooral als ze getrouwd zijn. Dat is het spannendst. Dan willen ze tenminste ook niet meteen bij haar intrekken om een zootje te maken van haar dure appartement. Ik ben de uitzondering, en nu heeft Cara spijt. Zij moet helemaal niet samenwonen.'

'Sommige mensen hebben dat. Die weten gewoon dat ze alleen willen zijn. Van jongs af aan.'

'Dat zegt Cara ook. Dat ze het altijd heeft geweten. Nou, ze hoeft zich over mij geen zorgen te maken. Ik ga weg.'

'Niet zo haastig.'

'Dat ben ik niet. Zelfs als ze niet ligt te krikken met de vrouw van een ander, heb ik geen zin om me nog langer een vieze vlek op haar geboende hardstenen vloer te voelen. Ik heb te hard gewerkt om te komen waar ik nu ben, en ik heb het gevoel dat ik elke dag een stukje verder de grond in word getrapt.'

'Ga je terug naar je eigen appartement?'

'Dat is verkocht.'

'Dat wist ik niet. Ik dacht dat je het had aangehouden. Voor de zekerheid.'

'Ik dacht wel dat jij zou zeggen dat ik slim moest zijn en het moest houden. Dat zou ik iedereen ook vertellen. Ik had er het volste vertrouwen in toen ik het verkocht. Net als mijn cliënten die niet op huwelijkse voorwaarden trouwen. Sukkels!' snuift ze. 'Ik heb wel wat plannetjes.' Ze lacht en ze straalt weer als vanouds. 'Ik had het alleen nog niet hardop gezegd. Dat durfde ik niet. Maar weet je wat? Het voelt niet eens zo slecht dat ik bij haar wegga. Ik kan me toch niet slechter voelen dan nu.'

'O, Becks, wat erg. Dat wist ik helemaal niet. Het spijt me, het spijt me echt. Ik was zo met mezelf bezig dat ik er helemaal niet voor jou was. Lekkere vriendin ben ik.' Ik sta op het punt weer in tranen uit te barsten. Het lijkt wel of mijn ogen weer weten hoe ze moeten huilen en nu niet meer kunnen ophouden. Het voelt alsof ik op het puntje van een duizelingwekkend hoge duikplank sta. Ik hoef alleen maar van de plank af te stappen. Het is die fractie van een seconde waarin je besluit om te springen die allesbepalend is, niet het moment waarom je het water raakt. Als ik iets zeg, zeg ik alles. Ik haal diep adem en spring. 'Ik heb iets gedronken bij Cara, bij jullie. Heeft ze dat verteld?'

Becky zoekt iets in haar tas en haalt haar mobieltje tevoorschijn. 'Moet je dit zien.'

Ik kijk. 'Een berichtje, van Cara.'

'Aan Cara. Ik zag het op haar mobiel en heb het naar mezelf doorgestuurd. Open het maar.'

'Stond er geen naam bij het nummer?'

'Er stond "loodgieter", en dat was meer dan een pseudoniem, vermoed ik. Tenzij ze het met de loodgieter doet, wat mij zou verbazen, want dat is een dikke Oekraïener.'

'En herkende je het nummer niet?'

Ze schudt haar hoofd. 'Ik had het moeten opschrijven maar ik dacht dat het wel mee zou komen als ik het berichtje doorstuurde. Stomme telefoon. De volgende dag keek ik weer in Cara's telefoon, maar toen was het bericht weg. Gewist. Lees dan.'

Je geur zit aan mijn vingers.

'Gatver,' zeg ik. Becky kijkt me sceptisch aan. 'Nee, niet dat ik vrouwen vies vind ruiken. Juist lekker. Nou ja, niet letterlijk. Ik weet niet – de vieze praatjes van anderen zijn gewoon een beetje gênant of zo.'

'Er zat ook een foto bij.'

'Waarvan?'

'Een nogal kale pruim.' Dus zo noemt Becky het. 'Zo erg dat ik bijna niet zag wat het was. Ik dacht dat het een oor was. Niet echt mijn ding, snap je? Hoewel Cara in die regio uiteraard tot in de puntjes verzorgd is.'

'Weet je wanneer ze dit heeft gekregen?'

'Twee of drie weken geleden.'

Ik voel een steek van jaloezie. Ik kijk naar Becky en schaam me dat ik die voel. Ik schaam me ook nogmaals dat ik zelfs maar gespeeld heb met de gedachte om iets met Cara te doen. En ik ben nog blijer dat er niets gebeurd is, hoewel dat misschien wel net zoveel te maken heeft met het idee dat ik niet de enige verleiding was voor Cara als met de gedachte dat ik dan mijn echtgenoot en beste vriendin zou verraden. Ik zet bijna mijn huwelijk op het spel voor seks met een vrouw, en dan blijkt dat het haar niet zoveel uitmaakt met wie ze het doet. Becky zoekt op haar telefoon en laat een foto zien van een meer gynaecologisch dan pornografisch object, helemaal glad en kaal. Het is weinig bedreigend en heel klinisch; er is alleen een keurig litteken te zien aan de bovenrand van het schaamhaar, als er schaamhaar te bekennen zou zijn geweest.

'Wauw.' Ik draai de telefoon om. Het is moeilijk te zien welke kant boven hoort. 'Dat is kaal.' Ik stel me zo voor dat Cara zou zijn terug-gedeinsd bij de aanblik van mijn naakte lichaam, zoals Ruskin naar verluidt deed bij zijn arme van onderen behaarde vrouw op zijn hu-welijksnacht.

'En jij denkt dat er nog steeds iets gaande is?' vraag ik.

'Dat doet er niet toe, of wel? Er is iets gebeurd en er gaat weer iets gebeuren. Het zou me niet verbazen als dit niet de enige was. Ze is een soort vampier, weet je.'

'Maar je wilt toch niet alles wat jullie hebben weggooien zonder met haar te praten?'

'Jij bent wel de laatste die tegen mij mag preken over relaties.'

'Hoezo dat nou weer?'

'Jij wilde laatst bij Joel weg omdat hij de wc-bril nooit naar bene-den deed!'

'Niet waar, dat is echt niet zo. Wat kan mij die wc-bril schelen? Nou ja, dat ie omhoogstaat, tenminste. Dat gespetter overal, dat is wel irritant, ja.'

'Mary...' Becky kijkt me streng aan. 'Mijn relatie rammelt aan alle kanten en daarom kap ik ermee. Jij hebt iets om voor te vechten, en twee kinderen bovendien. Dat weet je toch?'

Ik glimlach geruststellend.

'Ik weet het niet met jou,' gaat ze door. 'Meen je dat nou, al dat gelul over je huwelijk, of wil je gewoon aandacht, als een puber die een overdosis paracetamol slikt?'

'Ik denk dat je nooit precies kunt begrijpen wat er in andermans huwelijk speelt.'

'Dat is waar,' zegt ze. 'Dat is zeker waar.'

Ik ga terug naar kantoor met een blos van schaamte op mijn wan-gen, een kleur die verraadt dat ik overspelige gedachten koester. Ik ben dan strikt genomen niet de andere vrouw van Cara, maar dat had ik wel willen zijn. Ik zie voor me hoe Joel en Becky en de jon-gens rond de keukentafel zitten en 'Hoe kon je?' uitstralen. Inder-daad, hoe kon ik?

Matt buigt zich over Lily's bureau met zijn kruis nadrukkelijk te-gen de rand. Als hij een vrouw was geweest, zou hij constant een heftige push-upbeha dragen.

'Ja, dus, vreemd genoeg,' zegt hij tegen haar, 'nadat we maanden-lang niets meer hadden gehoord over dat idee van verwaarloosde huizen, is er eindelijk bericht van de zender.'

'En?' vraagt Lily.

'Hij zag er geen brood in. Maar Jane van Documentaries vond het te gek.'

'Echt waar?'

'Nou, dat is te sterk uitgedrukt. Ze ziet er wel iets in, maar dat realitygedoe is al zo oud. Zij zegt dat de zender een omslag wil maken en weer terug wil naar meer serieuze programma's, en nog veel meer van dat soort rare ideeën. Ze ging maar door over dat we het moesten herschrijven als een serieus onderzoek naar relaties tussen mannen en vrouwen in de eenentwintigste eeuw: wie doet wat, een tweeluik, psychologen – blablabla.'

'Dat was mijn idee,' zeg ik.

'O ja?' zegt Matt.

'Ja. Dat was mijn idee, weet je nog?'

Hij kijkt me nietszeggend aan.

'Dat klopt,' zegt Lily. 'Echt waar. Zij weet alles van huiselijke ellende. Ze heeft ook de inleiding van het programmavoorstel geschreven.'

'Dat was precies de passage die Jane bedoelde,' zegt Matt.

'Echt?' Ik voel een energie die ik op mijn werk al jaren niet meer heb gevoeld.

'Ja, ze zei dat die niet leek te passen bij de rest van het voorstel en dat we daarmee verder moesten om een ander idee te ontwikkelen. Ik wilde vragen of jij dat wilde doen, Lily.'

'Eerlijk gezegd denk ik dat je dat beter aan Mary kunt vragen.'

'Dank je, Lily.' Mijn inleiding was het beste stukje van het hele voorstel. Yes!

'Wil jij het dan verder uitwerken?'

'Ja, natuurlijk.'

'Maar dat moet je dan maar op je vrije dag doen. Ik kan je niet missen.'

'Prima, ik doe het. Dat lukt wel.'

Ik frons naar mijn laptop. In de chaos van alledag grijp ik naar mijn virtuele leven om orde te scheppen. De Lijst is een rationele constructie om staande te blijven in de anarchistische mallemolen. Heb je ooit gezien hoe kindertekeningen die nergens op lijken opeens duidelijk worden als je er iets overheen legt? Dat doet de Lijst voor mij. Die geeft betekenis. Dat theezakje dat een teervlek achterlaat op onze tafel is meer dan een theezakje; het is een onderdeel van de strijd van de vrouw die onverschrokken op een doel afstevent. De natte handdoek die ligt te verschimmelen in de badkamer wordt een nette regel op een Excel-sheet: iets rationeels in plaats van iets wat kant noch wal raakt.

Maar zo is het niet meer. De Lijst is niet meer rationeel. Joels totalen die zo hard naar het maximum leken te schieten, gaan nu op en neer in een golfbeweging die in niets meer lijkt op die van de eerste maanden. Het was allemaal heel voorspelbaar. Er zat een patroon in de slechte eigenschappen van Joel. Als de Lijst niet meer werkt, werkt er niets meer. Ik heb niets meer, en uiteindelijk zal het in mijn hoofd net zo'n ongeordende puinhoop worden als het in mijn huis is. Het lijkt wel of de Lijst een robot is die op hol is geslagen en nu alleen maar taken herhaalt of voortdurend in kringetjes blijft ronddraaien. Dit is niet wat ik voor ogen had met de Lijst.

Gisteren, bijvoorbeeld, kleedde Joel zich uit om naar bed te gaan en gooide hij zijn kleren een voor een richting de wasmand. Net op het moment dat ik zijn wangedrag wilde noteren liep hij erheen om ze op te ruimen en in de mand te gooien. Toen haalde hij ze er allemaal weer uit om het hele procedé vervolgens te herhalen. En daarna nog een keer.

Misschien is het maar goed dat het over minder dan een maand voorbij is. Ik zal je missen als je er niet meer bent. De Lijst, bedoel ik.

Het is de dag waar Joel altijd tenenkrommend aan refereert als mijn 'vrije dag', die hij als een open uitnodiging ziet om mij op te zadelen met vervelende klusjes in de vorm van 'Kun je mijn spullen ophalen bij de stomerij... op je vrije dag?' en: 'Je kunt natuurlijk altijd even de auto laten keuren... op je vrije dag.' Ik probeer hem ervan te doordringen dat ik behoorlijk hard moet werken op mijn 'vrije dag', vaak door hem even te bellen als Gabe een van zijn driftaanvallen heeft en niets anders te doen dan de hoorn erbij houden.

Wat ik nooit doe is Joel bellen als ik in een prachtig onderhouden tuin zit te ontspannen terwijl mijn oudste kind op school zit en de jongste wordt beziggehouden door Mitzi's oppas. Ik zou niet willen dat hij het verkeerde idee krijgt.

'Dit is hemels,' zeg ik tegen Mitzi. Ik was niet van plan haar snel weer op te zoeken, maar toen belde ze me om me uit te nodigen en zij heeft het leukste speelgoed en een enorm peuterspetterbadje en een sproeisysteem. Dat is stukken verleidelijker dan het alternatief: een rondje supermarkt.

'Ik heb eindelijk het idee dat het iets begint te worden met die tuin. Het was een ramp om een tuinman te vinden die van voren weet dat ie van achteren leeft. Of het verschil weet tussen en alchemilla en een echinacea, bij wijze van spreken.'

'Al lag je tuin vol met kunstgras. Alleen al dat Gabe in de capabele handen van jouw oppas is, is voor mij een ongekend genoegen.' Ik kijk op en zie dat één van de tweeling huilt, terwijl Gabe er gevaarlijk dichtbij staat. Ik kies ervoor het tafereel te negeren en kijk naar Mitzi. Het is bijzonder hoe snel je weer met iemand op normale voet kunt staan nadat je haar bezig hebt gezien met de meest misselijkmakende huwelijkse praktijken.

'Ik moet wel nodig snoeien, trouwens.'

Ik kuch even. Nou ja, bijna normaal.

'Nogmaals bedankt voor Norfolk.'

'Het was heerlijk, hè? Wat hadden we het fijn. Ik heb het idee dat jullie Michael ook een beetje beter hebben leren kennen.'

'Ja, ik heb zeker meer van hem gezien deze keer.'

'Is hij niet helemaal te gek?'

'Ja, helemaal te gek.'

'Mensen zijn altijd verbaasd als ze hem ontmoeten, omdat ze waarschijnlijk een verpieterde bankmedewerker verwachten en niet zo'n woest aantrekkelijke man.'

'Ja, hij is zeker knap. Voor een man van middelbare leeftijd.'

Mitzi lacht. 'Zo oud is hij niet.'

'Zo komt hij wel over. Ik bedoel het niet verkeerd, maar qua autoriteit. Ik zou niet graag ruzie met hem hebben.'

'Nee, je moet hem niet dwarsbomen, dat kunnen ze je op zijn werk ook vertellen. En dat alle secretaresses met hem weglopen. Dat weet ik ook wel. Ik heb echt geluk dat ik hem gevonden heb. Dat vind ik echt.'

'Ja, je hebt het goed voor elkaar.'

Ik kan haar ogen niet zien achter haar designzonnebril. Ik zou zweren dat ze uit was op bevestiging.

Er komt een berichtje binnen op Mitzi's mobieltje. Ze pakt het op en glimlacht. Ze opent het bericht en haar lach wordt breder. Ze ziet dat ik naar haar kijk en bloost door haar zonnebruin heen.

'Van wie is het?'

'Van niemand.' Ze kan de lach niet van haar gezicht krijgen. 'Een vriend.'

'Een heel grappige, aan je grijns te zien.'

'Grappig is niet het goede woord. Nee, grappig is niet zozeer haar ding – integendeel.' Ze kijkt nog steeds naar het berichtje. Ze kruist haar benen en slaat ze dan weer terug. Ze legt de telefoon neer en het toestel schakelt weer over naar de screensaver van haar vier vrolijk lachende kinderen. Ik kan mijn twee exemplaren niet eens zover krijgen dat ze tegelijk lachen.

'Getver,' zegt ze, krabbend aan haar hoofd. 'Radka!' roept ze naar de oppas. 'Heb je de kinderen elke dag op luizen gecontroleerd, zoals ik gevraagd had?' Ze richt zich tot mij. 'Rotneten, walgelijke dingen! Ik krijg de kinderen maar niet luisvrij. Ik denk dat ik ze gewoon maar kaalscheer, dan zijn we ervanaf, maar ze hebben allemaal zulk mooi haar, of niet dan? Ik benijd ouders met kinderen met normaal haar. De mijne hebben zoveel haar, en het is zo dik. Radka is uren bezig om erdoorheen te komen. Ik snap echt niet waarom we die school nog kapitalen betalen, om ze vervolgens terug te krijgen met luizen.'

'Sorry hoor, denk je dat ze ze van mijn kinderen hebben gekregen?'

'Dat zou heel goed kunnen. Ze hebben ze al maanden nu eens wel en dan weer niet.'

'De mijne hebben ze pas sinds Norfolk, dus het is waarschijnlijk andersom,' zeg ik ter verdediging. 'En ze hebben ze nu niet meer. Ik heb er snel korte metten mee gemaakt.' Ik kijk naar Gabe, die met zijn hoofd heel dicht bij dat van Merle zit.

'Het is vast veel makkelijker als je kinderen dun haar hebben.'

'Ze hebben allebei juist heel veel haar.'

'Met neten? Is het niet verschrikkelijk? Ik krijg al jeuk als ik er alleen aan denk.'

'Denk je dat jij ze ook hebt?' vraag ik, en ik krab uit solidariteit op mijn hoofd.

'Natuurlijk niet! Geen sprake van. Alleen kinderen krijgen ze, net als waterpokken.'

'Volgens mij krijgen kinderen ze omdat ze altijd zo dicht bij elkaar zitten met hun hoofden, wat volwassenen meestal niet doen. Als ze bij je in bed kruipen kun je ze makkelijk krijgen en dan kun jij ze weer aan Michael geven.'

'Je denkt toch niet dat ik ze heb, hè? Dan kan ik niet naar de kapper. Kun je even kijken? Ach, doe ook maar niet, wat walgelijk.'

'Anders vraag je of Michael even kijkt.'

'O god, nee zeg, dat zou ik hem nooit vragen. Veel te gênant.'

Maar rondhuppelen in een kruisloos Frans dienstmeisjeskostuum en zijn stront opruimen doet vast veel voor je zelfbeeld. Ik knik en bedenk hoe makkelijk ik Joel zou vragen om mij te controleren op luizen. Dat is al vaak genoeg gebeurd, trouwens. 'Je kunt het misschien wel zelf doen... Ze gaan het liefst achter in je nek zitten, maar ook hier aan de voorkant.' Ik wijs bij mezelf aan waar en gluur naar haar haarlijn.

'Je weet er veel van.'

Ik haal mijn schouders op.

'Sorry,' zegt ze, en ze verdwijnt naar wat makelaars 'het gastenkamertje' noemen.

Gabe trekt de blaadjes van de rozen. Ik wil hem net waarschuwen voor de doorns als ik van gedachten verander. Hij moet het maar leren. Mitzi heeft haar telefoon laten liggen; ik kan erbij zonder op te staan. Ik kijk naar Radka, die de drie kinderen heeft meegenomen naar de trampoline die verscholen ligt achter een bloembed achter in de tuin. Ik kijk weer naar het huis en weer naar de telefoon. Als ik snel ben.

Het is zo'n nieuwerwets ding met tweeduizend applicaties. Bericht, bericht, bericht? Ik kijk weer naar het huis. Waarom is dit zo ingewikkeld? Berichten – hier, ingekomen, laatste bericht, van 'Tuinman'. Tuinman? Ik open het. *15.00 uur. Heb lub, vib, vuist. Nu jij.*

Zijn dit botanische referenties? Ik leg de telefoon terug op de plek waar ik hem gevonden heb. Ze zei nog dat het zo moeilijk was om een goede tuinman te vinden.

'Iets gevonden?' vraag ik Mitzi. 'In je haar?'

'Ik heb niet echt gekeken. Had ik gezegd dat ik om drie uur een afspraak had?'

'Nee.'

'Sorry, ik kan er ook niet onderuit.'

'Iets leuks?'

'Nee, saai – tandarts.'

Niet waar, denk ik bij mezelf. Gaat ze vreemd met haar tuinman? En wat komt daarna? De loodgieter?

De loodgieter. Natuurlijk, de loodgieter. Ik kijk naar Mitzi en slaak onwillekeurig een geluidloze kreet als ik het doorheb. De loodgieter en de tuinman. Mitzi en Cara. De pot die geilt op getrouwde vrouwen en de getrouwde vrouw die op zoek is naar spanning. Mitzi zou nooit een doorsneeaffaire met een man hebben. Dat zou niets toevoegen. Zij is op zoek naar het tegenovergestelde van een man, het tegenovergestelde van Michael en al zijn alfamannetjesgedoe. Ze wilde waarschijnlijk net als ik een antiman, maar dan om heel andere redenen.

Het is zo overduidelijk dat ik zin heb om met mijn hoofd tegen de muur te bonken en 'Duh!' te roepen. Die wandeling, in Norfolk – Mitzi ging in mijn plaats. Cara zat achter ons allebei aan. Ze speelde ons waarschijnlijk zelfs tegen elkaar uit. De luizen. Becky met jeuk op haar hoofd. Het was geen psychologische reactie, ze had gewoon jeuk. Mitzi heeft verdomme luizen, geeft ze door aan Cara en Cara geeft ze door aan de onschuldige Becky, als een soort basisschoolversie van syfilis in de stukken van Ibsen. En die foto van die kale vagina – dat litteken was van een keizersnee. Mitzi had die gehad omdat een van de tweeling verkeerd om lag (nadat ze alle andere bevallingen in een vloek en een zucht had geklaard, volgens eigen zeggen door jarenlange yogatraining). Alleen iemand die zo ongelooflijk overtuigd was van haar eigen schoonheid zou een foto van haar eigen vagina maken en die naar een minnaar sturen. Ieder ander zou denken dat ze daar te lelijk was, net als met knieën en voeten. Cara bevredigt Mitzi en andersom. Ik voel een steek van jaloezie en iets anders: een soort teleurstelling dat het nooit zal gebeuren, gevolgd door de opluchting dat ik nooit zal hoeven weten hoe het is om die vuist te voelen, iets waar ik nooit echt serieus over heb nagedacht, maar waarbij ik instinctief de neiging heb mijn benen over elkaar te slaan. Ik kan alleen maar aannemen dat het niet iets is voor een eerste afspraakje en dat Becky gelijk had, dat dit al even aan de gang is. Ik vraag me af of het begonnen is op het strand van Norfolk, toen Mitzi in mijn plaats ging wandelen. Begon het toen, voordat Cara en ik onze martini-date hadden, of daarna, nadat ik haar had teleurgesteld? Wie was Cara's eerste keus? Liepen ze samen in de vroege ochtend het strand van Norfolk op om vervolgens te gaan liggen in het helmgras, waar ze onzichtbaar waren voor vroege hondenbezitters en kinderen die het strand op renden? Wie begon? Zoenden ze alleen of vermengde de smaak van Mitzi zich met de zoute zeelucht? Prikte het gras? Zou het allemaal anders zijn gelopen als ik me die ochtend niet had verslapen?

'Nou, over tien minuutjes ga ik me maar even opfrissen,' zegt Mitzi.

'Voor de tandarts?'

'Je weet toch hoe het is? Het voelt beter als je nog even goed flost voordat je naar de tandarts gaat.'

'Ja, flossen,' knik ik. Ze ziet er zo blij uit dat ze straalt alsof ze net terug is van een lange wandeling door de bossen. Ze ziet eruit zoals ze eruitzag toen we elkaar leerden kennen. Ik dacht dat het de leeftijd en het vele sporten waren die de harde lijnen in haar gezicht veroorzaakten, maar het was Michael.

'Mitzi?'

'Ja?'

'Dit is volstrekt hypothetisch gesproken. Zou jij ooit bij Michael weggaan?'

'Nee, natuurlijk niet. Hoezo?'

'Ik bedoel, als hij wilde dat jij iets verschrikkelijks zou doen of je op een of andere manier slecht zou behandelen, zou je dan bij hem weggaan? Ik bedoel niet dat hij dat ooit zou doen natuurlijk, want hij is fantastisch, maar ben jij zo iemand die ondanks alles altijd bij haar man zou blijven?'

'Ik zou altijd blijven.'

'Wat er ook gebeurde?'

'Ik heb geen idee wat je in gedachten hebt, maar ja. Ontrouw kan ik aan; minder geld zou ons ook lukken, wij begrijpen elkaar. Ik kan me niet voorstellen dat er iets is waar ik het leven van mijn kinderen voor overhoop zou willen gooien. Je weet toch wat voor jeugd ik heb gehad, hoe mijn moeder was? Waarom zou ik ooit overwegen om mijn kinderen aan ook maar een fractie van die onzekerheid bloot te stellen in dit...' – ze gebaart naar het huis en de tuin – '... in dit leven waar ik zo hard voor gewerkt heb?'

'Duidelijk.' Zij is de styliste, haar kinderen zijn de attributen en haar leven is een zes pagina's lange reportage in een glossy. Hoe zou ze ook maar de gedachte kunnen opwekken dat er iets minder dan perfect was?

'Ik kan nu maar beter gaan flossen.' Ze lacht haar nagenoeg volmaakte tanden bloot.

'Ja, ga maar. Gabe, over vijf minuten vertrekken we. Succes bij de tandarts. Ik hoop dat hij je geen pijn doet,' zeg ik. 'De tandarts.'

De Lijst is zo ingewikkeld geworden met de hoeveelheid plus- en minpunten dat ik er elke avond even aan moet werken. Ik stort me nu op de rubriek 'Algemene tekortkomingen' om de juiste codes in het schema in te voeren.

---

18) Opent zijn post niet.

19) Opent uiteindelijk zijn post, maar doet net alsof openen hetzelfde is als lezen en afhandelen.

110) Haalt na een maand de post uit de envelop en laat de envelop liggen, zodat ik die mag opruimen.

111) Zegt dat enveloppen eigenlijk in de papierbak moeten en niet in de prullenbak.

112) Maar dan moet ik wel eerst het venstertje dat voor het adres zit eruit scheuren.

Deze hebben allemaal te maken met verschillende punten uit de rubriek 'Geld', omdat ze te maken hebben met zijn onvermogen om zijn administratie bij te houden en gebrek aan inzicht dat als hij geld uitgeeft voor zijn werk en het weer terugkrijgt, het geen 'gratis geld is' waar hij eigenlijk geen recht op heeft. Terwijl ik bezig ben, valt mijn oog op **115**: *Zet de telefoon nooit terug in de lader.*

Ik kan me niet herinneren dat ik die erbij had gezet. Dit is iets waarvan Joel mij altijd beschuldigt; onterecht overigens, want ik gebruik de vaste lijn haast nooit.

De troep is inmiddels opgelopen tot het halfjaarlijkse punt waarop ik uitschreeuw dat ik er niet meer tegen kan, hoor je dat? Ik kan er niet meer tegen, ik word gek, gék zeg ik je, en dan neemt Joel de jongens mee voor een dagje uit naar een of andere toeristenattractie met te veel smaak-, geur- en kleurstoffen, zodat ik me een dag lang kan toeleggen op het sorteren van speelgoed en het opruimen van kasten. Als hij iemand tegenkomt die wij kennen zegt hij altijd dat hij dit doet om 'Mary wat lucht te geven' of 'Mary haar ding te laten doen', en als beloning wordt er bewonderend naar hem gekeken.

Ik kijk altijd uit naar deze opruimzondagen, hoewel ik altijd toch ook teleurgesteld achterblijf, omdat ik nooit zoveel kan doen als ik zou willen en mijn leven niet opeens heel veel mooier is geworden door een tijdelijk opgeruimde speelgoedkast.

Mijn manvolk trekt de wijde wereld in slechts gewapend met een paar pakjes drinken en een zak gedroogde abrikozen, terwijl ik het huis inspecteer. Ik heb precies een halfuur van mijn kostbare schoonmaakzondag nodig om de ontbijtboel op te ruimen en een zondig kwartier waarin ik de krant lees. Dan hou ik het niet meer en terwijl ik de neiging onderdruk om met iets makkelijks, zoals mijn kledingkast, te beginnen, zet ik koers naar het gebied achter de tele-visie – of om precies te zijn: het Gebied achter de Televisie –, waar ik de complete psychologische-thrillertrilogie *Snoeren uit de Hel* aan-tref op de meest verwaarloosde en angstaanjagende plek van ons huis.

Er liggen stapels cd-doosjes en evenzoveel losse cd's. Ik probeer de twee stapels samen te voegen, maar er lijkt niets bij elkaar te horen, dus ik geef het op en gooi de hele stapel in een plastic opbergdoos, die naar het voorportaal van de zolder zal verdwijnen. Dan begin ik aan de boeken, terwijl ik luister naar een interessante radio-uitzen-ding, en probeer die terug in hun alfabetische volgorde te dwingen. Helaas zitten Amis, Ballard en Cartwright in de stapel, waardoor alle McEwans, Rushdies en Tylers moeten opschuiven om plaats te maken op de plank waar de beginletters van het alfabet staan.

Ik ga door naar de dvd-verzamelboxen, waarvan we de meeste maar half gezien hebben nadat we ons nachtenlang hebben vergaapt aan de vroege afleveringen van Amerikaanse series van wisselende kwaliteit om onszelf ervan te overtuigen dat we best weten wat hip is en wat niet. Ik sta op om mijn rug te rechten en overweeg om een kop thee te zetten. Ik weet echter dat ik nooit zal terugkeren naar deze beerput van vergeten bezittingen als ik mezelf een dergelijke afleiding toesta. Ik pers mijn lippen verbeten op elkaar als ik mijn volgende verschrikkelijke taak bezie: de videobanden. De technolo-gie probeert me te overmeesteren door eindeloze kerkhoven van weggesmeten plastic op te werpen. Ik maak een stapel van een stuk of twaalf videobanden en grijp de rode en blauwe kabels achter de televisie om te proberen onze oude videorecorder aan te sluiten. Ik voel een steek van nostalgie als ik terugdenk aan de opwinding toen we onze eerste videorecorder kochten, een Betamax.

Als ik de videorecorder aan de praat krijg, kan ik kijken wat er op deze banden van drie uur staat. En als ik dat kan doen kan ik er twee stapels van maken: eentje met banden die bewaard moeten blijven en die ik zal meenemen naar mijn werk om ze op dvd te zetten, en eentje met banden die weg kunnen, zoals een forse eerste echtgenote. En als dat lukt, kan de videorecorder weg en zullen er minder snoeren zijn. Twee snoeren minder, tot we op een zwak moment een spelcomputer voor de jongens aanschaffen.

Bingo, hij doet het! Op de eerste band staan oude afleveringen van een ooit geliefde en nu zeer ouderwetse televisieserie. De tweede is – wat geweldig – onze trouwfilm, gemaakt door een gezamenlijke vriend van kantoor die twee jaar lang bij ons leven hoorde en nu even vergeten is als een VHS-videoband, aangezien hij nog steeds te veel dronk, drugs gebruikte en met Jan en alleman de koffer in dook. Ik ben benieuwd wat er van hem geworden is. Het is niet zozeer een geslaagde film als wel een artistieke impressie, want op de beelden zijn vooral decolletés van knappe vrouwelijke gasten te zien en slechts een paar momenten van de speeches.

De volgende drie gaan in de vuilniszak. Op eentje staat: BOB DYLAN. Ik sta op het punt deze direct weg te gooien, maar op het laatste moment controleer ik hem toch even. Ik haat Bob Dylan. Al dat gejengel. Al snel nadat ik mijn eerste schreden zette op het amoureuze pad besefte ik dat een meisje haar afkeer van Bob Dylan en zijn medezeikerds (ik heb het over jou, Leonard Cohen) beter verborgen kan houden. Er bestaat een bepaald soort man van een bepaalde leeftijd die zich persoonlijk beledigd voelt als je zegt dat je gewoon niet begrijpt wat Bob Dylan probeert te zeggen.

Het beeld is wazig en dan verschijnt een handgeschreven bordje met de tekst MARY HOMESICK BLUES. Ik blijf kijken en verwacht de jengelende zanger maar in plaats daarvan verschijnt Joel naast een zwart-witscherm met een stapel kartonnen vellen. Hij is magerder dan nu en ik herken de trui die hij aanheeft als een exemplaar dat uiteindelijk zo tot op de draad versleten was dat hij zelfs niet meer voor Mensen in Nood in aanmerking kwam. Als de muziek begint laat hij een voor een de vellen karton op de grond glijden, als eerbetoon aan die ene Bob Dylan-videoclip. Er staan handgeschreven teksten op in een krullerig handschrift en Joel laat ze vallen met dezelfde zogenaamde hooghartigheid als Bob doet in het origineel, maar hij heeft een nerveuze trek om zijn mond. Ik lees de teksten die hij omhooghoudt.

MARY staat er op de eerste.

IK BEN ZO BLIJ zegt de tweede.

MET JOU.

EN ZO ONGELUKKIG

ZONDER JOU.

JIJ BENT TE GRAPPIG EN SLIM

VOOR MIJ.

MAAR TOCH VRAAG IK

WIL JE MET ME TROUWEN?

Ik sla mijn handen voor mijn mond, waarom zich een glimlach heeft gevormd, en ik voel de tranen branden. Ik voel een fractie van wat ik gevoeld zou hebben als Joel me dit had laten zien, of had laten vinden, toen we nog niet getrouwd waren. Al die boosheid omdat hij me nooit gevraagd had en die suffe manier waarop we ons verloofd hadden waren helemaal niet nodig geweest. Dit was het soort aanzoek waar ik van gedroomd had, dat paste bij onze liefde. Wat een zegen, denk ik; hoewel ik totaal niet gelovig ben wil ik zijn voorhoofd balsemen. De aanblik van deze opnames roept een tederheid in me op die ik vroeger voortdurend voor hem koesterde, die mengeling tussen hem willen vasthouden als een kind en willen dat hij me nam op het aanrecht. We waren heel jong en hij was heel knap. Hij staat stil in beeld op het scherm en ik wil niets liever dan ons leven terugspoelen naar dat moment. Het leven leek een eeuwigdurende vrijdagmiddag vol verlangen naar wat er komen ging en spannende dingen, in plaats van onze eeuwige zondagavond. Ik bel hem op zijn mobiel.

'Ik ben net aan het opruimen achter de televisie.'

'Niet achter de televisie!'

'En ik heb je Bob Dylan-filmpje gevonden.'

'Mm-mm.'

'Je weet wel, met dat aanzoek.' Ik wil iets van het moment dat we toen gehad zouden hebben nu beleven.

'O ja. Gabe, blijf in de buurt. Ik heb mama aan de telefoon. Wil je iets tegen haar zeggen? ... Dan niet.'

'Wanneer had je dat gemaakt?'

'O, dat weet ik niet meer. Ongeveer een halfjaar voor we besloten te trouwen.'

'Hoe was je van plan het aan mij te laten zien? Het is super.'

'Geen idee. Nou ja, eigenlijk wel. Ik had het allemaal gepland. Ik ging net doen of het een band was van een van jouw favoriete programma's en dan zou ik de video aanzetten en wachten tot je zou gaan vloeken en tieren dat het wat anders was en dan naar je gezicht kijken als je zag wat het wel was.'

Wat zou ik blij zijn geweest. Drie soorten blij: iets voor mij alleen, iets meer voor Joel en mij samen om mee over te gooien als met een waterballon, en een extra toefje om het aan alle vrienden en familie te kunnen vertellen. 'Waarom heb je het niet gedaan? Ik bedoel, waarom heb je al die moeite gedaan om het op te nemen en het vervolgens nooit laten zien?'

Je hoort hem bijna zijn schouders ophalen aan de andere kant van de lijn. 'Ik weet niet.'

'Vast wel. Waarom niet?'

'Jij ging altijd zo tekeer over het huwelijk en dat dat maar een stomme traditie was waar je niet aan mee wilde doen, dus ik was bang dat je nee zou zeggen. Ursula en jij waren er redelijk duidelijk over. En toen vroeg jij mij en hoefde ik er niet meer over na te denken.'

'Maar het is een geweldig filmpje. Ik wou dat je het had laten zien.' Ik vraag me af of hij het aan iemand anders heeft laten zien. Soms denk ik dat Joel zijn romantiek sowieso niet aan mij besteedt.

'Ach, we zijn er toch gekomen?'

Alsof ons huwelijk een soort pretpark is in een verafgelegen gebied waar we uiteindelijk toch zijn gekomen nadat we ruzie kregen over het kaartlezen.

'Ik moet nu maar gaan, de jongens zijn 'm gesmeerd.'

Ik leg de telefoon neer. De ballon van aangewakkerde liefde is weer leeggelopen. Het filmpje lijkt gevoelens in mij op te roepen die door hem niet beantwoord worden. Hij klonk kwaad. Ik weet niet of hij kwaad was omdat ik het filmpje had gevonden of omdat ik hem er al die jaren van heb weerhouden het voor me af te spelen. Ik ben niet gewend dat Joel degene is die beledigd is; hij is de betrouwbare, de stabiele, de loyale. Ik ben emotioneel, zorgelijk en boos. Ik bekijk het filmpje keer op keer, en in plaats van de liefde die ik vijf minuten geleden nog voelde, voel ik verdriet om de dingen die anders zouden kunnen gaan in een relatie, maar dat nooit doen.

Er zit niets anders op dan gewoon doorgaan. Als er verder niets gebeurt, heb ik in elk geval een schoon en opgeruimd huis. Ik ben klaar met de videobanden en doe de videorecorder en alle bijbehorende snoeren de deur uit. Daarna besluit ik me op de hoop ellende op Joels nachtkastje te storten. Erop ligt zoals gewoonlijk een verzameling muntjes, bonnetjes en zakdoekjes. Ik kijk in zijn laden om te zien of er nog bonnetjes liggen en vind er nog een stuk of twintig tussen alle papieren, naast een envelop waar er nog een paar in zitten. Ik doe de la dicht en besluit dat ik ze het best meteen kan invoeren zodat we er in elk geval de financiële vruchten van zullen plukken. Elk bonnetje staat gelijk aan een schoolreisje of nog meer.

Ik leg alles voor me op de grond en begin de bonnen op datum te sorteren. Alles wat ouder is dan drie maanden gaat op een grote hoop; die zijn de datum van terugvorderen al gepasseerd. Joel krijgt een minpunt voor elke tien pond die niet meer terug te vorderen is – lakse eikel.

Ik raak in een trance door het papierwerk en de radio en vind troost in deze taak die eindig is, in tegenstelling tot de eindeloze riedel van terugkerende huishoudelijke taken, de was en het stof. De stapel uitgaven in mei stijgt tot over de honderd. Juni gaat nog hoger; in april was het minder. Terwijl ik door de stapels papier ploeg denk ik terug aan deze maanden. Alles wordt momenteel tegen de Lijst afgezet, net zoals de ontwikkeling van mijn schatjes in de herinnering bewaard blijft door wat ze tijdens verschillende vakanties al konden, zodat onze fotoalbums vol staan met ofwel strand-, ofwel verjaardagsfoto's.

Er was die week in april dat hij toezicht moest houden bij de opnames van een succesvol programma vlak bij Manchester. Die week vlak voor de vakantie in mei dat hij elke avond weg was en ik de jongens elke avond alleen naar bed mocht brengen en continu wassen draaide om alles schoon te krijgen voor de vakantie bij Mitzi. De stapel van juni wordt groter en groter, en erdoorheen bladeren levert genoeg op om me de afgelopen maand te kunnen herinneren, zoals al die keren dat Joel de deur uit was en aangeschoten of dronken thuiskwam. Juni was een bijzonder slechte maand.

Ik pak nog een bonnetje uit de stapel. De avond van 4 juni was, als ik het goed heb, die ene bar slechte avond dat ik mijn geduld verloor met de jongens. Gabe smeerde poep op de muren en ik pakte hun armpjes net iets te stevig beet toen ik ze naar bed sleepte. Joel kwam helemaal blij en aangeschoten thuis toen de jongens al lang en breed sliepen. 'Stappen met de crew,' had hij gezegd. Ik kijk naar de bon van die avond en verwacht het gebruikelijke recept van bier voor de jongens en wijn voor de meisjes te zien. In plaats daarvan zie ik vier champagnecocktails en een serie hapjes met het briefhoofd van een zeer chic hotel erboven, met een totaalbedrag van zeventig pond. Ik probeer te bedenken met wie hij op dit moment werkt die mogelijk een champagnecocktail zou bestellen. Het lijkt onwaarschijnlijk, aangezien de meesten, afgezien van Joel zelf, nogal haantjes zijn en een dergelijk drankje als behoorlijk 'homo' zouden bestempelen. Ik ga niet vaak meer stappen met collega's, maar dit lijkt meer op een drankje waarmee je een binnengehaalde klus zou vieren of waarmee je een veeleisende beroemdheid zou willen paaien voor een of andere suffe tv-show. Ik kan maar niet bedenken of Joel momenteel aan zo'n productie werkt.

Ik staar even naar de bon en weet zeker dat deze rekening me iets probeert te vertellen. Wist ik maar wat het was. Ik pak de laptop en kijk wat ik die avond heb ingevoerd. Niet zoveel, blijkt, hoewel ik me herinner dat ik hem ervoor wilde straffen dat ik door zijn toedoen de jongens had gestraft. Ik staar naar het scherm op zoek naar aanwijzingen. Hij kwam die avond erg vrolijk thuis, vergevingsgezind bijna, met een enorme passie voor de luizenkam. Deed hij die avond dan niets Lijstwaardigs? Normaal gesproken kan ik hem er tenminste op betrappen dat hij zijn zakken vol verfrommelde zakdoekjes en losse bonnetjes leeft op zijn nachtkastje, maar toen... niets, helemaal niets. Dat was het: niets. Niets, daar gaat het om. Hij gooide de bonnen boven op zijn kastje en toen borg hij dit bonnetje op, in een envelop, in de la. Dat doet hij nooit, maar dan ook nooit. Wat Joel ook allemaal mag zijn, hij is betrouwbaar onbetrouwbaar. Hij wilde niet dat ik deze bon zou vinden.

Ik kijk er weer naar. Dit is geen bon van een of ander feestje na het werk of om een relatie gunstig te stemmen. Dit is het soort bon dat je na een eerste afspraakje mee naar huis neemt. Ik blijf naar de Lijst staren in de hoop dat ik meer duidelijkheid krijg. Dan trekt iets mijn aandacht.

Laat de plastic verpakking van wegwerpcontactlenzen overal liggen. Joel draagt geen lenzen. Ik wel.

En nog één: *Koopt nutteloze Tupperware-producten.*

Joel heeft nog nooit van zijn leven een transparante plastic vershouddoos gekocht. Ik zie er nog een die mijn twijfels over een vermoeden dat ik al weken heb bevestigt: *Zucht overdreven dramatisch tijdens het opruimen.*

Ik hoor een sleutel in het slot en voetstappen die naar boven komen. Gabe en Rufus springen in mijn armen en laten zien wat ze in de museumwinkel mochten kopen, waar ze nog de meeste tijd doorbrengen tijdens hun educatieve uitstapjes. Joel ziet mij met de Lijst open op het scherm en ik kijk hem aan.

'Je hebt hem gevonden, hè... Heb je 'm gelezen?' vraag ik.

'En jij hebt gezien wat ik eraan toegevoegd heb. Het volgende dat ik erbij wilde zetten was: *Maakt hooghartige lijstjes van de dingen die echtgenoot verkeerd doet zonder de hand in eigen boezem te steken.*'

'Niet te geloven dat je in mijn computer hebt zitten snuffelen. Dat is hetzelfde als iemands dagboek lezen.'

'Kom op, Mary, je hebt ook niet echt je best gedaan om er een geheim van te maken. Volgens mij wilde je dat ik dit zou lezen.'

'Net als dit zeker,' zeg ik, zwaaiend met het bonnetje van 4 juni. Hij komt dichterbij en krijgt een rooie kop.

'O,' is het enige wat hij kan uitbrengen, en door dat ene woordje weet ik genoeg. 'Waar heb je dat gevonden?'

'Je hebt niet echt je best gedaan om er een geheim van te maken,' pareer ik. 'Volgens mij wilde je dat ik dit zou vinden.'

Hij schudt zijn hoofd.

'Wij moeten eens goed praten,' zeg ik.

We komen de tijd totdat de jongens naar bed moeten door met een flinke dosis buiksprekerij.

'Gabe, wat was het leukste wat je vandaag gedaan hebt?' vraag ik.

'Nou,' zegt Joel. 'Gabe, was het de bus of het museum of de lunch in een doosje?'

'Heb je veel gegeten vandaag, Gabe? Want je eet bijna niet.'

'Rufus, geef de borden maar even door aan je moeder? Goed zo.'

We ruimen in stilte af, terwijl de jongens televisiekijken.

'Gabe en Rufus, wie moet jullie helpen met douchen: mama of papa?' vraag ik. 'Zullen we mama doen, omdat papa al de hele dag met jullie op stap is geweest?'

'En dan zal ik jullie voorlezen,' zegt Joel.

'Rufus, zorg jij dat je zelf ook genoeg leest? Laat papa maar horen hoe goed je het al kunt.'

Normaal gesproken kan ik niet wachten tot ze slapen, maar nu ben ik bang voor dat moment en ik schenk alvast twee grote glazen wijn in. Ik ben aan het glas begonnen dat ik voor Joel heb ingeschonken als hij naar beneden komt, een halfuur later dan anders. Hij is net zo goed aan het tijdrekken als ik.

'Ik was al begonnen,' zeg ik.

Hij klokt ter compensatie in één keer een glas achterover.

'Laten we het hier eens over hebben,' zeg ik met de bon in mijn handen.

'Nee, eerst jouw ding,' zegt hij. 'Jouw computerding.'

'Ik zei het het eerst.'

'Iene miene mutte...' probeert hij.

'Tien pond grutten, tien pond kaas, iene miene mutte is de baas. Ik win. We moeten het over deze bon hebben.'

'Ik begrijp niet wat je bedoelt,' zegt hij.

Hij is altijd een slechte leugenaar geweest. In het begin was ik verliefd op die eigenschap. 'Jawel, dat weet je best. Wat is er aan de hand?' Ik zwaai weer met de bon.

'Ik ben na het werk met iemand iets gaan drinken.'

'Iemand? Iemand van het werk?'

'Ja. Dat is geen misdaad.'

'Een vrouw?' Geen antwoord. 'Laat ik duidelijker zijn, oké? Een meisje?'

Dan knikt hij. 'Ik heb niets gedaan. Waar wil je naartoe?'

'Geen idee. Nergens naartoe. Nou ja, ik wilde eerst niets zeggen, maar jij reageert zo raar dat ik denk dat er misschien toch iets gebeurd is.'

'Zoals wat?'

'Weet ik veel, wat je zoal doet met mooie meisjes van kantoor nadat je een paar dure champagnecocktails en wat lekkere hapjes naar binnen hebt gewerkt.'

Hij maakt een afkeurend plofgeluid en schiet in een zuidelijk accent: '*I did not have sexual relations with that woman.*' Hij giechelt zenuwachtig.

'Het is niet grappig, praat normaal. Laat die slechte Bill Clinton-imitatie maar achterwege. Hij loog. Is dat wat je wilt zeggen: je hebt geen seks met haar gehad, maar ze heeft je wel gepijpt?'

'Nee!' Hij is woedend. Alsof ik in de fout ben gegaan.

'Genoeg eromheen gedraaid. Vertel nou maar wat er aan de hand is.'

'Er ís niets aan de hand.'

'Nu doe je het weer. Je zegt "is" zodat je niet hoeft te liegen. Maar er is wel iets aan de hand geweest, of niet? Er was iets aan de hand.'

'Niet echt.' Hij zakt in elkaar, zijn weerstand gebroken. De sfeer verandert op slag. Ik weet dat dit het moment is waarop de ondervraging moet stoppen en het zachte coachen begint. Ik kan mijn woede met moeite bedwingen, maar hoe langer het lukt, hoe meer ik te horen krijg. 'Vertel.'

'Er is een meisje op het werk, een van de researchers.'

'En ze heet?'

'Kitty.'

Natuurlijk, denk ik.

'Ze lacht om mijn grapjes.'

Het is heel moeilijk om niet schamper te gaan doen. 'Oké, ga door.'

'Het is niet zo dat ik meteen op haar viel. Het klinkt misschien raar, maar op lichamelijk vlak gebied ga ik nog steeds helemaal voor jou. Ik heb nog nooit zoveel aantrekkingskracht gevoeld als ik bij jou had – heb.'

'Ze is jong, zeker, of niet?'

'Tja, ja, drie- of vierentwintig, denk ik.'

Ik voel een steek in mijn maag. 'En verder?'

'Ze gaf me gewoon het gevoel dat ik geweldig was. Dat ik niet de meest irritante man op aarde was, maar grappig en leuk en slim. Bijna alles wat ze zei begon met "Dat klopt helemaal." Of ze zei niets en lachte alleen maar. Alles wat jij zegt begint met: "Kun je niet gewoon...?", of: "Waarom doe jij nooit..."'

'En?'

'Thuiskomen werd draaglijker, omdat ik iets had om naar uit te kijken als ik de volgende dag naar mijn werk ging. Daar kreeg ik het gevoel dat ik iets waard was. Het voelde als een warm bad op een koude dag... Ik kreeg er een hekel aan om de vrieskou in te moeten die om jou heen hing.'

Dus het is mijn schuld? wil ik zeggen, maar ik hou het nog net binnen. 'En wat gebeurde er toen?'

'Ik merkte dat ik haar steeds vaker opzocht. Samen lunchen. Onschuldig.'

'Onschuldig,' herhaal ik.

'Er is niets gebeurd, Mary. Niets ernstigs.' Hij wil mijn handen pakken, maar ik schud hem af.

'Er is iets gebeurd.'

'Ik zou nooit dit gezin, dit thuis of de jongens op het spel zetten. Dat zou ik nooit doen.'

'Maar dat heb je wel gedaan.'

'Nee, dat heb jíj gedaan, Mary.'

'Hoezo?'

'Ik heb je lijst gevonden, jouw catalogus van mijn fouten.'

'Dat weet ik. Hoe eigenlijk?'

'Die nacht toen Gabe ziek werd, toen je je telefoon niet opnam, toen wilde ik op internet opzoeken wat ik moest doen. Ik had mijn laptop op mijn werk laten liggen, dus pakte ik de jouwe. Je laat hem normaal gesproken nooit zomaar in de kamer liggen, maar die keer wel. Ik klikte per ongeluk op het laatst geopende document en toen zag ik dat document "privé" of zoiets.'

'Privéadmin.'

'Dat ja. Toen zag ik zo'n raar Excel-document en iets over natte handdoeken. Vervolgens ging ik naar de EHBO-website om iets te vinden over uitslag en vergat ik het document verder, totdat ik later zag dat je naar me keek en dan ging zitten typen. De volgende keer dat je weg was heb ik eens goed gekeken.'

'Dat was ongeveer drie weken geleden,' zeg ik, terugdenkend aan zijn gedrag en dat dat precies overeenkwam met de punten op de Lijst, die onverwachte golf van positieve punten.

'Ja.'

'Zou jij iemands dagboek lezen als je het vond in een kast?'

'Je had er een wachtwoord op kunnen zetten. Ik denk dat je in zekere zin wílde dat ik het zag.'

'In zekere zin weet ik niet hoe je het wachtwoord van mijn computer verandert. Voor dat document moest je vijf mappen doorklikken.'

'Nou, ik heb het gevonden.'

'Net zoals ik de bon heb gevonden van jouw avontuurtje met Kathy – sorry, Kitty.'

'Begin daar maar weer over.'

'Ja, daar begin ik weer over. We gaan het eerst over haar en jou hebben. Dan gaan we verder met de Lijst.'

'Maar ze hebben met elkaar te maken. Ik begreep dat het een soort test was voor mij, hoewel ik die puntentelling niet echt begreep en ook niet wist wat er zou gebeuren als ik zou zakken. Wat zou er dan eigenlijk gebeuren?'

Ik maak een afwerend gebaar. 'Dat weet ik niet.'

'Of als ik zou slagen? Zou je dan weer aardig tegen me gaan doen?'

'Terug naar het meisje,' zeg ik.

'Wéét je niet wat er zou gebeuren of wil je het niet vertellen?'

Terwijl hij me dat vraagt realiseer ik me dat ik het echt niet weet. Wat er zou gebeuren als hij zou slagen was nog vager dan wat er zou gebeuren als hij zakte. Ik kan niets zeggen over dat ik zou willen scheiden, omdat ik dat volgens mij nog nooit heb opgebracht. Niet met zoveel woorden.

'Ho, laten we het over het meisje hebben en daarna over de Lijst.'

'Oké. Eerst probeerde ik alle goede dingen van jouw lijst te doen: complimentjes geven en met de jongens koken en knutselen. De troep naderhand opruimen, natuurlijk. En dan checkte ik later of je het gezien had, en meestal was dat ook zo en had je punten opgeteld of afgetrokken, hoe je het ook bekijkt.'

Ik knik. 'Het is een eerlijke lijst.'

'Maar ik zag ook dat het niets uitmaakte. Niet vergeleken met alles wat ik fout deed. Ik zag dat hoe meer ik mijn best deed om het goed te doen, hoe meer overtredingen ik leek te begaan als ik alleen maar ademhaalde. Dus dacht ik: fuck, ik kan net zo goed alles doen wat God verboden heeft en dan maar zien wat ervan komt.'

'En toen begon je mij te treiteren door juist extra vaak overtredingen te begaan. Het was bijna niet bij te houden.'

'Inderdaad.'

'Zodat je dan lekker vrij was om je aan dat meisje te vergrijpen, Carly.'

'Kitty.'

'Je ondertussen aan Kitty te vergrijpen.'

'Hoe bedoel je?'

'Die aloude mannentruc: je zo slecht gedragen dat je vriendin je de laan uit stuurt en dan de gebeten hond uithangen als ze het uiteindelijk doet.'

'Ik wilde niet dat jij me weg zou sturen. Ik wil niet dat je me wegstuurt. De jongens.'

'Ben je met Kitty naar bed geweest?' Ik spuug haar naam uit.

'Nee.'

'Maar heb je met haar zitten vozen?'

'Eén keer. Die nacht waar jij het over had. Met die champagne en hapjes. Veel knoflook. En heel kleine... je kent die chique hotels wel.'

'Nee hoor, ik niet. Alleen die keer?' Ik probeer de chronologische volgorde van de gebeurtenissen in de gaten te houden. 'Dat was voordat je de Lijst gevonden had.'

'Twee keer. Het is twee keer gebeurd. Ja, inderdaad. Ik had me vast voorgenomen om het na die eerste keer niet meer te laten gebeuren. Ik schaamde me dood. Maar toen ik jouw lijst vond ging ik terug.'

'Om wat te doen? Zoenen? Voelen? Oraal? Wat?'

'Zoenen.'

'Met tongen?'

'Ja, met tongen.'

'Je hoeft niet zo kattig te doen!'

'Ik kattig tegen jou?' zegt hij. 'Mary, jouw hele wezen straalt een nauwelijks verhulde woede naar mij toe uit.'

'Dat lijkt me logisch, als jij je tijd besteedt aan tieners opgeilen.'

'Ze is in de twintig en het was één keer.'

Ik kijk hem aan.

'Oké, twee keer.'

'Het maakt me niet uit hoe vaak je bij haar was. Feit is dat je het wilde. Feit is dat je bij haar wilde zijn, en niet bij mij. Feit is dat ik jou niet grappig vind als ik gesloopt ben. Feit is dat je blij was toen je mijn lijst zag, omdat je dacht dat het een vrijbrief was om met haar naar bed te gaan, of niet soms? Het onthief je van je schuld en gaf je groen licht om haar te nemen. En wat hield je tegen?'

Hij haalt zijn schouders op.

'Zij?'

Hij schudt zijn hoofd.

'Waren jullie er gewoon nog niet aan toe gekomen? Wachten jullie nog op het juiste moment? God, Joel, nu moet ik zeker blij zijn dat jij altijd aan dingen begint en ze niet afmaakt? Of zou het wel gebeurd zijn als ik het bonnetje niet had gevonden?'

'Dat weet ik niet.'

'Dus uiteindelijk was het wel gebeurd. Omdat ik de Lijst had gemaakt. Dat gaf jou de vrijheid om te doen wat je wilde?'

'Is dat dan niet zo?'

'Nee.'

'Wat betekent het dan? Ik begrijp het niet. Was die lijst een test voor ons huwelijk?'

'Minder dan de vraag of ons huwelijk het zou overleven als jij met iemand anders van bil ging.' Ik schreeuw nu, denk ik, maar ik hoor mijn eigen stem niet meer, of de zijne. Het is alsof ik de volumeknop kwijt ben.

'Ik weet het, ik weet het. Het spijt me.' Hij begint te huilen, een troef die zijn waarde lang geleden heeft verloren sinds ik hem op een zaterdagavond voor de televisie zag huilen tijdens *Magnificent Obsession*. 'Ik weet niet wat ik dacht. Alleen is alles wat er zo leuk was tussen ons nu heel verschrikkelijk. Jij bent veranderd.'

'En jij niet. Dat is het probleem, Joel: jij bent nog steeds een *pleaser* en een kind dat op zoek is naar liefde. En als ik de puf er niet voor heb, zoek je die wel ergens anders. Er zullen altijd vrouwen rondlopen op kantoor.'

'Wat ga je doen?'

'Ik heb geen idee. Wat ga jij doen?'

'Ik vroeg het eerst.'

'Ik moet dit laten bezinken. Ik kan je even niet verdragen.'

'Ik ga wel weg.'

'Waarnaartoe?'

'Mijn moeder, denk ik.'

Hij verlaat mij? 'Als dat is wat je wilt.'

'Als dat is wat jij wilt.'

Ik haal mijn schouders op. Ik ben te ongelukkig om iets te zeggen.

'Wat ga je tegen de jongens zeggen?' vraagt hij.

Dat papa ons verlaten heeft? 'Dat je op reis bent voor je werk.'

Ik kijk hoe hij zijn spullen pakt. Het zijn er niet veel: een paar broeken en wat schone T-shirts. Hij heeft altijd een tandenborstel bij zijn moeder liggen, die heeft gewacht op zijn thuiskomst, alsof dit er al aan zat te komen.

Hij kijkt naar mij. 'Nou, dag.'

'Ja, doei.'

Ik wil iets zeggen om alles goed te maken, maar ik weet niet wat en of er eigenlijk wel woorden zijn die dat kunnen bewerkstelligen. De ongemakkelijkheid verdwijnt als hij zich omdraait. Ik verwacht dat hij naar de voordeur gaat, maar hij gaat terug naar de badkamer. Ik loop achter hem aan en zie hem zijn platgepoetste gele tandenborstel oppakken en in zijn zak steken. Mijn knieën knikken en ik krijg een vieze smaak in mijn mond. O mijn god. De woorden vormen zich duidelijk en afzonderlijk in mijn hoofd, als een ondertiteling in een vet lettertype: O. Mijn. God. De gele tandenborstel verlaat zijn vaste plek naast de elektrische Spiderman-borstel en een Disneyborstel voor melktanden, en zal in een smerige beker terechtkomen in de gedeelde badkamer van een meisje van net in de twintig in een slechte buurt in de stad, waar Kitty en andere jonge meisjes in hun ondergoed rondlopen en de jongens wiet roken en ruziemaken over de X-box, waar niemand zeurt over troep onder aan de trap omdat er geen trap is, en het bovendien niemand iets kan schelen.

'Dag,' zegt hij weer.

Ik krijg geen woord uit mijn keel. Blijf alsjeblieft, zegt een stem. Flikker toch op, zegt een andere, woedend dat onze ontdekkingen ertoe hebben geleid dat hij nu met Kitty kan doen wat hij altijd al wilde. Dit was niet de bedoeling, dit was niet de bedoeling van de Lijst. Hij krijgt nu wat hij altijd al wilde: chaos en seks – zaken die bij elkaar horen.

Als hij weg is, ga ik achter mijn computer zitten en staar ernaar. Uit gewoonte typ ik wat in een poging mijn gedachten te ordenen. Ik voeg zijn laatste overtreding toe aan de kolom met minpunten, in de hoop dat ik er door het op het scherm te zien staan achter kom wat het voor ons betekent: *Gaat emotioneel vreemd met een jonge vrouw van zijn werk en zoent haar, mij achterlatend met de puinhopen, emotioneel en in het echt, terwijl hij naar haar huis vertrekt voor smerige seks in alle betekenissen van het woord.*

Ik staar er even naar, maar ik kom geen steek dichter bij enig begrip of een idee van wat ik nu moet doen. Ik begin weer te typen, nu op de lijst met compensatiepunten: *Maakt een lijst van alle irritante dingen die hij doet of zegt, met als doel dit als bewijs tegen hem te gebruiken, terwijl zij ondertussen sterk verlangt naar het geordende leven en de dijen van de vriendin van de beste vriendin.*

Ik wis beide punten. Ik pak de hele map op en sleep hem naar de prullenbak. Dan sleep ik hem er weer uit. Ik realiseer me dat ik het afgelopen halfjaar niet uit kan wissen, net zomin als Kitty.

Hij heeft me verlaten, hij heeft me echt verlaten. Van alle uitkomsten die ik me had voorgesteld toen ik aan de Lijst begon, had ik nooit gedroomd dat dit zou kunnen gebeuren.

10

De Lijst V2.0

Ik wil niet werken en ik wil niet lunchen met Becky. Ik probeer haar telefoontjes te negeren, maar ze is vasthoudend als een kind dat aan je mouw trekt.

'Ik heb het heel erg druk, sorry. Hectische productie enzovoort, je weet wel, hectisch,' zeg ik aan de telefoon.

'Je moet toch eten?'

'Broodje aan mijn bureau.'

'Ik dacht dat jij er wel een hekel aan zou hebben als er kruimels in je toetsenbord vielen.'

Ze is niet van plan om het op te geven. 'Oké dan, maar wel snel.'

Ik leg de telefoon neer en zie Matt rondhangen, ongetwijfeld in afwachting van Lily, zodat ze samen kunnen lachen om grappige filmpjes op internet of coole nieuwe Facebook-applicaties.

'Ze is er nog niet.'

'Ik was op zoek naar jou.' Hij gooit een document op mijn bureau. Het is mijn programmavoorstel over het huishouden.

'Ze was er he-le-maal weg van.'

'Wie? De opdrachtgever?'

'Jaha, natuurlijk, Jane. Ze zegt dat het precies is wat ze bedoelde. Dat alle vrouwen ervan zullen smullen, als van een soort vrouwelijke viagra of zoiets.'

'Dat is geweldig.'

'Wil z.s.m. om de tafel.' Hij spreekt het uit als één woord: zet-es-em. 'Ze wil het er nog eens over hebben, maar volgens mij staat ze op het punt ons een contract aan te bieden voor een drieluik. Dat is precies wat we nu nodig hebben. Geniaal.'

'Dank je.'

Hij kijkt me aan alsof hij wil benadrukken dat hij het woord bedoelde als een algemene vriendschappelijke uiting die zoiets betekende als 'goed gedaan', en niet als een accurate beschrijving van mij of mijn bijdrage aan deze zege. 'Red jij dat?'

'Ja hoor, dat lukt wel.'

'En jij kunt er ook aan werken als... ik bedoel zodra de klus binnen is?'

'Je bedoelt als we de opdracht krijgen? Ja, absoluut. Ik moet wel. Ik was de aanstichtster. Het is in feite mijn kindje.'

'Mooi. Maar moet je dan niet meer uren gaan draaien? Jij bent niet de enige hier met kinderen.'

Zelfs Matt kan mijn humeur niet bederven. Ik was vergeten hoe goed dit voelde. Ik hou van de jongens, echt waar, ze zijn het anker van mijn bestaan, maar een hoogtepunt als dit op mijn werk voelt als een tochtje met een luxe jacht en champagne aan dek. Ik ben geniaal. Ik was het bijna vergeten, maar ik ben hier goed in. Ik ben beter in dit werk dan de meeste anderen die hetzelfde doen. Ik ben net zo goed in de saaie klusjes als in de interessante onderdelen. Ik wil iemand bellen om het te vertellen. Ik besef dat ik Joel wil bellen. Mijn goede humeur slaat onmiddellijk om. Luttele seconden nadat een brede triomfantelijke grijs op mijn gezicht is verschenen beginnen mijn ogen te prikken.

Ik heb gehuild om Joel, maar gisteravond toen hij wegging nog niet. In het begin was ik zo ontzet over wat er was gebeurd dat ik maar wat op de bank bleef hangen zonder te weten wat ik ervan moest denken. Daarna las ik een slecht boek, tot ik in slaap viel, met het licht nog aan – alles om maar niet alleen te hoeven zijn met dat zwellende gevoel in mijn hoofd. Ik wilde voor altijd blijven slapen en maanden, jaren in bed blijven, maar de jongens dachten daar anders over en stonden op hun gebruikelijke goddeloze tijdstip op mijn bed te springen zonder te beseffen dat Joel er niet was. Waarschijnlijk dachten ze dat hij onder de douche stond of beneden in de keuken was.

Nee, ik huilde pas vanmorgen bij het ontbijt, toen de jongens eindelijk doorhadden dat er een kwart van ons gezin ontbrak en vroegen waar papa was. De bijna filmische urgentie van hun vraag gecombineerd met mijn voornemen om hen voor alle ellende te behoeden werd me te veel.

'Waar is papa?' vroegen ze almaar. 'Ik mis mijn papa.' Tot ik er niet langer tegen kon. Ik verstopte me op de wc, zodat ze mijn tranen niet zouden zien. Ze bleven maar op de deur bonzen terwijl ik riep: 'Ik zit te poepen', zodat ze me met rust zouden laten. Dat laatste was dan weer minder romantisch.

Toen ze het aandoenlijk-zijn zat waren, begonnen ze te piepen dat ze hem misten, zoals ze anders nooit deden als hij gewoon weg was voor zijn werk. Het leek wel alsof ze het wisten. Ik verwachtte dat ze elk moment een Amerikaans accent zouden opzetten om te verzuchten: 'Waarom houden papa en mama niet meer van elkaar?' Het leek me een verschrikkelijk toekomstbeeld dat we ze dat zouden moeten vertellen. Wat moet ik ze eigenlijk vertellen?

'Wat ben ik blij dat je er bent', zegt Becky terwijl we in onze gebruikelijke caloriearme, vezelrijke lunchroom neerstrijken. 'Ik dacht bijna dat je geen zin had om met me te lunchen.'

'Nee, nee.' Ik kijk op mijn horloge. 'Ik dacht alleen dat ik het niet zou redden. En ik heb niet veel tijd. Ik verwacht elk moment een telefoontje en dan moet ik terug naar kantoor.'

Becky pakt mijn hand. Ik schrik van het lichamelijke contact. Ze kent haar eigen kracht niet en het gebaar is eerder verpletterend dan bemoedigend.

'Wil je vertellen wat er aan de hand is?'

Ik besluit dat ik dat inderdaad wil. 'Het gaat om Joel. Hij is weg.'

Ze knikt, alsof ze het al wist. 'Hoezo? Gaat het om die Lijst van je?'

'Deels. Maar niet echt. Hij heeft hem een paar weken geleden wel gevonden.'

'Heeft hij hem gelezen?'

'Ja, hij heeft alles gezien.'

Becky spert haar ogen wijd open. 'Heeft hij al die dingen gelezen die jij niet goed aan hem vindt?'

Ik knik.

'Nou, dan snap ik wel dat hij weg is gegaan.'

'Die Lijst is nog niet de helft van het verhaal. Vertel dit alsjeblieft niet verder.'

Becky maakt een kruis over haar borst.

'Joel had een flirt met een meisje van zijn werk. Ze heet Kitty.' Ze kijkt me aan alsof ze een kind is dat net heeft gehoord dat Sinterklaas niet bestaat. Ik merk dat ik de behoefte heb om hem te verdedigen, uit te leggen dat het niet alleen zijn schuld was en zeggen dat ze hem niet moet veroordelen, maar dan denk ik aan de gele tandenborstel.

'Hij is niet met haar naar bed geweest. Tenminste, dat zegt hij, en ik geloof het ook nog. Hij is op een niet geheel passende wijze met haar omgegaan en ze hebben gezoend. En hij wilde met haar naar bed. Was het misschien al aan het plannen. Ik denk niet dat er verder veel gebeurd is, maar het moeilijkste vind ik dat ik niet begrijp waarom het niet gebeurd is. Nog niet, of toen niet.' Ik weet niet meer of dit nog waar is. Joost mag weten hoe Kitty hem gisteren getroost heeft. Misschien heeft hij haar wel verteld dat hij bij mij is weggegaan voor haar, dat hij een groot offer had gebracht. Misschien is dat ook wel zo.

'Maar Joel zou jullie gezin nooit in gevaar brengen.'

'Dat dacht ik ook altijd. Blijkbaar dachten we het allebei verkeerd.' Ik bedoel Becky en mezelf, maar in een vlaag van helderheid besef ik dat ik net zo goed Joel en mijzelf bedoel. We zitten er allebei naast. Kunnen we het ooit allebei goed hebben?

'En wat nu?'

'Geen idee. Weet je nog dat je zei dat al jouw beslissingen leken af te hangen van andere beslissingen, waardoor het leek of je verlamd was en niet vooruit te branden? Dat heb ik nu.'

'Je moet nog een lijst maken,' zegt ze.

'Door de Lijst had alles duidelijk moeten worden, zwart of wit, maar het is één grote puinhoop. Het leven is net zo'n puinhoop als ons stomme huis en er is geen fijn overzichtelijk Excel-document dat me daarmee kan helpen.'

'Dat regelen we wel. Laten we met die lijst van je beginnen.'

'Dat zei Joel ook al. Alsof dat erger is dan dat meisje.' En voelde het op de een of andere rare manier dan niet alsof zijn behoefte om elke ochtend de gootsteen te verstoppen met zompige kledders corn-flakes mij net zoveel pijn deed als het feit dat hij naar dit meisje had verlangd?

'Het gaat er niet om wat erger is. Je moet ophouden met dat gedoe van het-is-niet-eerlijk, Mary.'

'Ben je lekker op dreef, onderhandelaar?'

'Nee, bemiddelaar. Ik heb jarenlange ervaring als huwelijksbemid-delaar en ik ben peperduur, dus prijs jezelf maar gelukkig en hou je mond. Wat hoopte je te bereiken door die lijst op te stellen?'

'Dat zei ik al: duidelijkheid.'

'Ja, duidelijkheid. Maar met welk doel? Als hij zou zakken voor de test,' – ze maakt het aanhalingstekensgebaar met haar vingers – 'wat zou zijn straf dan zijn?' En weer. Hou maar op met die konijnenvingers.

Ik haal mijn schouders op. Ze staart me aan. Het voelt alsof ik in het beklaagdenbankje sta. 'Officieel had ik bedacht dat als hij echt zo waardeloos was als ik dacht, dat het dan voorbij zou zijn.'

'Wat zou voorbij zijn?'

'Je weet wel.'

'Ik wil je het horen zeggen.'

'Dan zou ik van hem scheiden. Ik bedoel, dan zou ik zeggen dat ik wilde scheiden. Ik zou in elk geval het onderwerp scheiden aansnijden. We zouden erover praten. Serieus.'

'Ik weet nog dat je zoiets zei, ja,' zegt Becky, 'en ik geloofde het toen ook al niet. Echt waar, Mary, was je echt van plan om na zijn proefperiode met hem om de tafel te gaan zitten om hem de lijst voor zijn neus te duwen en te zeggen: "Nou, laten we al ons geld eraan spenderen en onze kinderen voorgoed beschadigen, omdat jij op 4 maart de tandpasta vanuit het midden van de tube hebt uitgeknepen"?'

'Dat staat niet eens op de lijst; met die plastic tubes van tegenwoordig maakt het helemaal niet uit waar je knijpt. Soms kopen we zelfs zo'n pompje.'

'Niet van onderwerp veranderen.' Ze is streng en ik ben dolblij dat ze aan mijn kant staat. Dat denk ik tenminste. 'Wilde je echt gaan scheiden om een paar stomme huishoudelijke ergernissen? Mary, denk na, probeer je eens voor te stellen hoe jullie gesprek zou verlopen.'

Ik was nooit verder gekomen dan het moment waarop ik hem triomfantelijk met het bewijs van zijn nutteloosheid om de oren zou slaan. Maar toen het echt gebeurde, toen hij zelf de Lijst had gevonden, schaamde ik me alleen nog maar. Het leek allemaal zo logisch, maar als ik er nu op terugkijk heeft het meer weg van een vlaag van waanzin. Ja, ik was buiten zinnen – van woede en in de letterlijke zin van het woord. Zo gaat het altijd: hij doet iets stoms, ik ben terecht boos, maar ik uit dat op een manier waardoor hij uiteindelijk moreel gezien van mij blijft winnen. Ik heb gedaan wat goed was, zeg ik weer tegen mezelf. Ik had gelijk.

'Kom op, Mary, wilde je nou echt scheiden?'

'Nee,' geef ik eindelijk toe. 'Ik wilde verandering. Ik wist niet precies wat er zou gebeuren, maar ik wist wel dat het zo niet langer kon zonder dat ik mezelf of hem iets zou aandoen. Ik kon mijn kinderen niet veranderen, als ik dat al zou willen, ik had niet het idee dat ik het huis kon veranderen, ik had het gevoel dat ik geen andere baan zou kunnen krijgen zolang ik alleen parttime aan de slag kon. Maar nu weet ik dat allemaal niet meer zo zeker. Het voelde alsof Joel het enige in mijn leven was wat ik kon veranderen. Zoals voedsel dat is voor een pubermeisje.'

Ze schudt haar hoofd. 'Als je ook maar half wist wat ik in mijn werk allemaal tegenkom, dan zou het woord "scheiding" nog niet eens bij je opkomen, laat staan de belachelijke veronderstelling dat die alles beter zou maken.'

'Beter. Dat is het: ik wilde een beter leven, maar ik wist niet hoe.'

'Nou, het ís al een stuk beter, vind je ook niet? Joel heeft het gedaan met een andere vrouw en jullie wonen niet meer in één huis, en ik neem aan dat de jongens hun vader missen. Hoera voor je lijst, toch, Mary? Die heeft het leven een stuk aangenamer gemaakt.'

'Ik weet het, ik weet het.' Ik zucht. 'En ik voel me verschrikkelijk en hij heeft het ideale excuus om bij Kitty in te trekken – dat meisje van zijn werk – en te doen wat hij altijd al wilde. Ik zie de hele tijd voor me hoe hij daar bij haar zit.'

'Wanneer?'

'Gisteravond. Hij ging naar Kitty. Hij woont bij Kitty.'

'Doe niet zo gek, Mary. Joel zit bij Ursula.'

'Hoe weet jij dat nou?' Zij kan het niet weten. Zij heeft niet gezien dat hij zijn tandenborstel meenam. Laat ze het alsjeblieft weten, laat het alsjeblieft waar zijn.

'Omdat ik hem daar gisteravond gezien heb en hij vertelde dat hij bleef slapen.'

'Wat deed jij daar nou weer?'

'Ik moest even iets regelen. Niet van onderwerp veranderen.'

'Hoe was het met hem?'

'Slecht.'

'Echt?'

'Gebroken.'

'Heeft hij verteld wat er aan de hand was?'

'Alleen dat jullie ruzie hadden gehad – heel erg. Hij huilde bijna de hele tijd.'

Ik voel een koude rilling van opluchting als ik hoor hoe ellendig hij eraan toe is en waar hij heen is gegaan.

'Ik wist dat het serieus was toen hij me allerlei zakelijke dingen ging vragen,' zegt ze.

'Zoals wat?' Ik voel mijn optimisme wegvloeien.

'Wat de juridische gevolgen zouden zijn als hij uit huis ging.'

'En die zijn?'

'Niet rooskleurig. Hij schaadt zijn kans op gedeelde voogdij als hij de hoofdwoning van de kinderen verlaat.'

'Echt waar?'

'Ja. Alles wat hij nu doet kan van invloed zijn op de latere uitspraak over co-ouderschap of bezoekrecht.'

'Nee, ik bedoel of hij echt vragen stelde over voogdij en co-ouderschap en juridische implicaties.' Ik denk aan hoe hij zichzelf op een krappe zolder moet hebben zien zitten, waar de jongens hem zouden komen bezoeken, en het is bijna nog erger dan het beeld van hem bij Kitty.

'Ja, dat deed hij echt.'

'Maar dat zijn allemaal dingen die mensen die uit elkaar gaan moeten weten – die... weet ik veel... gaan scheiden.'

'Ja.' Ze kijkt meelevend. 'Wat erg voor jullie, Mary. Ik snapte er eerst niets van, maar nu je dit hebt verteld begrijp ik het. Hij heeft een soort van verhouding gehad, en jij hebt een lijst gemaakt met alle redenen waarom je hem haat en hij heeft die gelezen. Ik heb in mijn praktijk mensen wel om minder zien scheiden.'

'Jij denkt dat ik het verpest heb, hè?'

Ze zwijgt.

Ik denk dat ik het verpest heb.

Het is een van de favoriete clichés van moeders: 'Eigenlijk,' zeggen wij tegen elkaar, 'is het in de praktijk makkelijker te behappen als hij er niet is.' Hoe vaak heb ik dat zelf ook niet verzucht. Ik denk zelfs dat ik het nog geloofde ook.

De afgelopen twee dagen ben ik er echter achter gekomen dat het niet waar is. Dat is bedrog, dat zeg ik je. Hoe nutteloos Joel ook is (en dat is hij, nogal), het is uitermate handig om iemand in de buurt te hebben om een kind uit bad te halen, en het is fijn als er iemand is om ontbijt te maken als ik een douche neem. Ik mis iemand om aan te vertellen dat Rufus zijn dictee heel goed had gemaakt of wat Gabriel nu weer voor grappigs had gezegd. Wat me het meest tegenvalt van het ouderschap is het ongenadige eraan, en dat wordt nog veel beter voelbaar als je alleen bent. Ik ben natuurlijk wel eerder alleen geweest – een keer was Joel een hele maand weg –, maar deze keer voelt het anders. Het voelt ongenadig en eindeloos – een benauwende combinatie.

Ik wil eigenlijk alleen maar op de bank ploffen met een groot glas wijn, maar Jemima komt langs om pizza te eten met haar nieuwe vriend. Ze kent hem van internet en hij werkt in de IT, en ze lijkt smoorverliefd na amper twee maanden samen.

Het lot is wreed, denk ik, terwijl ik de deur opendoe voor mijn zus, die er gelukkiger uitziet dan ik haar in jaren gezien heb. Is er misschien een beperkte dosis romantiek beschikbaar die zij en ik moeten delen, zoals bonbons tijdens de kerstdagen?

'Dit is Jan,' zegt ze trots. Jan, Jan, de dikke fluitende man, denk ik terwijl ik de hand schud van de vrolijke jongen die voor me staat. Wat is er met het wasbordje en de *boy band*-jongens gebeurd met wie ze normaal gesproken uitgaat? Ik dwing mezelf om vrolijker te doen, wat niet moeilijk is met Jan in de buurt, die werkelijk de ongedwongenheid zelve is. Hij prijst ons huis uitbundig, bewondert de foto's van de jongens uitgebreid en openlijk, en merkt op dat Rufus heel goed kan schrijven voor zijn leeftijd. Jemima giechelt alleen maar.

'Waar is Joel?'

'Hij is er niet. Iets op zijn werk. Sorry.'

'Dat is nou jammer,' zegt ze. 'Jij zou hem te gek vinden, Jan. Joel is geweldig.' Ze zouden het goed kunnen vinden samen. Eindelijk heeft Jemima een vriend met wie Joel zou kunnen praten.

Het is maar goed dat we pizza eten in plaats van een gewone maaltijd waar een mes en vork bij aan te pas zouden komen, want Jemima en Jan blijken elkaars hand niet goed los te kunnen laten. Ze praten veelvuldig in de eerste persoon meervoud en denken erover hun appartementen te verkopen om samen iets te zoeken.

'Ik zei het toch?' zegt ze tegen hem als ik me omdraai om de vaatwasser in te ruimen. 'Mijn zus heeft het ideale leven.'

Het voelt alsof iemand de band rond mijn borstkas nog een gaatje strakker trekt. De telefoon gaat en ik ontsnap aan het van liefde overlopende stel.

'Met mij.'

Ik voel net zoveel angst als opwinding, zoals in het begin van een relatie, alleen dan meer van het eerste en minder van het tweede. 'Hallo, Joel.'

'Ik wilde de jongens welterusten wensen, maar ik kon niet weglopen en ik wilde het niet doen waar iedereen bij was.'

'Het geeft niet.'

'Hoe is het met ze?'

'Niet zo goed. Ze missen je.'

'Missen de jongens me?'

'Ja, natuurlijk. De jongens missen je. Waar ben je?'

'Bij Ursula.' Ik luister goed of ik de stem van zijn moeder hoor op de achtergrond, als bewijs, maar ik hoor niets. Ook geen geluiden van feestvierende jongelui trouwens. 'Ik dacht eraan om naar een vriend te gaan maar ik kon niemand bedenken. De mensen die ik graag mag hebben allemaal kinderen, en ik denk niet dat ik op dit moment andermans kinderen kan verdragen.'

'Ik dacht dat je je wel zou vermaken met al die dingen waar we het altijd over hebben die we zouden doen als we geen kinderen hadden: biertjes drinken, naar de film gaan – dat soort dingen.'

Stilte. 'Joel?'

'Ik ben er nog.' Zijn stem kraakt.

'Wil je ze misschien morgen naar bed brengen?' Het voelt als een enorme stap om hem uit te nodigen.

'Ja.'

Ik leg de telefoon neer en probeer mijn lichaam weer onder controle te krijgen. Gelukkig is Jemima te druk in de weer met de krullen van Jan om mijn ongemakkelijkheid aan de telefoon en zenuwen op te merken.

Jan kondigt aan dat hij even 'zijn zwager een hand gaat geven'. Jemima kwam altijd aan met jongens, maar dit is overduidelijk een kerel. Ik kan niet geloven dat ze met iemand is die zo open is over zijn lichaamsfuncties, laat staan dat ze hem als hij zoiets zegt aankijkt alsof hij zojuist heeft verteld dat hij de Nobelprijs heeft gewonnen.

'En?' vraagt ze.

'En wat?'

'Jan, natuurlijk. Wat denk je?'

'Hij is geweldig,' zeg ik. 'Het is alsof ik hem al jaren ken.'

'Ja, dat heb ik nou ook. Alsof ik hem al mijn hele leven ken.'

'Hij is wel heel anders dan je vorige vriendjes.'

'Beter, bedoel je.'

'Ja, dat. En qua uiterlijk.'

Ze grijnst. 'Wat een lekker ding, hè?'

Ik kan alleen maar teruglachen. 'Echt wel.' Ze lijkt het oprecht niet door te hebben dat ze behoorlijk ingeleverd heeft op uiterlijk vertoon. Jemima heeft het ultieme compromis gesloten, een waar ze zich totaal niet van bewust is. Ik wens voor de zoveelste keer dat ik alles wat ik nu weet kon uitvlakken, met mijn ergernissen erbij, en dat ik terug kon gaan naar diezelfde kinderlijke onschuld met mijn echtgenoot.

'Ik ben zo gelukkig,' zegt ze.

'Dat zie ik. Ik ben heel blij voor je.'

'Ik ben altijd vreselijk jaloers geweest op wat jij had, en nu weet ik dat ik gelijk had. Ik wil dat ook met Jan.'

Gelukkig komt hij terug en hoef ik niets te zeggen. Als ze konden zouden ze samen op één stoel kruipen. Ik voel me stokoud.

Ik heb me opgemaakt, ik heb mijn haar geföhnd en draag mijn hakken in huis. Ik hoor mensen lachen in de slaapkamer, maar ik kan niet meedoen. Het is of ik met de kinderen of Joel met de kinderen, niet allemaal samen. We zijn in twee units uiteengevallen en de cirkels van het diagram scheiden Joel en mij van elkaar, en in het overlappende gebied zitten alleen de jongens. Ik zie dat zich op de rand van de koelkastdeur een zwarte slijmerige substantie heeft afgezet, dus daar stort ik me maar op. Al poetsend denk ik aan Kitty. Dit is Kitty, zeg ik tegen mezelf terwijl ik schrob en schuur. Ik zie haar geest overal rondwaren, het beeld dat ik me van haar gevormd heb: in de spiegel als ik naar mezelf kijk, met mijn kinderen, voor wie ze papa's grappige vriendin kan zijn, in de wc-pot die ik met geweld schrob. Het slijm is van de koelkast af. Zie, zo gemakkelijk gaat dat. Maar koelkastslijm en Kitty zijn niet bepaald hetzelfde.

'Wil je een wijntje?' vraag ik Joel als hij naar beneden komt, zeker een kwartier na de gebruikelijke bedtijd van de jongens. Hij is ongeschoren en ziet eruit alsof hij niet veel heeft geslapen. Kitty zit op mijn schouder en ik weet gewoon dat zij hem lekker slordig en onweerstaanbaar zou vinden. Ik moet het met haar eens zijn.

'Nee, ik kan maar beter gaan.'

'Prima. Ik snap het. Ja, ga maar.' Hij kan niet wachten om te vertrekken. 'Doe Ursula de groeten.' Als je daarnaartoe gaat tenminste.

'Oké.'

'Weet zij het?'

'Wat?'

'Van ons.'

'Wat valt er te weten?'

'Dat weet ik niet.'

Dat van twee mensen die hun relatie bouwden op een gesprek waar geen eind aan kwam.

'Mary?'

'Ja.'

'Ik ga nu.'

'Ja, natuurlijk, ga maar.'

'Oké dan.'

We staan allebei op en ik pieker me suf wat in dit geval nou de etiquette is om je echtgenoot gedag te zeggen. 'Nou, dag dan maar.' Ik wil iets van fysiek contact, dus voor ik het weet steek ik mijn hand uit. Hij kijkt ernaar en schudt hem. We kijken elkaar geschrokken aan en lachen dan, heel kort. Ik was vergeten hoe lachen klinkt. Het klinkt als hoop.

Ik kan niet slapen. De slaapkamer voelt verkeerd. Ik kijk naar de wasmand die bevrijd is van zijn gebruikelijke kraag van sokken en mannenboxers. Ik ga naar Joels kast en haal wat sokkenparen uit elkaar en pak een T-shirt, die ik rondom en op de rand van de wasmand drapeer. Nu kan ik slapen.

Bij het ontbijt sta ik op het punt de bijna lege melkfles om te spoelen om hem bij de lege flessen te zetten als ik ineens van gedachten verander en hem in de koelkast terugzet, met het laagje melk op de bodem er nog in. Ik laat de broodkruimels rondom de broodrooster liggen en leg mijn theezakjes voorzichtig op het aanrecht.

Ik gooi wat handdoeken neer op de badkamervloer, maar de wasbak blijft vrij van de kleine ijzerachtige stoppelbaardhaartjes die er normaal gesproken in liggen. Ik dompel de zeep even in het water, zodat er een wollig laagje achterblijft op de badrand. Ik maak het blauwe douchegordijn nat en laat het druppend op de tegels achter.

Terwijl ik de jongens en mezelf aankleed om naar school te gaan, raak ik Joels winterjas aan. Ik probeer hem al maanden zover te krijgen dat hij hem naar de logeerkamer brengt, maar binnenkort wordt het weer koud. Ik kijk naar de vloer en zie dat hij wat schoenen in de gang heeft laten liggen. Nu kan ik naar mijn werk gaan.

De week sleepte zich voort. Joel kwam nog een avond langs terwijl ik in de keuken net deed of ik een tijdschrift las. Ik genoot er helemaal niet van dat ik de jongens niet naar bed hoefde te brengen, zoals ik altijd had gedacht. In plaats daarvan hoorde ik de geluiden van een feestje waar ik niet voor uitgenodigd was. Ik wed dat hij de hele vloer zeiknat maakt, zei ik tegen mezelf, waarna ik me geen greintje beter voelde.

Weer deden we een ongemakkelijk dansje bij het afscheid nemen. Deze keer bood ik Joel zelfs iets te eten aan, maar het kon hem net zomin verleiden als het glas wijn. Hij leek haast te hebben om ervandoor te gaan. Beide keren dat hij langs is geweest begonnen met opwinding en eindigden met teleurstelling en afwijzing.

De doordeweekse dagen waren zwaar maar deze zaterdag thuis was nog erger. Het is nu zes dagen geleden dat Joel naar zijn moeder vertrok. Mijn haar stinkt naar chloor van het zwemmen met de jongens en het is niet meer gelukt het te wassen voordat hij vanavond langskomt om de kinderen naar bed te brengen. Ik bekijk mezelf in de spiegel. Ik zie er dun uit, wat me vroeger zonder mankeren vrolijk stemde, maar ik lijk er ouder door.

Ik hoor zijn sleutel in het slot en het lijkt opeens het allermooiste geluid van de hele wereld. Mijn knieën knikken en ik besef wat ik niet langer kan ontkennen: ik wil dat hij thuiskomt. Dit is zijn thuis. Ik moet weten dat hij een sleutel heeft en zichzelf elke avond binnen zal laten. Hij zal zijn jas op de grond gooien en de jongens knuffelen. Hij zou mij ook kunnen knuffelen. Het huis zal vol zijn van zijn lawaai en troep. Ik haat het, maar ik heb het nodig. Ik heb hem nodig. Ik kan hem vergeven als ik weet dat hij mij kan vergeven.

Hij worstelt met zijn sleutel, niet wetend dat ik sinds ik alleen ben de deur twee keer op slot draai. Hij komt binnen en ik lach naar hem, vooral als hij zijn jas voor één keer aan de kapstok hangt. Nu zie ik het helemaal duidelijk voor me: ik heb hem hier thuis nodig, maar ik heb ook nodig dat hij zijn jas ophangt. De Lijst is toch niet helemaal nutteloos geweest.

De glimlach die ik terugkrijg geeft me moed. Hij is degene die zijn trots opzijzette om ons al die jaren geleden bij elkaar te brengen, dus het is niet meer dan eerlijk dat ik nu hetzelfde doe om ons weer zover te krijgen.

Hij draait zich om en kijkt naar buiten.

'Kom op, Ursula, kijk straks maar naar de clematis van de buren.'

Ik ben zo teleurgesteld dat ik wel kan janken. Mijn plan om hem te vragen, of liever nog te verordonneren, om thuis te komen vervliegt. Hij heeft blijkbaar geen enkele behoefte er nog iets van te maken als hij zijn moeder meeneemt als menselijk schild. Trouwens, hoe was ik eigenlijk van plan het aan te pakken? We zijn het punt voorbij dat ik hem met sexy lingerie op de keukentafel kon verrassen. Ik stel me voor dat Joel en ik precies dat doen en de gedachte alleen zorgt voor een onverwachte warme golf tussen mijn benen. Verbaasd realiseer ik me dat ik naar mijn echtgenoot verlang, uitgerekend nu ik hem niet meer kan hebben. Hoe heb ik al die kansen kunnen laten lopen als hij naast me in bed kwam liggen terwijl ik nu misschien wel nooit meer de kans krijg?

Hij kijkt verontschuldigend. Ursula komt binnen en slaat haar armen om me heen. Ze knijpt iets te hard.

'Sorry,' zegt hij als we met de jongens naar boven gaan. 'Ze zei dat ze ons allebei moest spreken.'

'Waarover?'

'Geen idee.'

'Het gaat toch niet over... hoe heet het... over ons?'

'Nee, nee. Niet over ons.'

'Mooi.'

'Mary, ís er nog een ons?'

Ik schud mijn hoofd en loop weg.

Ursula is een stuk beter te doorgronden dan een aantal van haar laatste boeken. Ze put haar zelfvertrouwen uit het dragen van lange oorhangers en opzichtig gekleurde sjaals. De televisieoptredens zijn al lang geleden opgehouden, maar in de tijd dat ze nog bij de late-avonddiscussieprogramma's verscheen was ze onmiskenbaar gehuld in paars en violet, terwijl de kleine houten papegaaien in haar oren wild heen en weer dansten als ze een hoofdbeweging maakte om haar argumenten kracht bij te zetten.

Ondanks de hitte van juli is Ursula van top tot teen in paars fluweel gewikkeld. Haar oorbellen van jade in de vorm van druiventrossen hangen bijna tot op haar schouders. Ze heeft een boodschap. De jongens liggen in bed en ik schenk drie grote glazen wijn in.

'Ik heb een voorstel,' kondigt ze aan. Ze spreekt ons toe zoals alleen degenen dat kunnen die op een dure meisjesschool en eeuwenoude vrouwenuniversiteit in Oxford hebben gezeten. Velen herinneren zich nog haar adembenemende optreden om de motie 'Deze kamer gelooft dat een vrouw een man nodig heeft zoals een vis een fiets' te ondersteunen.

Joel kent Ursula en wordt nerveus. 'Een voorstel?'

Ik bedenk, hoe ongepast ook, dat dit woord eigenlijk altijd de gedachte aan iets 'oneerbaars' oproept. Ik wed dat Mitzi's Michael ook voorstellen doet. Ik ril bij de gedachte aan Ursula en Michael samen, het minst voor de hand liggende paar in de geschiedenis van het christendom.

'Niet zo'n soort voorstel,' zegt Ursula, alsof ze mijn gedachten kan lezen. 'Het woord "voorstel" is niet altijd suggestief.'

Ik denk – alweer ongepast – aan het voorstel dat ik Joel wilde doen.

'Maar tegenwoordig lijkt het wel steeds vaker in die context te worden gebruikt,' oppert Joel.

'Een minder dubbelzinnig woord dan – een vraag,' geeft ze toe. 'Hoewel dat dan weer aan het huwelijk kan refereren, toch?'

Ik denk met weemoed aan het nooit uitgevoerde huwelijksaanzoek van Joel.

'Is het gewoon een idee?' vraagt hij.

O, lieve moeder Maria, zo kunnen ze nog uren doorgaan. Ik heb er altijd van genoten dat je nooit iets kon zeggen zonder dat die twee een theorie loslieten op het juiste gebruik van jouw woorden, met raadpleging van het Groot Woordenboek dat altijd open op tafel lag. 'Waarom vertel je niet eerst waar het om gaat? Dan bedenken we daarna wat het is.' Wat Ursula ook gaat zeggen, het is nooit zo groot als wat Joel en ik elkaar niet zeggen.

'Ja, we zullen het postuum benoemen,' zegt Joel. 'Al moet er een monnik aan te pas komen.'

Adem in: één, twee, drie en uit: twee drie.

Eindelijk begint Ursula. 'Zoals jullie weten, is mijn huis behoorlijk aan het aftakelen.'

Ik wist het, de buren wisten het en hadden haar gevraagd of ze er alsjeblieft iets aan wilde doen om te voorkomen dat de huizenprijzen van de hele straat zouden dalen, maar ik had geen idee dat Ursula het ook wist.

'Het is prima zoals het is,' zegt Joel. 'Het is precies goed. Wie zegt dat het niet zo is?'

Joel houdt van Ursula's ondermaatse, overvolle keuken en de bossen droge schuine streep dode bloemen in de open haard. Hij vindt het belachelijk als mensen het hebben over, in zijn woorden, 'de achterkant eruit slaan' om serres te bouwen en open ruimtes te creëren. Als we weleens fantaseren over hoe het zou zijn om in Ursula's grote huis te wonen, kijkt hij me altijd niet-begrijpend aan als ik suggereer dat de keuken natuurlijk niet in die donkere smalle gang zou blijven waar zich in vroegere tijden de bediening ophield. Hij denkt dat iedereen die het huis zou betrekken dolgelukkig zou zijn met zo'n authentieke vondst, terwijl ik de keurige beleggersvrouw al tegen haar vriendinnen hoor opscheppen dat het toen ze het kochten echt 'een bóúwval' was. 'Raar oud wijf dat er veertig jaar niets aan gedaan had. We moesten het helemaal strippen.'

'Joel,' zegt Ursula streng, 'het stort bijna in.'

'Maar ik dacht dat je dat juist leuk vond,' zegt hij. 'Ik tenminste wel.' Als we niet oppassen gaat hij zo piepen dat ze niet moet proberen zijn kinderknutsels of de scheikundedoos die hij voor zijn zevende verjaardag kreeg weg te gooien.

'Waarom zou ik het leuk vinden? Het is gevaarlijk.' Ik voel een nieuw soort respect voor Ursula groeien. 'Het dak moet vervangen worden, de leidingen dateren uit de prehistorie, de stroomvoorziening is een tikkende tijdbom.'

'Er is nooit iets gebeurd.'

Toen ik Joel net leerde kennen vond hij het heel normaal dat in het huis van zijn moeder overal van die uitstekende ronde stopcontacten zaten waar de meeste mensen na de Tweede Wereldoorlog mee gestopt waren. In haar van zooi uitpuilende bijkeuken stonden dozen met stickers met ROND NAAR VIERKANT en VIERKANT NAAR ROND erop, vol met adapters en verlengsnoeren om het hele huis via oude en nog oudere systemen van stroom te voorzien.

'Doe normaal, Joel, ik heb mezelf wel honderd keer geëlektrocuteerd. Het is een zootje, en ik weet het. Ik probeer me er niets van aan te trekken, ik haat het, maar het kan zo niet langer. Mary weet het, toch? Ik zie het aan de manier waarop je kijkt en je stoel schoonveegt voordat je gaat zitten.'

'Ach, welnee. Maar als het gevaarlijk is heb je gelijk en moet je er wat aan doen.'

'Ik steek al jaren mijn kop in het zand,' zegt ze. 'Uiteindelijk heb ik mezelf gedwongen om iemand te laten komen om te vertellen wat het zou kosten om alles te renoveren. Ik viel zowat steil achterover, dus heb ik er nog iemand bij gehaald, die met een nog hoger bedrag kwam, dus belde ik een derde, die al net zo erg was. Dus stak ik mijn kop maar weer terug in het zand.'

In gedachten probeer ik te bedenken wat haar voorstel is. Vraagt ze ons om bij haar in te trekken en de renovatie te betalen? Ik vraag me af of we dat financieel, maar vooral emotioneel zouden trekken, vooral nu ik niet eens meer zeker weet of er nog wel een 'we' is. Ik kan me niet voorstellen dat Ursula wil verkopen om kleiner te gaan wonen. 'Nou, wat was je idee?' vraag ik aangezien Joel zijn mond houdt.

'Rebecca. Dat is mijn idee. Jouw vriendin Rebecca.'

'Becky?'

'Ja. Zij heeft geen huis en wel geld; ik heb een groot huis en geen geld. Een ideale combinatie.'

'Gaan jullie samenwonen?' vraag ik. Moet Joel dan 'moeder' gaan zeggen tegen Becky?

'Niet als zodanig. Nee, niet op die manier,' zegt ze geschrokken als ze de ontzetting op het gezicht van haar zoon ziet, die nu lijkt op te stijgen van opluchting. 'We hebben het allemaal uitgedacht. Rebecca is geweldig met geld. Ik snap wel dat ze anderen daar ook zo goed mee kan helpen. En zoveel verdient. Zij betaalt de renovatie en de verbouwing om er twee appartementen van te maken: ik beneden met de tuin en zij boven met de zolder.'

'Mijn plek,' zegt Joel deemoedig.

Een maand geleden zou dat verschrikkelijk aanstellerig hebben geklonken, maar momenteel heeft hij een punt. 'Dat klinkt als een goed plan. Niet om het een of het ander, maar weet je dat het heel veel waard is?'

'Dat weet ik heel goed, Mary, dankjewel. Ook ik kom weleens langs de makelaar op de hoek. Dat was ook mijn probleem. Ik wist dat ik het misschien zou moeten verkopen, maar ik kon het niet over mijn hart verkrijgen. Eerst dacht ik dat jullie dan maar bij me in moesten trekken en dan de renovatie zouden kunnen betalen van het geld dat jullie huis zou opbrengen, maar met de offertes die ik gekregen had was ik bang dat we dan nog niet genoeg zouden hebben. Becky is partner bij haar genootschap en heeft haar appartement heel goed verkocht. Bovendien heeft zij geen zorg voor een gezin. Het huis is te groot voor mij alleen, maar ik ben bang dat het niet groot genoeg zou zijn voor jullie vieren en mezelf. Jullie hebben je vrijheid nodig, en ik ook. Op deze manier hou ik elke maand wat over, omdat we de vaste lasten delen, en bovendien is er iemand in huis om de planten water te geven als ik weg ben.' Dit is nog een eufemisme, begrijp ik, voor de angst van de ouder wordende medemens om van de trap te vallen en pas weken later gevonden te worden.

'Hoe gaan jullie het financieel regelen?' vraag ik.

'Rebecca zal een aandeel van het huis krijgen ter waarde van haar investering.'

'Een groeiaandeel of een waardeaandeel?'

'Dat weet ik niet precies. Dat zullen we uiteraard allemaal precies uitzoeken, maar het gaat er nu om dat jullie in principe akkoord gaan. Tenslotte verkoop ik een deel van jouw ouderlijk huis.'

Joel kijkt alsof hij gaat huilen en ik wil hem al troosten zoals ik bij de jongens doe als ze van de glijbaan vallen. Er zijn van die momenten die van de eeuwige pubers die we zijn uiteindelijk toch volwassenen maken: het overlijden van een ouder, de geboorte van een kind en het moment dat we ons ouderlijk huis niet meer ons huis kunnen noemen. Ik kijk naar Ursula en besef dat ik haar nooit gekend heb. Ik dacht dat ze niet zag dat haar huis om haar heen instortte, maar ze wist dus al die tijd precies in wat voor erbarmelijke staat het zich bevond, en bovendien – nog verrassender – precies hoeveel het waard was.

'En,' zeg ik om de stilte te verbreken, 'wat wil je van ons?'

Joel kijkt op.

'Van Joel. Van mij.'

'Ik wil weten of alles goed komt,' zegt ze met haar blik op mij.

Een klein stemmetje bij de keukendeur. 'Mama,' zegt Rufus. 'Mag papa nog één verhaaltje voorlezen?'

'Natuurlijk,' zegt Joel en hij springt op en verlaat de kamer.

'Komt alles goed?' vraagt Ursula mij.

'Ik weet het niet,' zeg ik. 'Ik hoop het.'

'Daar doe ik het voor,' zegt ze. We kijken elkaar aan met een warmte en begrip die ik nog niet eerder heb gevoeld. 'Ik ga nu. Zeg maar tegen Joel dat ik weg ben.'

'En dat je hem zo weer ziet?'

'Dat is iets tussen jullie.'

Na wat waarschijnlijk het langste 'nog één verhaaltje' aller tijden is, komt Joel terug in de keuken, waar ik de rest van de wijn soldaat maak. Ik vraag me af welk excuus hij nu weer zal bedenken, maar hij gaat zitten en schenkt zijn glas bij.

'En?' zeg ik.

'En,' zegt hij vermoeid.

'Hoe voel je je?' Hij haalt zijn schouders op. 'Voelt het vreemd dat het huis uit je jeugd niet meer als jouw huis aan zal voelen?'

'Hè? Natuurlijk niet. Ik ben toch geen acht meer?'

'Wat dan?'

'Je weet wel wat. Alles.'

'Joel?'

'Ja?'

Ik ben bang. Ik realiseer me dat ik geen idee heb van wat er in hem omgaat. Hij is bij ons weggegaan en heeft Becky advies gevraagd over scheiden, zeg ik tegen mezelf, maar een luidere innerlijke stem schreeuwt dat ik hem mis, en hij ziet eruit alsof hij ons ook mist. 'Kom weer naar huis. Hier thuis, bedoel ik.'

Hij lacht voorzichtig, heel even, als een eerste aanwijzing van zijn mogelijke antwoord. 'Echt? En Kitty dan?'

'Die speelt geen rol, toch?' Zeg alsjeblieft nee.

'Nee, volstrekt niet.'

'Beloofd?'

'Beloofd. Je weet hoe ik ben met beloftes. Ik heb haar met een spetterende referentie op pad gestuurd om elders haar geluk te beproeven.' Ik voel een golf van solidariteit met haar. Het lijkt wel of het altijd de vrouw is die moet boeten in dit soort situaties. 'Het spijt me zo, Mary, het was heel stom.'

'Dat was het zeker. En nog wel met iemand van je werk.' Ik schud mijn hoofd. 'Het spijt mij ook. Ik was erg kwaad,' zeg ik.

'De Lijst, bedoel je?'

'Ja. Ik was zo kwaad over alles. Zo kwaad dat er geen plek meer was voor liefde, tenminste niet voor jou. Het vuil en de smurrie bleven zich maar ophopen en elke keer als ik ergens een laagje drab vanaf poetste voelde het alsof jij me iets had afgenomen. Het leek wel of het onkruid zo hard groeide dat het mijn hart overwoekerde. Onze liefde werd verwaarloosd.'

'Dat spijt mij ook. Ik voelde me ook niet gewaardeerd, hoor.'

'Ik zal meer om je grapjes lachen, goed? Sorry, dat was nergens voor nodig.'

'Je zou anders best kunnen doen alsof je geïnteresseerd in me bent. En dan probeer ik te waarderen wat jij allemaal doet.'

'Ik heb eerlijk gezegd liever dat je het doet dan dat je het waardeert.'

'Dat zal ik doen.'

'Hoewel, toen je weg was vond ik het huis nota bene veel te netjes.'

'Kan ik dat zwart op wit krijgen?'

'Absoluut niet.' Dan bedenk ik dat er een manier is om hem terug te krijgen zonder alles van de afgelopen zes maanden verloren te laten gaan. 'Bij nader inzien is het misschien wel goed om iets op papier te zetten. Ik voel een lijst aankomen.'

- *Het is verboden voor M en J om grapjes te maken over de incompetentie van mannen in het huishouden, niet denigrerend en niet als excuus.*

- *J gebruikt nooit maar dan ook nooit meer de term 'chillen'.*

- *M en J refereren niet meer aan zichzelf in de derde persoon, vooral niet op de volgende manier: 'Mama is moe omdat papa troep heeft gemaakt in de keuken en zij alles moet opruimen'.*

Daar hangt het op de koelkast, waar iedereen het kan zien: de Lijst versie 2.0.

'Ik denk niet dat we dit we dit ook de Lijst moeten noemen,' zei ik toen we eraan begonnen. 'Het is toch een nieuw begin?'

'De Gelofte?'

'Dat klinkt als iets van de Anonieme Alcoholisten.'

'Of van die pubermeisjes die zweren maagd te blijven.'

'Ik wil echt niet elke keer aan het gefrustreerde seksleven van tienermeisjes herinnerd worden als ik iets uit de koelkast haal.'

'Ik wel.'

'Als we niet eens kunnen bedenken hoe deze lijst moet heten,' zei ik, 'hoe moet het dan met de inhoud?'

'Ik heb nog nooit een schema gemaakt voordat ik voor een examen ging leren.'

'Ik wel, zozeer dat mijn studie er bijna onder leed. Ik was zo lang bezig het perfecte, gestructureerde en gehighlighte schema te maken dat ik bijna geen tijd meer had om een boek open te slaan.'

'Dat had ik nou nooit achter je gezocht.'

'Jij hebt makkelijk praten met je dure opleiding,' beet ik terug.

- *J ruimt elke avond voor hij naar bed gaat vijf dingen op.*

271

- *J kijkt wat er aan troep onder aan de trap ligt.*

'Ho maar,' zegt hij. 'Waarom gaat het allemaal over mij? Kan er ook iets op wat jij moet doen?'
　'Zoals wat?'
　'Mary leest geen warenhuiscatalogi in bed.'
　'Dat doe ik niet.'
　'Ik breid het uit met woonbladen. Mary begint niet over een nieuwe inrichting van ruimtes waar niets mis mee is. Mary gaat geen nieuwe keuken uitzoeken terwijl de oude nog prima functioneert. Mary zal niet...'
　'Ik begrijp je punt. Dankjewel.'
　'Mary zegt vaker dankjewel. En alsjeblieft.'
　'Hou er nou maar over op. Alsjeblieft.'

- *Twee wasmanden. Bont en wit.*

'Wat doe je dan met grijze dingen? Of patronen waar kleur en wit in zit?'
　'Niet stangen, Joel.'
　'Ik meen het.'
　'Ik leer het je.'
　'De leer van de Wassenden.'

- *M zegt nooit meer 'Dat is niet eerlijk'.*

'Dat is niet eerlijk,' zei ik.
　'Foei foei.' Hij zwaaide met zijn vinger.
　'Nee. Echt niet. Dat kan ik niet beloven als het leven niet eerlijk is. Maak het leven eerlijk en ik beloof het nooit meer te zeggen. En waag niet te zeggen: "Het leven is niet..."'
　Ik zou het nooit toegeven aan Joel, maar het leven is het ook niet, zeker niet als je kinderen hebt en werk en een huis. Je maakt jezelf gek als je gaat proberen het leven precies gelijk te verdelen, dat weet ik nu wel. Maar alleen omdat het niet zo is hoeven we toch niet te stoppen met ernaar te streven?

- *Op de dagen dat M en J allebei werken of allebei vrij zijn wordt de verantwoordelijkheid voor de kinderen gelijk verdeeld wat betreft het ophalen van de opvang, saai eten koken, opstaan voor het ontbijt.*

- *Elke ouder krijgt 's ochtends een halfuur om te douchen, wassen enzovoort.*

- *Elke ouder krijgt één avond in de week waarop hij/zij niet op tijd hoeft te zijn om de jongens in bad te doen en naar bed te brengen.*

- *Andere late avonden in overleg.*

- *Elke ouder krijgt evenveel tijd voor een hobby naar keuze, bijvoorbeeld de 'band', naar de sportschool gaan, winkelen.*

'Haal die aanhalingstekens eens weg.'

'Wie zei er ook alweer niet vaak genoeg "alsjeblieft"?'

'Haal alsjeblieft die aanhalingstekens weg bij het woord "band" op de lijst. Dankjewel.'

'Ik dacht dat we het niet de Lijst zouden noemen, vanwege die andere, toch?'

'Maakt het uit hoe het heet?'

'Ja. Ja, dat maakt uit.'

Hij zuchtte. 'Misschien hebben we hulp nodig.'

Ik knikte. En ik wist meteen van wie.

De jongens werden voor een heel weekend naar mijn ouders gebonjourd en in hun plaats kwam Becky. Ze bleef zelfs logeren in het bovenste stapelbed en zei dat ze genoten had van de sterren op het plafond die lichtgaven in het donker.

'Zover ik kan nagaan,' zei ze, nadat ze onze stapels aantekeningen, Post-its en huwelijkse missiestatements had gelezen, 'bestaat jullie huwelijk uit drie actiegebieden.'

Joel gniffelde.

'Nee,' zei Becky. 'Die bedoel ik niet.'

'Nou, dat klopt inderdaad,' zei hij besmuikt.

'Kunnen we ons hier even op concentreren? Anders komen we er nooit doorheen. Vertel, Becks: over welke drie gebieden heb je het?'

'Inkomen, zorg voor de kinderen en huishouden. Die moeten gelijkwaardig behandeld worden.'

Joel snoof.

'Gelijkwaardig,' herhaalde ze. 'Goed, nu wil ik graag dat jullie zo veel mogelijk taken die met deze gebieden samenhangen opschrijven en dan zie ik jullie over een uur weer.'

'Het lijkt wel zo'n akelige heidag van het werk,' mompelde Joel.

'Of een examen,' zei ik, met mijn arm om mijn blaadje geslagen, zodat hij niet kon afkijken.

'Doktersafspraken, voorbereidingen voor verjaardagsfeestjes, cadeautjes kopen, schoenen kopen, inentingen... Wat komt er veel bij kijken om kinderen te hebben,' zei Becky toen ze mijn uitgebreide lijst onder het kopje 'Zorg voor de kinderen' las. Joels bijdrage bestond uit drie woorden: 'Park, dierentuin enzovoort.'

'Er is een heel dorp voor nodig om een gezin groot te brengen,' zei ik. Joel had gelijk: ik was het soort kind dat een liniaal nodig had om haar arm omhoog te houden, want mijn hand hing constant in de lucht om het goede antwoord te mogen geven.

'Joel, had jij nog iets toe te voegen?'

Hij keek naar zijn schoenen.

'We beginnen met de zorg voor de kinderen.'

'Mag ik hierbij even opmerken,' vroeg ik, 'dat de zorg voor de kinderen niet alleen over het oppassen gaat? Het gaat ook over opruimen wat ze achter zich neergooien en meer huishoudelijke zaken.'

'Goed punt, Mary. Kan ik doorgaan?' Ze keek naar onze bijdragen. 'Ik ga deze punten veilen. Hiermee kunnen jullie betalen.' Ze gaf ons elk een stapel legoblokjes. 'Jullie hebben er allebei vijftig. Ik heb vijfentwintig hoofdtaken. Als je er een wilt, zeg je dat. Als jullie hem allebei willen, kopen jullie ze met de lego. Om te beginnen: gebeld worden door de school of Deena als de jongens ziek zijn of zijn gevallen.'

Joel hield zijn handen zo laag mogelijk.

'Waarom maken we er niet twee punten van: één voor het schoolcontact en één voor Deena?' stelde ik voor.

'Heel goed, Mary, prima.' Hoezo lievelingetje van de juf?

'Ik doe het wel voor de school en dan neemt Joel Deena. Dan kun je misschien beginnen met haar nummer een keer goed in je telefoon te zetten.'

En zo ging het verder met de verjaardagsfeestjes van de kinderen, helpen met lezen en meegaan op schoolreisjes. Ik zag dat Becky goed was in wat ze deed; ze was niet voor niets begonnen met het minst heikele onderwerp van ons onheilige trio.

'Wie had gedacht,' zei ze toen we eindelijk alle taken hadden verdeeld, 'dat kinderen opvoeden zoveel werk was?'

'Inderdaad, wie had dat gedacht?' zei Joel.

'Ik,' zei ik. 'Over kinderen gesproken, Becks: heb jij al iets besloten op dat gebied? Weet je nog: kinderen, baby's, proberen?'

'Ik geloof het wel. De kwestie staat in de wacht, wat gezien mijn leeftijd en de toestand van mijn organen praktisch hetzelfde is als een beslissing.'

'Om niet...?'

'Ja, om niet. Ik ben tot de conclusie gekomen dat alleen het feit dat het kan, of misschien niet kan, niet genoeg reden is om het ook te doen. Het was een wisselwerking met mijn gedoe met Cara.' Joel siste geluidloos door zijn tanden. Hij wist nog niet de helft, over Cara en Mitzi, en over Cara en mij. Becky en hij zouden het nooit weten. 'Volgens mij zijn kinderen zo ongeveer de grootste afknapper voor Cara, als je begrijpt wat ik bedoel.'

'Ja, dat snap ik.' Ik wist precies wat ze bedoelde. 'Ik hoop dat het niet door ons komt dat je ervan afziet?'

'Niet per se. Ik weet gewoon niet of iedereen wel kinderen zou moeten willen,' zei ze.

'Dat heb ik ook altijd van Ursula gedacht,' zei Joel.

Ik stond versteld. 'Echt waar? Dat heb je me nooit verteld.'

'Ik heb het achter me gelaten. Uiteindelijk ben ik blij dat ze mij gekregen heeft; ze was in mijn jeugd alleen niet bepaald kindvriendelijk.'

'Ik dacht dat jullie altijd alles samen deden?'

'Alles wat zij wilde, ja, maar nooit wat ik wilde. Heb je enig idee hoe saai het is om rondgesjouwd te worden om naar saaie volwassenen te luisteren en nooit op tijd in bed te liggen en vol-au-vents te eten in plaats van vissticks? Ik had er een enorme hekel aan om tijden van school te worden gehaald omdat zij ergens een sabbatical moest vieren.'

'Maar ze is zo gek op je en ze is zo graag bij je.'

'Nu meer dan toen. Ik vermoed dat ik interessant ben geworden op het moment dat haar eigen leven minder interessant werd. Je weet toch dat de geschiedenis niet bestond voordat de mensen leerden schrijven? Dat heeft Ursula met kinderen. Ik was weinig waard tot ik leerde lezen. Dan kijk ik naar jou en de jongens en zie dat het voor hen heel anders is. Jij bent echt bij ze. Zij hebben heel veel geluk met jou.'

'Nu doe je sarcastisch, mag ik hopen.'

'Nee, echt niet. Je bent een geweldige moeder, dat weet je best.'

'Ik knutsel niet genoeg met ze en leer ze niet spelenderwijs rekenen en maak ook geen plakboeken met gedroogde plantensoorten en kleurplaten.'

'Je leest te veel opvoedboeken. Jij zingt zelfgemaakte liedjes met ze en voetbalt alsof je van ze wilt winnen.'

'Ik wíl ook winnen, maar Rufus wordt langzamerhand beter dan ik.'

'Het is niet wat je doet, maar het feit dat je er voor ze bent... Ze nemen je voor lief, maar op een natuurlijke manier. Ik heb nooit helemaal op Ursula kunnen vertrouwen.'

'Dank je. Dat is lief van je. En jij bent een geweldige vader. Ik weet dat iedereen dat zegt, maar het is waar. Helemaal als je bedenkt dat jijzelf vroeger nooit een vader in de buurt had. Of een moeder, begrijp ik nu. Ik vind het een enorme prestatie om zo goed te zijn in iets wat je zelf nooit hebt gehad.'

'Zelfs al ben ik waardeloos in het huishouden?'

'Ondanks dat. Soms zelfs juist daardoor. Jij laat ze de ingrediënten afmeten als je iets bakt, ook al kan het daardoor mislukken. Je bent uren bezig om van alles wat je kunt vinden knikkerbanen en ruimtestations te bouwen. Je haalt al het speelgoed uit de kast, zodat zij vreemde werelden kunnen creëren waar lego, treinen en dino's vredig naast elkaar bestaan. Oké, achteraf ruim je niks op, maar dan hebben ze wel een heerlijke middag met je gehad.'

'Dank je. Wat fijn om dat uit jouw mond te horen.'

We lachten naar elkaar.

'Hoe lief,' zei Becky, en ze maakte een aantekening in haar dossier:

- *M en J noemen elke dag vijf dingen op om elkaar voor te bedanken.*

'Vijf?' riep ik uit. 'Elke dag?'

- *M gaat weer aan producties werken, wat betekent dat ze soms vijf dagen zal moeten werken en J vrij moet nemen om thuis te zijn voor de jongens.*

'Echt?' zei Joel. 'Wil je weer gaan produceren?'

'Produceren-regisseren, als het even kan,' antwoordde ik. 'Ik had het niet verteld omdat we niet bepaald in de stemming waren voor een goed gesprek, maar ik heb laatst een voorstel ingeleverd en ze vonden het geweldig, en de kans is groot dat we de opdracht krijgen. Ik wil niet dat iemand anders ermee aan de haal gaat. Het is míjn idee.'

'Mary, dat is fantastisch!' Joel sloeg zijn armen om me heen. 'Je moet me alles vertellen. Waarom heb je niets gezegd? Jij bent zo goed, niemand krijgt er nog iets doorheen. Mens, je zou voor mij moeten komen werken. Waar gaat het over? Ik kan het niet geloven! Je bent een tovenares, mijn heerlijke, slimme meisje.'

Ik kon niet wachten om hem al mijn ideeën voor te leggen. Ik waardeerde zijn mening en enthousiasme meer dan die van wie ook. Al die tijd had ik alleen met het format geworsteld, terwijl ik ondertussen mijn eigen persoonlijke klankbord in huis had. 'Het zal zwaar worden, Joel: ik fulltime aan het werk en jij een grotere rol in huis, maar als ik niet kan doen wat ik leuk vind kan ik net zo goed niet gaan werken, en mijn baantje als productieassistent alias zondebok is niet wat ik nodig heb. Gabe gaat binnenkort naar de crèche, dus dit is een mooi moment om het te gaan proberen. Als het niet werkt kunnen we het nog eens bespreken en ga ik misschien wel een opleiding doen voor onderwijzer of psychotherapeut of zoiets, maar ik wil het graag proberen. En ik kan het, als jij me helpt.'

'Goed zo, Mary. Een mooi bruggetje naar het geld,' zei Becky. 'Jij verdient waarschijnlijk minder?'

'Momenteel wel, maar toen we elkaar leerden kennen verdiende ik meer dan hij, en als ik weer meer kan werken...'

'Alles wat er binnenkomt gaat op één hoop om de vaste lasten en alles voor het gezin van te betalen, het huishouden, dingen voor de kinderen, opvang, enzovoort, en jullie krijgen allebei een "salaris" om dingen voor jezelf mee te doen.' Ze schreef snel mee.

'En hij moet zijn administratie bijhouden. Elke week, toch?'

'Ja, dat klinkt redelijk.'

'Elke week...'

'En elke maand mogen jullie gaan zitten om die lijst opnieuw te bekijken en te herzien. Op een kalme, rationele manier en met een paar basisregels. Geen overleg waar de kinderen of andere mensen bij zijn. Geen tuttuttut-geluidjes of smalende blikken. Geen stemverheffing, en niet mokken.' Ze keek van mij naar Joel terwijl ze dit zei. 'En als dat jullie samen niet lukt, zal ik een maandelijkse afspraak met mij erbij plannen, zodat ik jullie koppen tegen elkaar kan slaan om te zorgen dat het wel lukt.'

'Dat doen we,' zeiden Joel en ik als uit één mond.

'En geen wijzigingen tussendoor, en als jullie wel gaan wijzigen, dan zonder afleidingen – geen radio of televisie.'

'Of de hele tijd op je BlackBerry kijken,' voegde ik eraan toe. 'Trouwens...' Ik denk aan seks en dat we daar niet aan toekomen – te druk met de kinderen en zo –, terwijl we wel tijd hebben om onze mail te checken en onze kantoorartikelencatalogi te lezen.

'Wat nou?' vroeg Becky.

'Niets,' zei ik blozend.

Het huishouden kostte de meeste tijd. Ik had meer dan honderd punten opgeschreven, waaronder een aantal obscure zaakjes.

'De vuilnis buitenzetten,' begon Joel. 'Goed opletten dat alle recyclebare onderdelen in de groene bak gaan.'

'De droogtrommel ontfluffen,' pareerde ik.

'Ik pak jouw flufgeval en verhoog met...' Hij zweeg even. 'Een rondje supermarkt.'

'Het ontsmetten van het wasmiddellaatje van de wasmachine.'

'O, stel je niet aan,' zei Joel. 'Dat verzin je.'

'Dat denk ik eigenlijk ook,' zei Becky. 'Niemand ontsmet zijn laatjes.'

'O, jawel hoor. En eens per maand een kookwas met azijn. Wacht even.' Ik ga naar de wasmachine en trek een laatje uit het apparaat, waar gelukkig een dankbaar laagje smerige prut in ligt.

'Het lijkt wel een soort prehistorisch slijm,' zei Joel. 'Ik word misselijk.'

'Wat is dat? Heeft iedereen dat?' vroeg Becky.

'Ik weet ook niet waar het vandaan komt. Er moeten ergens enorme bergen stof en haarballen en voetschimmel en die bruine kalkrandjes uit de wc-pot...'

'Zorg dat het ophoudt.' Joel hield met twee handen zijn oren dicht.

En zo gingen we door. En door. Ik merkte dat ik er plezier in had dat alles wat ik sinds Rufus was geboren aan Joel duidelijk had willen maken nu duidelijk werd. Misschien was het Becky's aanwezigheid, maar hij luisterde en nam alles in ontvangst op een manier die ik nog nooit van hem had gezien.

'Het moet niet allemaal van één kant komen,' zei hij toen we weer een puntje hadden afgehandeld.

'Als ik mijn lat hoger moet leggen, mag die van Mary best een tandje lager. We moeten elkaar in het midden tegenkomen, toch?'

'Niet helemaal in het midden,' zei Becky. 'Zestig-veertig, denk ik. Maar je hebt gelijk: een andere manier om je beter te voelen over je huis is je er minder druk over te maken.'

'Quentin Crisp zei het al,' zei Joel.

'Wie?'

'Hij zei dat er na een paar jaar niet meer stof bij kwam.'

'Jij bent afschuwelijk. Stof is mensenhuid.'

'Als het jouw velletje is hou ik er alleen maar meer van, liefje.'

Becky schreef nog wat op de lijst:

- *M leert zich minder aan te trekken van de status-quo van het huis en neemt bij tijd en wijle genoegen met een iets minder opgeruimd huis.*

Zoals een ouder wordende vrouw het peertje in de badkamer vervangt door een exemplaar van 40 Watt, dacht ik, maar ze hadden een punt. Als ik ermee kon ophouden mijn huis door de ogen van een ander te zien, kon ik misschien wel leven met de puinhoop. Misschien zat er ook wel iets in de gedachte dat niet-opruimen een vorm van timemanagement en effectiviteit was. Als ik pas na het weekend de keuken zou afnemen in plaats van na elke maaltijd zou ik elke dag een halfuur nutteloos poetsen uitsparen.

Als ik zeg dat ik ermee wil ophouden mijn leven door de ogen van anderen te zien bedoel ik de ogen van Mitzi. Jarenlang leek het wel of ik een armbandje droeg met het legendarische credo 'wzmd': Wat Zou Mitzi Doen? En nu weet ik het: Mitzi zou vernederende perverse handelingen verrichten voor haar echtgenoot, terwijl ze ondertussen vrijblijvend vreemdging met de vriendin van een andere vrouw.

Het had de hele tijd in de lucht gehangen, op de loer, maar ik had gehoopt dat we het er niet over hoefden te hebben.

'Wat een suffe doos ben ik,' zei Becky. 'Er zijn natuurlijk vier gebieden in deze relatie. Inkomen, zorg voor de kinderen, huishouden en... Weet iemand wat het vierde is?'

'Televisiekijken?' opperde ik.

'Iemand? Joel? Niemand? Júllie zijn het, sukkels.'

'Ik?' zei ik.

'Nee, "jullie" in het meervoud. Jullie relatie. Hoe vaak hebben jullie seks?'

'Dat mag je niet vragen. Dat mag je zeker niet op de lijst zetten waar iedereen het kan zien.'

'Niet vaak genoeg,' zei Joel. Hij schaamt zich niet als het om seks gaat. Hij kan erover praten als een Lieve Lita in een vrouwenblad, compleet met gynaecologische details en belachelijke termen als 'de liefde bedrijven'. Ik herinner me dat we een keer toen we nog niet zo lang samen waren aan een afhaalmaaltijd zaten en hij zei: 'Wist jij dat je anders smaakt als je curry hebt gegeten?' Ik antwoordde dat ik mijn tanden wel even ging poetsen. 'Dat zal weinig uitmaken,' zei hij, terwijl hij zijn vork neerlegde om zijn theorie te toetsen.

'Je kunt seks toch niet inplannen?' protesteerde ik tegen Becky.

'Ik ga jullie niet verplichten het elke zaterdag te doen.'

'Dank je.'

'Maar het moet minstens één keer per week. Zonder smokkelen.' Ik kreeg een visioen van ons in bed en Becky die tussen ons in verschijnt en op haar horloge wijst om te zeggen dat er alweer zes dagen voorbij zijn.

'Joel, jij zei dat het allemaal te zakelijk werd.'

'Als Becky zegt dat het moet, dan moet het.'

'En als ik nou geen zin heb? Als wij geen zin hebben?'

'Dan zorg je maar dat je zin krijgt.'

Ik keek haar sceptisch aan.

'Vraag mij niets, daar weet ik niets van. Weet ik veel. Massage, ergens buiten, de keukentafel...'

'Dronken worden.'

Ze negeerde me en ging door: 'Overdag telefoonseks hebben, rollenspellen, een vleugje sm, sexy lingerie.'

'Als ik mijn platen weg kan doen,' zei Joel, 'kun jij je voedingsbeha's dumpen en een paar nieuwe kopen die speciaal bedoeld zijn voor de niet-melkproducerende vrouw.'

'Ik wist niet dat het je opgevallen was.'

'Ik was er niet van uitgegaan dat die drukknoopjes om de cups open te flappen voor mij bedoeld waren,' zei hij.

'En jullie moeten vaker samen dingen doen. Zonder de kinderen.'

'Wat, een wekelijks avondje uit, of zo?' zei ik.

'Weet je wat Ursula daarvan zou zeggen?' vroeg Joel, en tegelijk zeiden we: 'Wanstaltig Amerikaans.'

'Wij samen in een restaurant ons best doen om over iets anders te praten dan de kinderen, en uiteindelijk maar gewoon onze mond houden?' zei ik. 'Dat gaat ons huwelijk vast en zeker redden.'

'Zo erg zal het toch niet zijn?' zei Joel. 'We kunnen andere dingen doen – naar de bioscoop, bandjes kijken. We gaan nooit meer naar exposities.'

Ik weet nog dat we, voor ons trouwen, eens naar een expositie van naakten door de eeuwen heen gingen en Joel geile woordjes in mijn oor fluisterde tot ik me niet meer kon bedwingen en we het invalidentoilet alias de verschoonruimte binnenglipten voor een vlug, maar zeer bevredigend nummertje. Ik kon nooit aan dat incident terugdenken zonder me er schuldig over te voelen dat er misschien wel iemand anders heel erg nodig van die ruimte gebruik moest maken. Maar toen, na Becky's orders om elke week seks te hebben, voelde ik dat de herinnering een warme golf door mijn onderlijf stuurde en leek er iets van optimisme in me te groeien. Dit zou weleens kunnen werken, dacht ik, dit zou weleens kunnen werken.

'We zouden een leesclub kunnen beginnen,' zei ik.

'Ik ga echt niet naar die suffe leesclub van jou.'

'Nee, jij en ik. Het was altijd heel fijn om samen te lezen, voor de kinderen. Dat jij mij altijd voorlas.' Urenlang lagen we opgekruld dicht tegen elkaar aan en las hij met zijn heerlijke diepe stem voor uit de nieuwste literaire hit, als mijn persoonlijke audioboek. Daarna bespraken we de goede en slechte kanten en dieper liggende lagen. Nu lees ik nooit meer.

'Goed werk, team,' zei Becky met een blik op haar horloge. Ze maakt het 'T' gebaar. 'Oké jongens, time-out.'

'Heb je dat geleerd op de bemiddelaarschool?' vroeg Joel.

'Ja, dat heb ik inderdaad daar geleerd, dank je. Tien minuten om wat te drinken en het te laten bezinken. Laten we ons terugtrekken in de keuken.'

Joel begon door de tijdschriften te bladeren die tegelijk met de krant bezorgd waren. Hij stopte bij een reportage en maakte met twee vingers in zijn keel een overgeefgebaar.

'Wat is dat?' vroeg ik.

'Dit,' zei hij, wijzend op de bladzijde. '"Als je gek bent op zand, duinen en zilte lucht,"' las hij hardop voor, '"zul je verliefd worden op

Mitzi Markhams onderkomen in Norfolk, dat bewijst dat herge-bruik ook stijlvol kan zijn.'"

'O god, is dat het artikel waar ze mee bezig waren toen wij er wa-ren? Staan wij er ook in?'

'Ik denk dat we eruit geknipt zijn.'

'Niet eco-chic genoeg, zeker, zelfs al moesten de jongens jeukende onderbroeken aan van biologisch verantwoorde katoen.'

Hij sloeg een bladzijde om. 'Hier staan ze. Alleen jij en ik zijn on-geschikt bevonden.'

'Kijk nou.' Onze zoons hadden strepen modder op hun gezicht alsof ze het aloude Cowboys-en-Indianenspel speelden. 'Becky, zijn dit niet gewoon de mooiste kinderen van dit blad?'

'Zeker weten. Maar zo moeilijk is dat trouwens niet. De kinderen van Mitzi leken zo weggelopen uit een Stephen King-thriller.' Ze stonden met z'n vieren op de foto, hun witblonde haar liep naadloos over in het witte zand van de duinen.

'Moet je horen wat een onzin,' zei Joel, en hij las voor. '"Wie de ruime woonkamer binnenkomt, wordt getrakteerd op prachtige ver-gezichten van Norfolkse luchten en de rijkdom van Mitzi's bijzon-dere vondsten. Bla bla bla. Het glazen tafelblad van de salontafel werd gered uit een verwaarloosde kerk die Mitzi ontdekte tijdens een vakantie op Île de Ré. 'De kinderen kruipen er graag onder om te lachen om hun vervormde gezichten in het glas,' lacht ze ontspannen onder het dagelijkse geweld dat met vier vrolijke kinderen gepaard gaat.'" Joel rolde met zijn ogen en ging verder: '"En voor mijn echtge-noot en mij is het een ideale plek voor onze smerige seksspelletjes. Michael schijt gewoon niet op een glasplaat waar geen charmant ver-haal achter zit.'"

'Dat staat er niet,' zei Becky.

'Nee, natuurlijk niet. Maar dat zou wel moeten.'

'Hoe bedoel je?'

'Heb jij niks gezegd?' zei Joel. 'Becky, Becky, Becky, hou je vast, zo'n mooi verhaal hoor je maar zelden.'

En dus vertelden we, met Joel zowel in de rol van Mitzi met haar rubberen handschoenen als in die van Michael, en de kindertafel van IKEA om de capriolen van onze schuinsmarcheerder te imiteren. Ik gaf uitgebreid commentaar bij de beelden, met af en toe een bij-drage van Joel. We kregen buikpijn van het lachen en de tranen lie-pen over onze wangen. Elke keer dat we dachten dat we klaar waren gaf Joel zijn vertrokken Michael-gezicht ten beste en lagen we weer dubbel. Ik lachte alsof ik weer een jong meisje was.

'Ik geloof niet dat ik ze ooit nog aan kan kijken,' zei Becky uiteindelijk.

'Ik denk dat dat ook niet meer hoeft,' zei ik. 'Ik ga haar niet meer opzoeken, dus er is geen reden voor jou om haar nog eens te zien.' Ik had haar na mijn ontdekking van de loodgieter en de tuinman nog maar één keer gezien. Dat was op de leesclub, waar alles weer hetzelfde was: de stroperige bediening, de designhapjes, de gebruikelijke onderwerpen... Maar ik was anders. Vreemd genoeg vond ik het na Norfolk niet moeilijk haar nog recht in de ogen te kijken, en het lukte me ook haar haar poging om Joel te verleiden te vergeven, maar ik kon niet meer net doen alsof ik niets wist van haar en Cara. Ik probeerde naar haar plannen met milieuvriendelijke producten te luisteren of haar aan te horen als ze vertelde hoe trots ze was op de talloze prestaties van haar kinderen, maar ik kon het niet meer, het was genoeg geweest. Ze had het alweer over haar huwelijkse seksleven en prees Michael omdat hij zo'n fantastische partner was. Haar leven is een leugen, maar één ding is een waarheid als een koe: ze zou nooit bij hem weggaan, wat er ook gebeurt.

'Wat?' vroeg Joel. 'Ga je niet meer met haar om? Helemaal niet meer?'

Ik schudde mijn hoofd. Ik gluurde naar Becky en koos mijn woorden met zorg. 'Ze is niet bepaald aardig.'

'Eindelijk,' zei Joel. 'Dat zeg ik toch al jaren?'

'Ik vond haar meteen al niet zo bi,' zei Becky. Jij weet de helft nog niet, dacht ik, en van mij zul je het ook niet horen.

'Eigenlijk is ze gewoon heel onzeker.'

Joel snoof. 'Dat zeiden ze over Hitler ook.'

'Het is waar, ze heeft een moeilijke jeugd gehad. Hoewel het natuurlijk in feite irrelevant is of ze wel of niet aardig is, want ze maakt dat ik me onaardig gedraag. Ik ben het zat om mezelf constant met haar te vergelijken. Haar kennen staat gelijk aan je met haar vergelijken. Dat roept ze op. Dat is waar het bij haar om draait. Ik kan met Daisy blijven omgaan en ik zie sommige van onze oude vrienden veel te weinig, en ik moet afspraakjes gaan maken met mijn eigen man, en er is een aantal echt leuke ouders op de school en ik zou best meer kunnen doen voor de ouderraad. Er zijn zoveel dingen die ik beter kan doen dan bij Mitzi blijven hangen. En haar gevolg. Als ik

Alison nooit meer hoef te zien wordt de wereld sowieso een heel stuk mooier.' Ze knikten allebei instemmend. 'Maar zet "niet meer met Mitzi omgaan" maar niet op de lijst. Niet dat ik haar ooit nog een voet in mijn nederige keuken laat zetten.'

Wie had gedacht, zoals Becky zou zeggen, dat een huwelijk zo hard werken was, dat er een bedrijfsplan, strategieën en actiepunten voor nodig waren? Dat het dagelijkse dankbaarheid, wekelijkse seks en maandelijkse bestuursvergaderingen vereiste? Dat we elke zondag-avond met onze agenda's rond de tafel gingen zitten om af te spreken wie wanneer welk kind naar voetbal zou brengen, wie er ging werken en wie er mocht uitslapen, wiens hobby voorrang had? Dat er een professionele bemiddelaar – een zogenoemde huwelijksmanagement-adviseur – voor nodig was om de ongelijkheid en de kift de deur uit te werken en de gunfactor en samenwerking binnen te slepen?

Maar daar hangt hij, op de koelkast: onze eigen kleine verklaring van medeafhankelijkheid. Een A3-vel met kleine lettertjes, af en toe vluchtig bekeken door gasten, die al snel afhaken door de alledaags-heid en voor hen onbegrijpelijke afkortingen. Hij hangt naast de uit-nodiging om Michaels vijfenveertigste verjaardag te vieren in zo'n ouderwetse herensociëteit. Ik heb ons beleefd afgemeld, maar ik hou van de mooi gedrukte kaart tussen de vakantieplanningen en bood-schappenlijstjes. Minder opvallend is de uitnodiging voor Jemima's vijfendertigste, dat beladen moment in het leven van een vrouw. Het is alweer even geleden. Zij en Jan zaten de hele avond als verliefde tieners op de bank en ze vertelde glunderend dat ze waren gestopt met de pil. Hij zal haar uiteindelijk waarschijnlijk mateloos irriteren, maar wie dan leeft, wie dan zorgt.

- *Joel wentelt zich noch in de strelende aandacht van jonge onderge-schikten op kantoor, noch zoent ze (of wat er verder nog allemaal gebeurd is).*

- *Mary fantaseert niet over gedistingeerde brunettes slechts gehuld in lingerie van groene zijde met een seksspeeltje in de aanslag.*

Nee, dat lieg ik. Deze verordeningen hangen niet op de koelkast, waar de wereld en hun nageslacht er openlijk kennis van kan ne-men. Maar ze zitten wel in mijn hart en in mijn hoofd.

Joel en ik hebben veel over Kitty gepraat, en ik maak lullige opmerkingen als hij overwerkt. Maar elke keer als ik dat doe voel ik me schuldig over Cara en wil ik het hem vertellen, hoewel ik niet precies weet wat er te vertellen valt. Ik neig ernaar, maar ik doe het niet. Er is niets gebeurd – nee, echt niet. Er valt niets te vertellen, zeg ik tegen mezelf, en hoewel Joel me zou vergeven (hij moet wel, wegens Kitty), weet ik niet zeker of Becky dat ook kan.

Het geval wil dat ik Joel geloof als hij zegt dat hij Kitty nooit zo leuk heeft gevonden als hij mij vindt. En ik weet dat ik nooit zoveel van iemand kan houden als van hem. Hij moet leren leven met mijn opvliegendheid als de keerzijde van dat pittige roodharige gedoe waar hij op gevallen is, zoals ik moet accepteren dat relaxte charme niet altijd een goede eigenschap is. Misschien is het in alle relaties wel zo dat het goede als je het laat gebeuren zomaar het slechte kan worden.

Laatst kwam ik Daisy tegen, die een fors aantal kilo's was afgevallen sinds ik haar voor het laatst had gezien. Ik vroeg of ze aan het sporten was geslagen en kreeg haar gebruikelijke antwoord dat het haar geen bal kon schelen. Nee, zei ze, maar ze had een boek gelezen dat haar aan het denken had gezet over haar eetgewoontes. Het moeilijkste van afvallen, vertelde ze, was een lijst maken van alle redenen, maar dan ook allemaal, waarom ze zoveel at. 'Ik heb er weken over gedaan,' zei ze. 'Toen hij af was, was ik kapot.' Op de een of andere mysterieuze manier viel ze door alle redenen op te schrijven bijna moeiteloos af. Ik had mijn bedenkingen, maar inmiddels denk ik dat het bij Joel en mij ook zo is gegaan. Het lijkt wel of we door de lijst te maken – ons affidavit van gelijkwaardig ouderschap, zoals Becky het noemde – al halverwege waren. Joel en Becky vroegen me geregeld wat ik met de Lijst VI.0 had willen bereiken en ik wist nooit wat ik daarop moest antwoorden, maar nu weet ik het. Ik dacht dat ik door onze huiselijke irritaties op te schrijven die zou kunnen oplossen. En uiteindelijk heb ik dat misschien ook wel gedaan.

Als het nu wel erg kort door de bocht klinkt, dan spijt dat me. Ik zou Joel nog steeds af en toe het liefst vermoorden. Ik trakteer hem nog steeds regelmatig op 'de zucht', zoals hij het noemt, blijf hem vertellen dat het leven als alleenstaande ouder stukken makkelijker zou zijn en zeg dingen als: 'Blijf maar lekker weg hoor, vanavond. Het is heerlijk om ze nu voor de derde keer op rij alleen naar bed te mogen brengen.' Ik zeg nog steeds: 'Daar heb ik geen tijd voor,' waarna ik besef dat ik die wel heb; hoewel ik meer werk, heb ik ge-

noeg tijd voor seks en om aardiger te zijn – dingen die ik altijd ont-
kende. Joel gooit nog steeds etensrestjes in de gootsteen en zet pannen waar alleen water in gekookt heeft in de afwasmachine.

Daisy's wonderbaarlijke dieet leerde me nog iets. Als zij zin krijgt
in een stuk taart of een koekje, zegt ze, wacht ze altijd vijf minuten.
Na die vijf minuten bedenkt ze dat ze de taart of het koekje al op had
gehad als ze het meteen genomen had. Meer heeft ze blijkbaar niet
nodig om zich te kunnen bedwingen als ze de neiging voelt opkomen. Bij mij werkt het ook zo. Ik dwing mezelf om niet meteen te
gaan spugen, maar even te wachten, waarna ik meestal merk dat een
korte blik op het document op de koelkast genoeg is.

Nee, gemakkelijk is het niet, dit nieuwe leven, maar het is niet zo
zwaar als toen ik hoorde van Kitty en dat Joel de Lijst had gevonden.
We waren zo verstijfd van angst en eenzaamheid dat ik bijna terug-
verlangde naar de agressie en het chagrijn van daarvoor.

'Je zegt nooit meer dat ik last heb van mijn hormonen,' zeg ik.

'Dat komt doordat dat niet meer zo is,' antwoordt hij. 'Heb je me
vergeven?'

'Ja. Heb jij mij vergeven?'

'Dus je beseft dat er jou ook iets te vergeven valt?'

'Natuurlijk.'

Hij lacht. 'Dan vergeef ik je totaal.' We zoenen, en niet alleen omdat het op de koelkastdeur staat.

We lopen door een groot natuurgebied net buiten de stad. Becky en
Ursula zijn voor de chaos in hun huis, de bouwput, gevlucht om
deze middag op Rufus en Gabe te passen. Becky, de schat, grijpt elke
gelegenheid die ze ziet aan om onze hereniging te faciliteren, als een
soort testcase voor haar bemiddelingswerk en theorieën. Joel heeft
zijn romantische uitspattingen van weleer vervangen door het nog
veel dierbaardere gebaar dat hij alle punten op de nieuwe lijst volgt.
De figuurlijke witte rozen van deze ochtend waren het feit dat hij
ontbijt maakte voor de jongens en ervoor zorgde dat er na afloop
geen hoopjes opgedroogde drab op tafel achterbleven.

'Ik wist niet dat het zo heerlijk was om je eigen tempo te bepalen,'
zeg ik tegen hem.

'Zonder achtergrondkoortje dat "draag mij" zingt?'

'En "wandelen is stom".'

We lopen een paar minuten zwijgend verder. Onderweg is er een heerlijke balans tussen stilte en conversatie. Ik ben dolblij dat onze 'afspraakjes' ook overdag mogen plaatsvinden en dat we dit doen in plaats van een restaurantmaaltijd naar binnen te werken en ons een stuk in de kraag te zuipen. Ik had nooit kunnen bedenken dat een ongestoorde wandeling iets was wat ik zo zou missen als er kinderen kwamen.

Joel pakt mijn hand. Ik voel een fijne rilling, intiemer dan seks. Iedereen kan seks hebben, en wij houden ons aan onze wekelijkse opdracht. Om de vergelijking tussen het herstel van ons huwelijk en de strijd tegen de kilo's door te trekken kan ik vertellen dat seks en een bezoekje aan de sportschool op een bepaalde manier hetzelfde zijn: het moeilijkste is om je ertoe te zetten, maar als je eenmaal bezig bent loont het altijd de moeite.

Mensen houden elkaars hand niet vast tenzij ze vijf jaar oud zijn of echt dol op elkaar. Je loopt niet hand in hand met je onenightstand. Mitzi en Cara houden elkaars hand niet vast.

We lopen door en even voelt het vreemd. Ik wil me loswurmen en heb onmiddellijk de neiging om mijn jas recht te trekken of aan mijn neus te krabben. Ik mis de beweging van mijn eigen armzwaai. Na een tijdje voelt het echter alsof hij me telkens een zetje in de rug geeft en ik hem, alsof twee armen die verbonden zijn meer energie geven dan die van jou alleen. We zwaaien samen met onze armen alsof er een denkbeeldig kind tussen loopt. We lopen sneller en sneller, totdat we de heuvel af beginnen te rennen met de wind, waarin al een vleugje winter te bespeuren valt, in de rug.

Het voelt alsof we de toekomst tegemoet rennen.

Dankwoord

Vanaf de allereerste zin stimuleerde en steunde Arabella Stein me om dit boek te schrijven. Ze leidde de ongecontroleerde gekte van Mary en mijzelf in goede banen en beurde me op als ik het zwaar had. Naast mijn agent is ze een geweldige meelezer en vriendin. Dank ook aan Ben Fowler, Sandy Violette, Tessa Ingham en alle andere medewerkers van Abner Stein.

Verder bedank ik mijn uitgever en redacteur, Carolyn Mays, van Hodder, die met haar rake en intelligente wijzigingen *De troep onder aan de trap* nog beter maakte dan ik ooit had durven hopen. Haar collega's Francesca Best en Caryn Karmatz-Rudy deden vele briljante suggesties van onschatbare waarde. Amber Burlinson is goud waard als eindredacteur.

Thuis werd er voor de kinderen gezorgd en een begin gemaakt aan het minimaliseren van de troep door Jackie Strawn, Debbie Perera en Renata Zakrocka. Bedankt ook, ouders en staf van basisschool Little Ark and Thornhill, vooral de moeders die hun grieven met me deelden en zich ontfermden over mijn kinderen. Onze families boden gul hun diensten aan, vooral de oma's, Sylvia Hopkinson en Jenny Carruthers.

Dankjewel David Barker, mijn persoonlijk adviseur voor muzikale zaken, voor het opstellen van de babyplaylist. Bibi Adams en Francis en Charlotte Hopkinson leerden me alles over televisie maken en lazen mee met een van de allereerste versies van het boek.

Tot slot bedank ik William, Celia en Lydia Carruthers voor alles wat ik aan jullie heb gehad zonder het zelf te beseffen.